POLITICA ET ARS

Interdisziplinäre Studien zur
politischen Ideen- und Kulturgeschichte

herausgegeben von

Prof. Dr. Richard Saage,
Prof. Dr. Walter Reese-Schäfer
und
Prof. Dr. Eva-Maria Seng

Band 26

LIT

Richard Saage

Auf den Spuren Utopias

Richard Saage

Auf den Spuren Utopias

Stationen des utopischen Denkens
von der Frühen Neuzeit bis zur Gegenwart

LIT

Umschlagbild:
Johann Valentin Andreae, *Reipublicae Christianopolitanae descriptio*,
Straßburg 1619 (Ausschnitt), Kupferstich der Erstausgabe, Bibliothek
des Evangelischen Stifts Tübingen, GK-4.6893. VD17 12:105664H

Gedruckt auf alterungsbeständigem Werkdruckpapier entsprechend
ANSI Z3948   DIN ISO 9706

Bibliografische Information der Deutschen Nationalbibliothek
Die Deutsche Nationalbibliothek verzeichnet diese Publikation in der
Deutschen Nationalbibliografie; detaillierte bibliografische Daten sind
im Internet über http://dnb.d-nb.de abrufbar.

ISBN 978-3-643-13105-8

© LIT VERLAG Dr. W. Hopf Berlin 2015
Verlagskontakt:
Fresnostr. 2   D-48159 Münster
Tel. +49 (0) 2 51-62 03 20   Fax +49 (0) 2 51-23 19 72
E-Mail: lit@lit-verlag.de   http://www.lit-verlag.de

Auslieferung:
Deutschland: LIT Verlag Fresnostr. 2, D-48159 Münster
Tel. +49 (0) 2 51-620 32 22, Fax +49 (0) 2 51-922 60 99, E-Mail: vertrieb@lit-verlag.de
Österreich: Medienlogistik Pichler-ÖBZ, E-Mail: mlo@medien-logistik.at
E-Books sind erhältlich unter www.litwebshop.de

Inhaltsverzeichnis

Inhaltsverzeichnis

Inhaltsverzeichnis

Einleitung

Das Erkenntnisinteresse, das den vorliegenden Aufsätzen zugrundeliegt, ist breit gefächert. Auf eine Reihe von Fragen fokussiert, seien einige von ihnen hier genannt. Wie leistungsfähig in analytischer Hinsicht ist der klassische, auf Thomas Morus zurückgehende Utopiebegriff im Vergleich zu anderen Ansätzen? Worin besteht sein unverwechselbares Profil in Konfrontation mit dem im Mittelalter hegemonialen Chiliasmus? Welche sozio-politischen Alternativen zeigt er gegenüber dem aristotelischen und dem von Hobbes geprägten individualistischen Gesellschaftsbild auf? Wie reagiert das klassische utopische Denken auf die Epoche der Aufklärung und des Absolutismus? Wie wirkte es am Beispiel der Architekturgeschichte auf die sozio-politische Realität der Neuzeit verändernd ein? Hinterließ es Spuren in den sozialistischen Planwirtschaften? Und kann es den Herausforderungen des transhumanistischen Ansatzes im 21. Jahrhundert standhalten?

Die scheinbare Heterogenität dieser Fragen darf nicht darüber hinwegtäuschen, dass sie ein gemeinsames Zentrum haben: Es geht um Versuche, aus verschiedenen Perspektiven heraus das einzigartige Profil eines Denkens in rationalen Alternativen zu beleuchten, das seit der Antike in einem kontinuierlichen Diskurs die europäische Identität bis auf den heutigen Tag entscheidend mitgeprägt hat. Aber es handelt sich auch darum, die Ambivalenz dieses Denkens aufzuzeigen: Totalitären Potenzialen steht die Tatsache gegenüber, dass utopisches Denken wie eine geistiges Ferment bei der Herausbildung eines kollektiven sozialen Gewissens wirkte und dass es sich vor allem durch die Fähigkeit zur Selbstkritik auszeichnet. Zwar ein Produkt des frühneuzeitlichen Westeuropas, wurde es in dem Maße, wie es sich aus dem Korsett seiner Herkunft löste, dennoch für andere Kulturen importierbar. Seiner ursprünglichen Statik mit antiindidviualistischer Stoßrichtung trat als Korrektiv eine Selbstreflexion gegenüber, die sich im Kern jeder unmittelbaren programmatischen Instrumentalisierung durch soziale Bewegungen und politische Parteien entzieht.

Aber die politische Utopie im hier gemeinten Sinn lässt sich auch nicht auf die dichotomische Alternative „Idealstaat oder Gedankenexperiment"[1] reduzieren. Den in diesem Band vorgelegten Aufsätzen liegt vielmehr die Überzeugung zugrunde, dass der Urtypus eines bis auf den heutigen Tag nachwirkenden Genres, die *Utopia* (1516) des Thomas Morus, nicht innerhalb der Zuspitzung auf ein „Entweder-Oder" zu verorten ist. Einerseits ist nicht zu bestreiten, dass der Titel der lateinischen Ausgabe von 1516 lautet: *De optimo reipublicae statu*. Morus'

---

[1] Vgl. Schölderle 2014, S. 9-28.

Werk wurde dann auch im Licht der platonischen Idee eines „besten Staates" interpretiert, dessen ideale Einrichtungen Hythlodeus, der Lobredner *Utopias,* den Lesern vorstellt. „Ideal" war dieser Staat auch deswegen, weil er angeblich sowohl die Defizite des sozio-ökonomischen Systems des Frühkapitalismus als auch der politischen Struktur des beginnenden Absolutismus vor allen in Frankreich und England vermied. Die Interpreten konnten sich ferner auf die Textstellen in der *Utopia* berufen, welche die auf dem Privateigentum beruhende Ausbeutung der Arbeit durch ein gemeinwirtschaftliches Modell ersetzten, das jedem egalitär ein Leben ohne Elend sicherte und einen hohen Bildungssrand für alle garantierte. Und dem Strukturdefizit des Frühabsolutismus, der permanenten Kriegsführung, setzte nach dieser Interpretationsrichtung *Utopia* deren Perhorreszierung entgegen, die gerade noch die Möglichkeit für Verteidigungskriege vorsah. Auch konnten sie darauf verweisen, dass das utopische Regierungssystem vor allem ein Ziel verfolgte: Korruption und Despotie den Boden zu entziehen. Man kommt wohl kaum um die Feststellung herum, dass dieser Rezeptionslinie das utopische Genre ganz wesentlich bestimmte.

Andererseits ist diese Lesart nicht unwidersprochen geblieben. Sie weist auf Textstellen der *Utopia* hin, die der *Konstruktion* des Idealstaates dessen *Destruktion* konfrontiert. Die Mittel einer solchen Destruktion sind die litararischen Kunstgriffe der Ironie, der Satire und der aufgeklärten Selbstreflexion. Textstellen, die eine solche Sichtweise zu rechtfertigen scheinen, sind in der *Utopia* leicht zu finden. So lobt Morus ironisch die Vertragstreue der frühabsolutistischen Staaten, obwohl er an anderer Stelle den Vertragsbruch als eine Selbstverständlichkeit ihrer Realpolitik denunziert. Wenn die bewusste widersprüchliche Argumentation ein Signum der Satire ist, dann findet man für diese Zuordnung in *Utopia* zahlreiche Belege. Zwar ist für die Utopier die Todesstrafe ein unmoralisches Delikt. Zugleich haben sie aber keine Hemmungen, sie z.B. bei wiederholtem Ehebruch anzuwenden. Sie lehnen den Krieg grundsätzlich ab. Aber zugleich listen sie zahlreiche Gründe auf, mit denen sie neue Feldzüge rechtfertigen. Sie schaffen das Privateigentums ab. Aber gleichzeitig kritisiert Morus selbst die Auswirkung des Gemeineigentums: Es fördere die Indolenz, die Erschlaffung der individuellen Antriebskräfte und bewirke nicht zuletzt permanente Konflikte. Diese Lesart legt es nahe, die *Utopia* als einen Text zu lesen, der selber Ausfluss einer experimentellen Spielerei ist, die es verbietet, ihm den Geltungsanspruch eines Idealstaates zuzugestehen.

Doch kann sich die Option, *Utopia* sei nichts anderes als ein Gedankexperiment, durchhalten? Ist Morus ein gedanklicher Experimentator ohne normativen Standpunkt, der seine Fiktion eines „besten Staates" gedanklich durchspielt, ohne sich auf ein definitives Pro oder Contra festzulegen? Es ist unbestritten, dass Morus die Mittel der Ironie und der Satire einsetzt, um den Text so zu verfremden, dass der Leser zu ihm in kritischer Distanz verharren kann. Aber einen Unterschied gibt es doch: *Utopia* ist mehr als eine humanistische Spielerei oder bloßer Ausfluss von Kausalitäten, die, von störenden Nebenwirkungen befreit, auf einer experimentell gedachten Insel in Erscheinung tritt. *Utopia* hat auch einen normativen Fixpunkt, der aus der Sozial- und Regierungskritik seiner Herkunftsgesellschaft resultiert. Ihr ist zu attestieren, dass sich der Morus unterstellte Spaß „in Grenzen hält" und dass „sie wenig Raum für die Vermutung (lässt), die Kritik sei nicht auch Morus' eigene"[2]. Ist aber nicht in der Kritik selbst die Möglichkeit angelegt, dass es einen besseren Zustand geben könnte? Und tendiert nicht dieser Ansatz in Richtung auf einen Idealstaat, der sehr wohl als regulatives Prinzip politisches Handeln orientieren kann?

Nun hat *Utopia* in der Tat sehr viel mit einem naturwissenschaftlichen Experiment gemeinsam. So wurde zu Recht geltend gemacht, dass niemand anders als der renommierte Physiker und Wissenschaftstheoretiker Ernst Mach (1838-1916) auf den experimentellen Chrakter der utopischen Imagination und damit auf die Affinität zwischen dem naturwissenschaftlichen Experiment und der utopischen Insel hingewiesen hat.[3] „Der Projektmacher, der Erbauer von Luftschlössern, *der Romanschreiber* (Mach nennt Émile Zolas *Le Roman expérimental* (R.S.), *der Dichter sozialer und technischer Utopien* (Hervorhebung von mir, R.S.) experimentiert in Gedanken. Aber auch der solide Kaufmann, der erste Erfinder oder Forscher tut dasselbe. Alle stellen sich Umstände vor und knüpfen an diese Vorstellung die Erwartung, Vermutung gewisser Folgen; sie machen eine Gedankenerfahrung".[4] Doch hat diese nicht zu bestreitende Analogie mit dem utopischen Denken ihre Grenze. Sie besteht darin, dass Machs „Gedankenexperimente" mit sehr unterschiedlichen Interessen verbunden sind: Dem Kaufmann geht es um den Gewinn, dem Erfinder um eine patentreife technische Innovation, dem naturwissenschaftlichen Forscher um das Ziel, das physische Experiment vor Irrwegen und unnötige Kosten zu bewahren. Einen solchen Pragmatismus der Nutzenmaximierung[5] kennt das utopische Denken nicht. So sehr es den anderen genannten Gedankenexperimenten ähnelt, ist es von Anfang an unter einem normativen Vorzeichen angetreten: Es will herausfinden, was ein „gutes Leben" der Menschen ist, unter welchen Bedingungen es gelingen kann (Utopie), und welche sozio-politische Konstellationen es scheitern lassen (Dystopie).

Was die hier versammelten Aufsätze zeigen wollen, ist der Aufweis der Offenheit des utopischen Denkens. Es ist veranwortlich dafür, dass es sich seit seiner Entstehung mit der *Utopia* des Thomas Morus neuen Herausforderungen stellte und so verschiedene Stufen durchlief, die in diesem Band durch repräsentative Fallbeispiele dokumentiert werden sollen. In der Frühen Neuzeit sah sich die moderne Utopie gezwungen, gegenüber der Vorherrschaft des christlichen Chiliasmus ein eigenes Profil zu enwickeln, das den Gedanken der Säkularisie

---

[2] Schölderle 2014a, S. 60.
[3] Vgl. Schölderle 2014, S. 16.
[4] Mach 1968, S. 186.
[5] Vgl. a.a.O., S. 188.

rung mit der weltimmanenten Imagination einer besseren Welt im Diesseits verband. Die Leistungsfähigkeit eines solchen Konstrukts, am Beispiel seiner Genesis und seiner Geltung, seiner Lernprozesse und seines Veränderungswillens sowie seines Verhältnisses zur kritisierten soziopolitischen Wirklichkeit ihrer Herkunftsgesellschaft zu untersuchen, ist die Aufgabe des ersten Kapitels. Die folgenden drei Kapitel zeigen, wie sich das Profil der Utopie gegen die konkurrierenden Weltbilder des religiösen Chiliasmus einerseits und des christlich geprägten aristotelisch-scholastischen sowie des kontraktualistisch-bürgerlichen Gesellschaftsmodells andererseits behauptete. Den Chiliasmus eines Thomas Müntzers hinter sich lassend, öffnete die *Utopia* des Thomas Morus eine Perspektive in der Richtung einer kollektiven Modernisierung, der freilich in Gestalt des subjektiven Naturrechts der ursprünglich Gleichen und Freien eine individualistische Alternative gegenübertrat.

Aber der Eintritt des utopischen Denkens in die Epoche der Aufklärung und des Absolutismus modifizierte ihre ursprüngliche, von Morus geprägte Form erheblich, wie das fünfte Kapitel zeigt. Jetzt mutierte der Entdecker der idealen Insel zu deren Gestalter. Die Raumvorstellung des klassischen Musters wird von einem nach vorn gerichteten Zeithorizont absorbiert. Gleichzeitig nimmt die Kritik an den Fehlentwicklungen der Herkunftsgesellschaft einen dialektischen Charakter an: Sie wird als notwendiges Durchgangsstadium zum idealen Gemeinwesen der Zukunft verstanden. Vor allem aber findet in der Periode der Aufklärung die Differenzierung zwischen der archistischen (herrrschaftsbezogenen) und der anarchistischen (herrschaftsfreien) Utopie statt. In keinem Wirkungsbereich sind diese Varianten des utopischen Denkens einflussreicher geworden als in der Architekturgeschichte. Das sechste Kapitel zeigt dann auch, wie der archistische und der anarchistische Ansatz die europäischen Architekturvorstellungen von der Frühen Neuzeit bis zur Gegenwart prägten und wie vor allem Mischformen beider Linien auf das architektonische Profil der Moderne einwirkten.

Das Fallbeispiel des siebenten Kapitel dokumentiert die Tatsache, dass insbesondere das archistische Paradigma nicht nur Spuren in der Architektur, sondern auch in der Ökonomie hinterlassen hat. Bei dem Versuch, die ökonomische Struktur der sowjetischen Gesellschaft zu rekonstruieren, gerät englischen Sozialforschern in den 1940er Jahren deren Struktur zu einer Projektionsfläche, auf der – gewiss ungewollt – die Konturen der Planwirtschaft der archistischen Utopie deutlich werden. Aber ein Unterschied bleibt: die klassische Utopie – auch in ihrer archistischen Spielart – impliziert das, was dem realsozialistischen Experiment abgeht: das selbstkritische Potenzial, das Korrekturen zu einer zwingenden Notwendigkeit erhebt. Dessen Existenz und fortwährende Kraft markiert auch die entscheidende Differenz, welche das klassische utopische Denken heute von ihren transhumanistischen Herausforderern trennnt. In diesem Sinne bleibt in letzter Instanz, wie aus dem abschließenden Beitrag hervorgeht, die politische Utopie im hier gemeinten Sinn dem aufgeklärten Humanismus verpflichtet, während ihre transhumanistischen Gegner den Menschen nicht zu vervollkommnen, sondern ihn durch genetische Manipulation oder durch die technische Aufrüstung seines Körpers in eine neue Spezies zu transfomieren suchen.

Die Stationen des utopischen Denkens, die in dieser Sammlung rekonstruiert werden, haben eine gemeinsame Wurzel. Sie sind das Resultat einer kritischen Distanz der klassischen Utopie zu der sozialen Wirklichkeit, der sie als bessere oder schlechtere fiktive Alternative gegenübersteht. Alle aufgezeigten Stationen des utopischen Denkens lassen sich in ihrer spezifischen Ausformung auf eine basale Aussage zurückführen: Eine verwirklichte Utopie würde sich selbst negieren, weil sie ihres kritischen Potenzials verlustig ginge.

Berlin, im Mai 2015
Richard Saage

Kapitel 1

Zum analytischen Potenzial des klassischen Utopiebegriffs

Kürzlich hat Thomas Schölderle die Frage aufgeworfen, ob die klassische Utopietradition eher dem Modell des „Idealstaats" oder dem des „Gedankenexperiments" zugeordnet werden kann. Dass diese Fragestellung sich eindeutig als fruchtbar erwiesen hat, beweisen die Beiträge zu dem von ihm herausgegebenen Band.[1] Aber im Grunde genommen transzendieren sie zugleich auch das engere Thema: Sie stellen die Fruchtbarkeit jener Richtung der Utopieforschung unter Beweis, die sich auf die *Utopia* des Thomas Morus beruft: sei es, dass sie die *idealstaatliche* Ausrichtung betont; sei es, dass sie der *experimentellen* Stoßrichtung den Vorzug gibt oder sei es, wie dies beim Verfasser der Fall ist, dass man für ein Mischmodell aus beiden Komponenten optiert. Doch wenn der klassische Utopiebegriff auch in Zukunft eine relevante Option innerhalb der Pluralität der methodischen Forschungsansätze bleibt, ist dennoch die Frage berechtigt, welche Argumente diese günstige Prognose stützen.

Im Folgenden werde ich drei Thesen vertreten: 1. Die Wirkungsmächtigkeit des klassischen Utopiebegriffs beruht ganz wesentlich darauf, dass seine *Genese* in der Frühen Neuzeit zwar von spezifischen sozio-kulturellen Konstellationen Westeuropas geprägt wurde, die es so in anderen Kulturkreisen nicht gab. Aber gleichzeitig generiert er einen universalistischen *Geltungsanspruch*, der seinen Entstehungskontext übersteigt. 2. Das Profil des klassischen Utopiebegriffs ist wesentlich durch selbstreflexive Lernfähigkeit bestimmt, ohne das Moment der Intentionalität, d.h. der handlungsmotivierenden Kraft, auszuschließen. 3. Der klassische Utopiebegriff weicht der Frage nach den Realisierungsbedingungen seiner Konstrukte nicht aus, sondern stellt sich ihnen in dem Sinne, dass er auf deren Möglichkeiten und Grenzen verweist.

I. Genese und Geltung

In erster Annäherung ist die klassische politische Utopie eine Art Arbeitshypothese, die sich eng an das ursprüngliche Muster anlehnt, das Morus ihr in seiner 1516 erschienenen Schrift *Utopia* verliehen hat. „Utopia" ist ein griechisches Kunstwort, das so viel wie Nicht-Ort heißt. Sie ist also eine Fiktion, ein imaginäres Produkt der Fantasie. Doch gleichwohl schwebt Utopia nicht im luftleeren Raum. Als Wunsch- oder Furchtbild einer zukünftigen Gesellschaft reagiert sie auf analytisch nachvollziehbare soziale, ökonomische und kulturelle Fehlentwicklungen der Herkunftsgesellschaft des jeweiligen Autors. Diese Sozialkritik ist, wenn man

---

[1] Vgl. Schölderle 2014, S. 9–28.

so will, die Realitätsverbürgung des utopischen Konstrukts: Sie konstituiert die Trennlinie zu affinen geistesgeschichtlichen Genres wie der Legende, der Sage, dem Märchen, dem Mythos, der Eschatologie etc. Darüber hinaus verleiht sie ihr bei aller Kontinuität der Topoi des gesamtgesellschaftlichen Entwurfs eine epochenspezfische Dimension: Da die kritikwürdigen Herausforderungen der Herkunftsgesellschaft im historischen Kontext variieren, muss ihnen auch die utopische Antwort Rechnung tragen.

Aber der so verstandene klassische Utopiebegriff hat eine historische Genesis, ohne deren Berücksichtigung sein spezisches Profil nicht verstanden werden kann. Insofern verbietet es sich, ihn ausschließlich auf den Status einer heuristischen Arbeitshypothese zu reduzieren. Seine historischen Quellen reichen sowohl auf die Antike als auch auf das Mittelalter zurück. Auf keinen antiken Autor bezieht sich Morus mehr als auf Platon. Er integriert in das fiktive Gemeinwesen wesentliche Strukturelemente, die in dessen *Politeia* (387-367 v. Chr.) eine zentrale Rolle spielen: die Einführung des Gemeineigentums als Garant der gesellschaftlichen Harmonie, das Verbot der Luxuskonsumtion und vor allem der Geltungsanspruch *Utopias* als regulatives Prinzip ohne sozialrevolutionären Aufforderungscharakter. Aber auch die christlichen Quellen *Utopias* lassen sich rekonstruieren: So fallen die institutionellen Regelungen der Klostergemeinschaft auf, die wir in modifizierter Form in *Utopia* wiederfinden. Auch haben gewiss die Vorstellungen, wie sie in den eschatologischen Visionen des Johannes-Evangeliums zu finden sind, die Modellierung des Neuen Menschen in *Utopia* beeinflusst. Morus erwähnt nicht nur den Urkommunismus des frühen Christentums als gemeinsame Schnittmenge mit *Utopia*. Auch das Zwischenreich des Paradieses weist gewisse Analogien mit dem utopischen Konstrukt der klassischen Tradition auf.

Doch entscheidend ist, dass Morus diese antiken und christlichen Elemente zu einem neuen Profil bündelt, das den spezfischen Bedingungen der Frühen Neuzeit Rechnung trägt. So verändert er nicht nur das inhaltliche Szenario der rezipierten Traditionszusammenhänge in charakteristischer Weise, sondern auch die methodischen Rahmenbedingungen, die das utopische Konstrukt erst ermöglichen. Auf der Höhe der sozio-ökonomischen Entwicklung seiner Zeit stehend, modernisiert er die aus Antike und Mittelalter resultierenden Impulse in einer Radikalität, dass *Utopia* eine nach vorn gerichtete Eigenständigkeit erlangt, die sich von ihren Entstehungsimpulsen löst. Die modernisierenden Aspekte des Profils *Utopias* sind rasch benannt. Bei Platon nimmt die Arbeit in der Hierarchie der Werte einen unteren Rang ein; Morus dagegen wertet sie auf: Arbeit ist der entscheidende Schlüsselbegriff, ohne den die materielle Reproduktion Utopias nicht zu denken wäre. Platon begrenzte das kommunistische Gemeineigentum auf die Elite der Philosophen und Wächter, Morus dagegen überträgt es auf die Gesamtgesellschaft. Aber auch die mittelalterlichen Traditionslinien verändert Morus in seiner *Utopia* gravierend. Die auf dem „*ora!*" gegründete institutionelle Disziplin des Mönchtums ersetzt er durch das weltimmanente „*labora!*" Die mittelaterliche Stadt weicht in

Utopia der am Reißbrett konzipierten Idealstadt, welche, an geometrischen Mustern ausgerichtet, mit den Vorstellungen eines „Himmlischen Jerusalem" bricht. Die chiliastische Hoffnung auf Erlösung kleidet Morus in das Gewand einer rationalistischen Gesellschaftskonstruktion, die nach strikt funktionalen Kriterien oganisiert ist.

Gleichzeitig ist *Utopia* in einen methodologischen Rahmen eingebunden, der dem Stand der modernen Naturwissenschaften und der Vermessung der Welt in der Frühen Neuzeit entspricht. Die für die „utopische Methode" entscheidende Metapher ist die Insel. Sie gibt wie in einem naturwissenschaftlichen Experiment den Raum frei für Rekonstruktionen von sozialen Verhältnissen, welche durch keine von außen eindringenden „Störfaktoren" das utopische Experiment verfälschen können. Der Konstrukteur *Utopias* ist, mit einem Wort, Herr der Prämissen, unter denen *Utopia* wie auf einer *tabula rasa* entsteht. Diese „Entsubstantialisierung" macht den Weg frei für die Gestaltenvielfalt der Gegenstände der Utopieforschung. Die politische Utopie ist nicht auf das Genre des Staatsromans festgelegt. Sie kann sich auch die Form des Fürstenspiegels, des Dialogs, des Romans, des Verfassungsentwurfs, des sozialphilosophischen Traktats, des Films, des Architekturszenarios etc. geben. Angesichts dieses hybriden Gebildes, das temporäre Verbindungen mit verwandten Phänomenen einzugehen vermag, stellt sich das Problem der Identität des utopischen Konstrukts. Was liegt da näher, als die klassische Utopie zu einem Idealtypus im Sinne Max Webers zu stilisieren? Zwei forschungsstrategische Vorteile eröffnen sich dann: Einerseits liefert er eine heuristische Folie, auf der die Abgrenzung von anderen geistesgeschichtlichen Genres abbildbar ist. Und andererseits bietet er ein heuristisches Muster, das ein analytisch scharfes Licht auf die Synthesen wirft, welche die politische Utopie mit differenten Strömungen wie dem Mythos, dem Chiliasmus, dem modernen Naturrecht, der *Science Fiktion* etc. eingehen kann.

Aber dieser methodische Konstruktivismus hat eine zeithistorische Entsprechung. Der Traditionsbruch mit der europäischen Herkunftsgesellschaft erhielt einen mächtigen Auftrieb durch die Entdeckung „neuer Welten" mit Kulturen und Moralsystemen, die sich gravierend von denen der Europäer unterschieden. Erst diese Erfahrung eröffnete das als nachvollziehbare Realität, was im Zentrum des utopischen Denkens steht, nämlich nicht nur die sozio-kulturelle Wirklichkeit in Alternativen abbilden zu können, sondern auch den Konstruktivismus des utopischen Denkens selbst. Die utopische Alternative war in der Renaissance und in der Reformation auf die Form der *Raumutopie* festgelegt, das heißt die kritikwürdigen Fehlentwicklungen der Herkunftsgesellschaft existieren zeitgleich mit idealen Einrichtungen der utopischen Insel. In dem Maße aber, in dem das Terrain der *terra incognita* entdeckt und vermessen war, wich das utopische Konstrukt von der Gegenwart in die Zukunft, vom Raum in die Zeit aus: Durch Assimilierung des geschichtsphilosophischen Fortschrittsdenkens seit Mitte des 18. Jahrhunderts entstand die *Zeitutopie*, deren Dynamik ihrerseits ohne die wachsende Beherrschung der äußeren Natur durch die moderne Naturwissenschaft und die Anwendung ihrer Resultate als Technik nicht zu denken wäre.

Im Medium der klassischen Utopie lassen sich ferner realistische Aussagen über ihre anthropologischen Bedingungen machen. Aufgrund der partiellen Instinktentbundenheit, seines Antriebsüberschusses sowie seiner Weltoffenheit ist der Mensch im Gegensatz zum Tier gezwungen, zu seiner Stabilisierung durch einen Kosmos von Artefakten sich ständig neu zu entwerfen. Aber dieser Entwurf ist nicht per se utopisch. Er kann sich auch in Mythen, Eschatologien, Chiliasmen etc. Ausdruck verschaffen, je nach den historischen und gesellschaftlichen Verhältnissen. Nur so ist zu erklären, warum es in den asiatischen, afrikanischen sowie südamerikanischen Hochkulturen nicht zur Herausbildung von utopischen Konstrukten wie in Westeuropa gekommen ist. Hier utopisierte sich das menschliche Entwurfspotenzial unter ganz bestimmten sozio-politischen Bedingungen, die es in den gesellschaftlichen Kontexten anderer Weltkulturen in dieser Form nicht gab: der mittelalterliche Nominalimus und der Monotheismus, die den Weg zu einem naturwissenschaftlichen Weltbild bahnten; die Entdeckung der Neuen Welt als Alternativerfahrung zur kosmischen Hierarchie des Abendlandes; das Eindringen kapitalistischer Strukturen in die Agrarverfassung und daraus resultierend der nutzenmaxierende Egoismus als Leitbild des aufsteigenden Bürgertums, dem im utopischen Denken eine kollektive Alternative erwuchs sowie die modernisierende Antikenrezeption.

Aber die Frage bleibt, wie es möglich ist, dass die westeuropäische Genesis der klassischen Utopie es zulässt, dass ihre Konstrukte in andere Kulturen übertragbar sind. Ein entscheidender Grund wurde bereits genannt: die utopische Methode, symbolisiert in der utopischen Insel, hat ihr Vorbild im naturwissenschaftlichen Experiment. Es soll ein gesellschaftliches Konstrukt zur Darstellung gelangen, ohne den störenden, weil depravierenden Einflüssen ihrer europäischen Herkunftsgesellschaft ausgeliefert zu sein. Francis Bacon hat in seiner *Neu-Atlantis* (lat. 1627) für das utopische Denken diese Konvergenz vollendet. Ausgehend von Naturgesetzen, die in allen kulturellen Kontexten gelten, basiert er auf ihnen Technologien, die von Unterseebooten über Kunstdünger bis hin zu Automaten reichen: Artefakte einer wissenschaftlich-technischen Zivilisation, die zum Kernbestand utopischer Welten vor allem des 19. und 20. Jahrhunderts avancierten. Tatsächlich profitierte das utopische Denken nicht nur vom Siegeszug der Naturwissenschaft. Es trug es auch erheblich zur Durchsetzung des naturwissenschaftlich geprägten Weltbildes bei. Zunehmend von Naturgesetzen abhängig, die – wie die reale Industrialisierung selbst – universal gelten, löste sich der Begriff der Utopie von seiner spezifischen Herkunftswelt ab.

Die klassische Utopietradition, so kann zusammenfassend festgestellt werden, kombiniert den methodischen Zugriff auf ihren Gegenstand mit dem Profil einer Denkströmung, die erheblich zur sozio-kulturellen Identität Europas beigetragen hat, und zwar in einer Weise, dass das utopische Denken in seiner *Genesis* auf *west*europäische Ursprünge verweist, in seiner *Geltung* jedoch universalistisch und dadurch auch in andere kulturelle Kontexte integrierbar ist.

II. Lernprozesse und Intentionalität

Im ursprünglichen Muster der klassischen Utopie stellten die zu einer Struktur verdichteten Inhalte und die handlungsmotivierende Kraft der Einwirkung auf die sozio-politische Realität der Herkunftsgesellschaft eine untrennbare Einheit dar. Sie wurde durch den sogenannten *intentionalen Utopiebegriff* in Frage gestellt. Ausgehend von Gustav Landauers Schrift *Die Revolution* (1907) fand eine folgenreiche Transformation statt, in deren Gefolge Morus' *Utopia* zu einer bloßen Marginalie des utopischen Gesamtphänomens reduziert wurde. Zielführend war jetzt nicht mehr die Fiktion eines überindividuellen gesamtgesellschaftlichen Szenarios, sondern die utopische Motivlage, welche revolutionäre Umbrüche der Gesellschaft initiiert. Als utopisches Bewusstsein artikulierte sie sich diesem Paradigma zufolge in der Frühen Neuzeit im Chiliasmus der Wiedertäufer, der die herrschenden Autoritäten in Staat und Kirche herausforderte. Ernst Bloch und Karl Mannheim teilten die Prämisse Landauers, dass sich die Utopie, zunächst streng individualisiert, in der Avantgarde der Intellektuellen und Künstler als eine Art revolutionärer Energie einkapselt, bis sie unter den Bedingungen der sozialen und ökonomischen Krise zu einem revolutionären Umbruch eskaliert. In der Weiterführung dieses Ansatzes kam es zu einer solchen Ausuferung des Utopiebegriffs, dass am Ende nur noch die utopische Intention ohne spezifische Inhalte übrig blieb.

Aus der Sicht des intentionalen Utopiebegriffs ist seine klassische Version reduktionistisch, weil sie das angebliche utopische Phänomen in das enge Korsett des „Staatromans" presst. Umgekehrt werfen die Vertreter des klassischen Ansatzes dem intentionalen Muster vor, es weite den Utopiebegriff in einer Weise aus, dass er aufgrund seines inflationären Gebrauchs ohne jede analytischen Konturen der Beliebigkeit preisgegeben werde. Die Kritik, die Ebene der subjetiven Motivation weitgehend auszublenden, parieren sie mit dem Argument, für ihren Ansatz komme dem Geltungsanspruch, der die Umsetzungsmöglichkeiten sondiere, durchaus eine erhebliche Bedeutung zu: Das Handlungskonzept reiche vom regulativen Prinzip bis hin zum teleologischen Fortschrittsdenken. Die handlungsrelevante Intention der klassischen Utopie wird nicht geleugnet, aber ihre Vertreter legen sie nicht auf die revolutionäre Umwälzung fest, sondern verbinden sie in der Regel mit gewaltslosen und gradualistischen Reformbemühungen – sieht man einmal von Vertretern des bolschewistischen Utopiediskurses ab.

Diese Abweichung vom Pfad des klassischen Utopiebegriffs ist nach dem Zweiten Weltkrieg durch Karl Raimund Poppers Polemik *Die offene Gesellschaft und ihre Feinde* (1945) nachhaltig mit dem Argument kritisiert worden, die gewaltsame Umwälzung sei der eigentliche Kern des utopischen Phänomens. Popper reduzierte die politische Utopie auf eine einzige Position, nämlich Platons *Politeia*. Aus ihr leitete er die angeblich *totalitären Strukturmerkmale* des utopischen Denkens ab: den holistisch grundierten Antiindividualismus, den stationären Totalitarismus, der sich nach innen oligarchisch und nach außen autarkistisch abschließe, die Modellierung eines durch Eugenik und gezielte Partnerzusammenführung erzeugten Neuen Menschen, der sich reibungslos in das Gefüge des totalitären Leviathan einbinden lasse und vor allem die aus der unbedingten Geschichtsprognose resultierende Transformationsstrategie. Im angeblichen Besitz des absoluten Wissens um das Ziel der Geschichte, könne sie ihren historizistischen Anspruch nur dann einlösen, wenn sie alle anderen Alternativen ausschließe. Die Zerstörung der Offenheit historischer Prozesse aber sei nur möglich durch den Rekurs auf totalitäre Gewalt.

Poppers Ansatz verkennt nicht das mögliche totalitäre Potenzial des herrschaftsbezogenen Musters, wenn dieses sich anschickt, unmittelbar umgesetzt zu werden. Aber was er ignoriert, ist die selbstreflexive Kraft der klassischen Utopietradition. Oft übersehen oder nicht genügend beachtet, baut Morus in seinem dialogischen Text eine reflexive Ebene ein, die er seinem *Alter Ego* Hythlodeus, dem Lobredner *Utopias*, als Korrektiv konfrontiert. Morus stellt ihm bohrende Fragen: Was passiert, wenn das kommunistische Gemeineigentum gesamtgesellschaftlich eingeführt wird? Läuft nicht die Aufhebung von Mein und Dein auf einen endlosen Streit hinaus, der in Mord und Totschlag endet? Wirkt sich nicht der materielle Egalitarismus lähmend auf die innovativen Kräfte der Einzelnen aus? Und folgt nicht aus der Abschaffung aller Ränge Stagnation, Indolenz und trister Egalitarismus? Diese Fragen berühren nicht Randphänomene der utopischen Gesellschaft, sondern zielen auf ihren Kern. Sie werden nicht definitv beantwortet; aber sie verharren als selbstkritisches Problembewußtsein im utopischen Raum. Und ihre Funktion ist klar: Sie brechen die von Popper unterstellte Blockade der unbedingten Geschichtsprognose des utopischen Monoliths auf und ermöglichen durch kritische Selbstreflexion Lernfähigkeit, die Popper der klassischen Tradition gerade absprach.

Die kognitive Plastizität des utopischen Denkens lässt sich auf vielen Ebenen nachweisen. Es ist signifikant, dass es sich nicht nur als Alternative zu den sozio-politischen Fehlentwicklungen der Herkunftsgesellschaft anbot, sondern sich auch intern durch alternative Gegenentwürfe gleichsam selbst korrigierte. So trat dem archistischen, das heißt herrschaftsbezogenen Ansatz der *Utopia* bereits im 16. Jahrhundert das anarchistische, das heißt herrschaftsfreie Szenario von François Rabelais' *Abtei Thelema* in seinem Roman *Gargantua und Pantagruel* (1532-1564) gegenüber, das nur eine Maxime kennt: „Tu', was Dir gefällt!". Im Zeitalter der Aufklärung werden archistische Ansätze wie Denis Vairasse' (Veiras') Severamben-Utopie durch den anarchistischen Edlen Wilden relativiert, der im Baron de Lahonton und in Nicolas Gueudeville einflussreiche Fürsprecher hatte. Eine ähnliche Struktur prägte auch das 19. Jahrhundert. Edward Bellamy konzipierte ganz in der archistischen Tradition ein utopisch-staatssozialistisches Modell auf der Höhe der ersten Industriellen Revolution. Doch sein Ansatz rief William Morris' *Kunde von Nirgendwo* auf den Plan, der den utopischen Lebensraum in den Dienst der individuellen Selbstentfaltung in Freiheit und in Übereinstimmung mit der äußeren Natur stellte. Der innerutopische Diskurs ist also offen. Statt der Hegemonie einer Variante kommt ein Spannungsbezug zur Geltung, der seinerseits den utopischen Diskurs für neue Inhalte und Herausforderungen sensibilisierte.

Ein weiteres wichtiges Lehrstück für die Lernfähigkeit des utopischen Denkens ist deren große Zäsur nach dem Ersten Weltkrieg, die durch die klassischen dystopischen Romane markiert wird. Jewgenij Samjatins *Wir* (1922), Aldous Huxleys *Schöne Neue Welt* (1932) und George Orwells *1984* (1949) sind oft und wohl auch zu Recht als Reaktionen auf die modernen Totalitarismen des 20. Jahrhunderts gelesen worden. Doch auch eine andere, innerutopische Rezeptionsvariante ist möglich. Alle Topoi, die in Morus' *Utopia* positiv besetzt waren, tauchen in diesen Texten erneut auf, jetzt aber radikal ins Negative umschlagend. Liegt es nicht nahe, diese pejorative Umakzentuierung von gesellschaftlicher Harmonie, Wissenschaft und Technik, Befreiung von entfremdeter Arbeit etc. als Verabschiedung, als Bruch mit der klassischen Utopietradition zu lesen? Doch dagegen spricht, dass in diesem dystopischen Fiktionen wesentliche Intentionen der klassischen Tradition erhalten bleiben. Abgesehen vom formalen Muster der inhaltlichen Schwerpunkte ist die Hoffnung auf ein besseres Leben ebenso präsent wie die Kritik an den Fehlentwicklungen, in deren Medium zumindest indirekt die Umrisse einer Gesellschaft aufleuchtet, in der wir gerne leben wollen. So gesehen, spricht einiges dafür, die genannten dystopischen Text als eine Art Selbstkritik der klassischen archistischen Tradition zu lesen, ohne freilich das utopische Denken als solches preiszugeben.

Zum Thema „Lernfähigkeit" gehört schließlich auch, dass sich die klassische politische Utopie trotz ihrer kantigen Identität nicht nach außen hermetisch abgeschottet hat. Das Gegenteil ist insofern der Fall, als sie Assimilierungen mit anderen Genres bzw. sozio-kulturellen Strömungen eingegangen ist. So kam es im 18. Jahrhundert zu Synthesen mit ihrem großen Gegenspieler, dem individualistischen modernen Naturrecht. Von einer solchen Verbindung legt Jean-Jacques Rousseaus *Contrat Social* (1762) beredtes Zeugnis ab, wenn er das individualistische Vertragsmodell (modernes Naturrecht) mit der kollektiven *volonté générale* (Utopie) integriert. Ein anderes Beispiel ist das Verhältnis der klassischen politischen Utopie zur *Science Fiction*. Schon vor dem Ersten Weltkrieg haben Herbert George Wells in *A Modern Utopia* (1905) und Alexander Bogdanow in seinen Mars-Utopien Szenarien vorgelegt, in denen Science-Fiction-Elemente wie interstellare Reisen, Extrapolation der Atomenergie etc. eine zentrale Rolle spielen. Freilich sind die utopischen Profile der klassischen Tradition humanistisch insofern eindeutig profiliert, als sie sich gegen Übernahmen des techno-futuristischen

Zweiges der *life sciences* sperren. Sie gehen nicht von einer Verschmelzung der *conditio humana* mit der Maschine, sondern vom Leitbild des „ganzen Menschen" aus, dessen optimierbare Plastizität das Ineinanderspiel seiner biologischen mit seiner sozio-kulturellen Natur zur Voraussetzung hat.

III. Utopie und Realisierungsdimension

Kann man ein realistisches Konzept der Verwirklichungsbedingungen aus der klassischen Tradition der politischen Utopie ableiten? Diese Frage ist auf zwei Ebenen zu beantworten. Wie verhält sich das utopische Konstrukt zur sozio-politischen Realität, auf die sie verändernd einwirken will? Und welche Konsequenzen sind nach einer über 500 Jahre langen Tradition utopischen Denkens zu ziehen, wenn es um das Problem geht, ob ein normativer Anspruch auf eine Eins-zu-eins-Umsetzung aufrecht erhalten werden sollte oder nicht.

Es gibt, wie die Utopiegeschichte gezeigt hat, zwei Wege der utopischen Einwirkung auf die sozio-politische Wirklichkeit. Die erste Variante optiert für die direkte Realitätsveränderung im Sinne der utopischen Zielsetzung. Sie beruft sich darauf, dass utopieimmanent eine direkte Umsetzung z.B. des Morusschen Musters keine unüberwindbaren Hindernisse im Weg stehen, sofern die angegebenen Funktionsbedingungen erfüllt sind. Eine zentral gelenkte Planwirtschaft kann auf der Produktions-, Konsumtions – und Distributionsebene unter der Bedingung des Gemeineigentums bei Ausschaltung des Geldes und des Martkes sowie der Kompetenz einer effizienten Planungsbehörde funktionieren, wenn folgende, für *Utopia* vorgesehene Prämissen erfüllt sind: 1. Alle Arbeitsressourcen sind zu mobilisieren, das heißt Arbeit ist Pflicht für alle. Im Kontext des 16. Jahrhunderts würde dies bedeuten, dass das arbeitslose Einkommen von Adel und Klerus entfiele. 2. Ein striktes Luxusverbot ist unabdingbar. Nur die Befriedigung sogenannter „natürlicher" Bedürfnisse ist erlaubt: Jeder muss sich jenseits einer Luxierung individueller Ansprüche anständig kleiden, frugal ernähren und kulturell weiterbilden können. Angesichts dieses Konsumverzichts hat es die Wirtschaft mit einer berechenbaren und zugleich „gebremsten" Nachfrage zu tun. 3. Naturwissenschaft und Technik setzt man in *Utopia* systematisch ein, um die Produktivität der Arbeit zu erhöhen. Der Nutznießer ist die Gesamtgesellschaft, an die die ökonomischen Zuwächse bei gleichzeitiger Reduktion der Arbeitszeit auf wenige Stunden egalitär verteilt werden.

Selbstverständlich ist Morus' Konzept vielfach je nach den unterschiedlichen Herausforderungen der jeweiligen Epochen modifiziert und verändert worden. Aber geblieben ist der utopische Anspruch, Wirtschaftsmodelle zu propagieren, die als Alternative zum kapitalistischen Systen, bestimmte Bedingungen vorausgesetzt, auch tatsächlich realisierbar sind. Dennoch scheiterte ihre Umsetzung, wie die utopischen Kommunen der Anhänger Charles Fouriers, Robert Owens und Etienne Cabets in den USA im 19. Jahrhundert zeigen. Der Grund waren innere Zwistigkeiten, die Konkurrenzsituation zur kapitalistischen Marktökonomie und die Unmöglichkeit, auf die angegebenen Funktionskriterien wie auf einer *tabula rasa* zurückzugreifen. Aber auch der gesamtgesellschaftliche Versuch einer utopischen Transformation im großen Stil, wie ihn Russland nach der Oktoberrevolution von 1917 erlebte, wies kaum eine bessere Bilanz auf. Die gemeinsamen Schnittmengen mit dem archistischen Modell der klassischen Utopietradition erwiesen sich als eine entscheidende Ursache der schließlichen Implosion der Herrschaftsordnungen des sowjetischen Typs. In dem Augenblick, in dem in der Sowjetunion die Utopie zur Ideologie depravierte, schlugen zentrale Strukturelemente des utopischen Projekts in das Gegenteil des Intendierten um. Die bürokratische Bevormundung der Einzelnen, der hegemoniale Stellenwert kollektiver Planung gegenüber persönlicher Spontanietät und Kreativität, das Prinzip der Abschottung nach außen gegenüber dem freien Informationsaustausch sowie das geschichtsphilosophisch begründete Wahrheitsmonopol einer selbsternannten kommunistischen Elite, das alle innovativen Impulse außerhalb des Machtapparates im Keim erstickte – alle diese archistischen Strukturmerkmale bereiteten der Stagnation des wirtschaftlichen und kulturellen Lebens den Boden. Selbst der gigantische Überwachungsapparat musste am Ende vor einer aufbegehrenden Bevölkerung kapitulieren.

Der andere Weg der utopischen Verwirklichung ist mehr indirekter Art. Es lässt sich nämlich zeigen, dass das utopische Denken erheblich auf den westlichen Zivilisationsprozess eingewirkt hat: sei es, dass es Enwicklungsimpulse auslöste, sei es, dass es bereits existierende Trends verstärkte. In Morus' *Utopia* werden Wälder rücksichtslos abgeholzt, wenn sie den Menschen im Wege stehen: Ausdruck eines instrumentellen Naturverhältnisses, das prägend für die moderne Industriegesellschaft wurde. Die mittelalterliche Stadt ist verschwunden: An die Stelle einer an Seinsqualitäten orientierten Architektur tritt die an geometrischen Basisfiguren ausgerichtete Idealstadt, die sich an sozialer Funktionalität orientiert. In Campanellas *Sonnenstaat* spielen Zeitmessgeräte eine große Rolle: Vorwegnahmen der Reglementierung der Zeit in der Epoche der Industrialisierung. Ein geregelter Tagesablauf, soziale Kontrolle und hygienische Einrichtungen antizipieren das Regelwerk und die Normen der modernen Zivilisation. Spätestens seit den 1960er Jahren tragen die sogenannten postmateriellen Utopien mit ihren Forderungen des Konsumverzichts, der sparsamen Bewirtschaftung der materiellen Ressourcen, der Frauenemanzipation und einer ökologisch eingehegten nachhaltigen Technikentwicklung erheblich zur Herausbildung eines kollektiven ökologischen Bewusstseins in den westlichen Ländern bei. Ohne Frage ist diese indirekte Form utopischer Veränderung der gesellschaftlichen Verhältnisse wirksamer geworden als direkte Transformationsstrategien, wie die Beispiele der lokalen Experimente in den USA des 19. Jahrhunderts und die gesamtgesellschaftlichen

Versuche einer kommunistischen Transformation in der Sowjetunion und China unübersehbar dokumentieren.

Gewiss, es fehlte nicht an Versuchen, zwischen dem direkten und indirekten Weg der Realitätsveränderung durch Utopien zu vermitteln. Einer der elaboriertesten Ansätze dieser Art sind die von Robert Jungk in den 1980er Jahren entwickelten Zukunftswerkstätten. Wie die klassischen Utopien gehen sie von der Triade „Kritik und Beschwerde", „Fantasietätigkeit und Utopie" sowie der „Verwirklichungs- und Praxisphase" aus. Sie unterscheiden sich vom klassischen Ansatz dadurch, dass sie die utopische Alternative nicht in fiktiven Szenarien einer Gesamtgesellschaft imaginieren, sondern eher kleinteilig verfahren: Sie sind an partiellen Problemstellungen und Lösungen vor Ort interessiert, also z.B. an einer Verbesserung des Verkehrssystems, der Schulen, des Gesundheitswesens, des Umgangs mit den neuen Informationstechnologien etc. Außerdem erteilen sie der „großen Erzählung" des intellektuellen Entwurfs eine Absage. Zielführend ist für sie vielmehr, das kreative Fantasiepotenzial der „kleinen Leute" als Widerlager gegen den technokratischen Staat in Form von Bürgerinitiativen etc. zu mobilisieren. Die Schwächen der Zukunftwerkstätten treten freilich immer dann zu Tage, wenn es um das Versprechen geht, mit Fantasie gegen Routine und Resignation gesellschaftlicher Randgruppen zu kämpfen. Einerseits unterstellt dieser Ansatz Imaginationskraft per se als konstruktiv, und zwar unter Ausblendung ihrer pathologischen Formen, wie sie in den großen Dystopien beim Samjatin, Orwell und Huxley als Warnbilder einer möglichen Zukunft verdichtet wurden. Andererseits könnten die Adressaten auch andere Möglichkeiten des Engagements jenseits der Zukunftswerkstätten wahrnehmen. Unterstellt man aber, ihre Interessen seien nicht organisationsfähig, müsste auch das Projekt der Zukunftswerkstätten scheitern.

IV. Abschließende Bemerkungen

Wer die Krisen des utopischen Denkens bis ins 20. Jahrhundert hinein Revue passieren lässt, wird sich der Einsicht nicht entziehen können, dass der Übergang des utopischen Geltungsanspruchs vom regulativen Prinzip der frühen Raum- zur Zeitutopie im Namen des Fortschritts seit der Mitte des 18. Jahrhunderts eine Fehlentwicklung war. Das Ziel, mittels einer mehr oder weniger elaborierten Transformationsstrategie das utopische Konstrukt auch tatsächlich umzusetzen, läuft auf eine Liquidation des utopischen Denkens selbst hinaus: Wenn *Utopia* tatsächlich existiert, ist sie – darauf hat Karl Mannheim zu Recht hingewiesen – eine Ideologie, die im Interesse der Legitimation des erreichten Status quo alternative Ansätze unterdrücken muss, wie das Beispiel der Sowjetunion unübersehbar gezeigt hat. So gesehen, sind die Lektionen, die die klassische Utopietradition heute aus ihrer dystopischen Selbstkritik gelernt hat, eindeutig. Utopische Gegenbilder zur totalitären Verfügung über Menschen in Diktaturen oder der technischen Manipulation ihrer Körper unter liberalen Bedingungen, zur Zerstörung der natürlichen Umwelt durch Wissenschaft und Technik, zu den selbstdestruktiven Tendenzen einer Globalisierung im Zeichen des Neoliberalismus und zur Unterdrückung der Frau sind nur dann überzeugend, wenn sie mindesten drei Kriterien genügen:

1. Der geschichtsphilosophische Fortschrittsglaube, von dem die Zeitutopie einst lebte, ist historisch diskreditiert, weil in seinem Namen nicht nur in den sowjetischen Gulags Millionen von Menschen geopfert wurden. An die Stelle des „einen" Ziels der Geschichte hat deren Offenheit zu treten: Von utopischen Modellen kann nur im Plural geredet werden. Um ihre Akzeptanz muss unter fairen Konkurrenzbedingungen in einer demokratischen Öffentlichkeit gerungen werden. 2. Das Gesetz, unter dem die politische Utopie heute antritt, kann nur noch das eines regulativen Prinzips sein, wie Morus es in seiner *Utopia* einst vorsah. Nur wenn die Differenz zwischen dem utopischen Orientierungswissen und der sozio-politischen Realität, auf die sie reagiert, bestehen bleibt, kann die politische Utopie ihre kritische Funktion erfüllen. 3. Durch das Filter der klassischen Dystopien hindurch gegangen, müssen utopische Texte hochgradig selbstreflexiv sein. Ohne eine dystopische Einfärbung verfällt der Versuch, positive Gegenbilder zu den Fehlentwicklungen der Gegenwart zu konstruieren, dem Verdikt der Naivität. Gehalten, die Möglichkeit des Umschlagens des positiv Intendierten in dessen Gegenteil, stets gewärtig zu sein, hat die politische Utopie heute nur dann eine Zukunft, wenn sie ihre Selbstkritik gleich mitliefert.

Kapitel 2

Ist der Chiliasmus eine Utopie? Das Problem der Systemüberwindung in der Frühen Neuzeit bei Thomas Morus und Thomas Müntzer

I. Überblick und Fragestellung

Quer durch die wissenschaftspolitischen Lager hindurch hat sich die These durchgesetzt, dass Thomas Müntzer ein Utopist sei. So schreibt Ernst Bloch in *Das Prinzip Hoffnung* (1953-1959), Thomas Müntzer habe Platons Utopie eines besten Staates im Sinne eines *Omnia sunt communia* zustimmend zitiert. „Es ist das ein produktives Missverständnis: das goldene Zeitalter, das Platon spartanisch gewendet hatte, wurde nun wieder urkommunistisch erinnert, und so, als wäre Platon, indem er Kommune als das Beste für seine Adelsstände auszeichnete, auch der Führer zu diesem Besten für alle gewesen. So stellte sich am großen Idealisten gleichsam die ‚Idee' der sozialen Utopie wieder her, als eine ohne Klassen und Stände".[1] Karl Mannheim sah in den Schriften und in der politischen Praxis Thomas Müntzers in seinem bekannten Werk *Ideologie und Utopie* (1929) die „erste Gestalt des utopischen Bewusstseins" aufleuchten. „Der Gedanke eines hier auf Erden anbrechenden tausendjährigen Reiches enthielt von jeher eine revolutionierende Tendenz in sich, und die Kirche bemühte sich, diese ‚seinstranszendente' Vorstellung mit allen ihr zur Verfügung stehenden Mitteln zu paralysieren. Diese u.a. bei Joachim von Fiore bereits wieder aufflackernde, aber dort noch nicht revolutionierend gedachte Lehre schlug zunächst bei den Hussiten, dann bei Thomas Müntzer und den Wiedertäufern in einem sozial lokalisierbaren Aktivismus um".[2]

Aber auch in der neueren Historiografie des utopischen Denkens der 1980er und 1990er Jahre wird sowohl in utopiekritischen als auch utopieaffirmativen Monografien die Eineinssetzung der Sozialutopie mit dem Lebenswerk Thomas Müntzers ausdrücklich betont. In dem von Jean Claude Derivaux und Ekke-Ulf Ruhstrat verfassten Band *Zur Geschichte der Sozialutopie. Emanzipationstheorie oder soziale Phantasterei?* (1987) heißt es über Müntzer: „Selbst Chiliast und stark von den Wiedertäufern beeinflusst, entwickelt er im Gegensatz zu Morus und Campanella keine abstrakte Sozialutopie, die er der Realität gegenüberstellt. Münzer konfrontiert die bestehende Wirklichkeit mit den neutestamentarischen Aussagen über die Bestimmung des Menschen. Von diesem Standpunkt aus entwickelt er Postulate für die zu errichtende neue Welt; seine radikal-kommunistische Sozialutopie".[3] Helmut Jenkis stimmte aus liberal-konservativer Sicht in seiner Un-

---

[1]   Bloch 1990, S. 566.
[2]   Mannheim 1985, S. 185.
[3]   Derivaux/Ruhstrat 1987, S. 36.

tersuchung *Sozialutopien – barbarische Glücksverheißung. Zur Geistesgeschichte der Idee der vollkommenen Gesellschaft* (1992) dieser These uneingeschränkt zu. Er lokalisierte Müntzers Projekt an der Schnittstelle des Überganges vom utopischen Denken zum utopischen Radikalismus. Man spreche zwar oft vom Phantastischen der Lehre Thomas Müntzers. Doch man müsse „lediglich den Ausdruck ‚phantastisch' durch ‚utopisch' ersetzen, um zu erkennen, daß Müntzer eine religiös motivierte und religiös begründete Utopie hatte, die er mit Hilfe der Bauern realisieren wollte".[4]

An diesem Zuordnungsschema fällt auf, dass Chiliasmus und Utopie ebenso gleichgesetzt werden wie Utopie und Revolution. Doch wo ist der Beleg dafür, dass diese Identifikationen von der Sache her auch tatsächlich zutreffen? Im ersten Fall lässt sich immerhin einwenden, dass er einen sehr weit gefassten Begriff sowohl des Chiliasmus als auch der Utopie unterstellt, der Gefahr läuft, die analytische Trennschärfe beider Begriff aufzulösen. Im zweiten Fall lassen sich viele Beispiele von Utopien nennen, die keineswegs mit einer revolutionären Intention ausgestattet sind. Ein Ausweg aus diesem Dilemma bietet sich an, wenn man die ursprüngliche Form des utopischen Denkens, wie sie sich in Morus' *Utopia* (1516)[5] konkretisiert hat, mit den politischen Schriften und Briefen Thomas Müntzers[6] vergleicht. Gibt es gemeinsame Schnittmengen? Stehen ihnen gravierende Differenzen gegenüber? Und wie ist ein mögliches Mischungsverhältnis zwischen konvergierenden und divergierenden Elementen im Sinne unserer Ausgangsfrage zu bewerten?

II. Gemeinsame Schnittmengen im politischen Denken Morus' und Müntzers

Die Lebenswelt beider Autoren war von der Konfrontation mit der Krise des ausgehenden Mittelalters geprägt. Die 1516 erschienene *Utopia* des Thomas Morus und die 1524 bis 1525 entstandenen politischen Schriften Thomas Müntzers mussten sich mit Tendenzen auseinandersetzen, welche zwar weit ins Mittelalter zurückreichten. Aber im 15. und 16. Jahrhundert veränderten sie mit einer solchen Intensität die gesellschaftlichen, kulturellen, sozialen und religiösen Verhältnisse, dass sie nur noch mit Mühe im Rahmen des vom traditionellen Naturrecht legitimierten universalen *ordo* zu interpretieren waren, der seinem Anspruch nach den gesamten Kosmos einschließlich der anorganischen und organischen Natur und

---

4 Jenkis 1992, S. 236.
5 Zitiert wird nach folgender Edition: Morus 1983. Die Quellenangabe erfolgt im Text, durch runde Klammern gekennzeichnet, unter dem Kürzel „U". Die übersetzten Zitate wurden verglichen mit folgender Edition: More 1965.
6 Im Folgenden wurde nach folgenden Editionen zitiert: Müntzer 1968. Die Quellenangabe erfolgt, durch Klammern gekennzeichnet, im Text unter dem Kürzel „MSB" sowie: Müntzer 1950. Die Quellenangabe erfolgt, durch Klammern gekennzeichnet, im Text unter dem Kürzel „MS".

der historisch-politischen Welt umfasste. In der Wirtschaft begann sich der Oikos, also das Modell der „geschlossenen Hauswirtschaft", aufzulösen und das frühkapitalistische Prinzip der Produktion für regionale und überregionale Märkte durchzusetzen. Die bildenden Künste befreiten sich mehr und mehr von der Gängelung durch kirchliche und weltliche Auftraggeber und strebten unverkennbar nach individuellem Ausdruck. Die Krise der katholischen Kirche mündete ein in die große protestantische Revolte, welche sich ihrerseits in viele Sekten und Strömungen individualisierte. In den politischen Systemen Europas arbeiteten frühabsolutistischen Monarchen wie Franz I. in Frankreich und Heinrich VIII. in England auf die Bildung von Nationalstaaten hin, die sich durch eine starke Zentralisierungstendenz mit einer nach rationalen Prinzipien funktionierenden Bürokratie sowie einem stehenden Heer auszeichnete. Und innerhalb der Ständegesellschaft konstituierte sich allmählich eine Bauernschaft, die nicht länger mehr bereit war, die ihr von den Grundherren auferlegten materiellen Leistungen zu erbringen. Wären diese Krisenherde isolierbar gewesen, so hätten die traditionellen Integrationsmittel ausgereicht, sie zu entschärfen. Aber in dem Maße, in dem sie sich zeitgleich überlagerten, war die Gefahr nicht von der Hand zu weisen, dass sie außer Kontrolle zu geraten drohten.

Was Morus und Müntzer angesichts dieser Situation verband, war die Radikalität, mit der sie eine Neuordnung der gesellschaftlichen Verhältnisse anstrebten. Ihre Visionen liefen darauf hinaus, die Ursachen der Fehlentwicklungen ihrer Herkunftsgesellschaften aufzudecken und sie an ihren Wurzeln zu bekämpfen. Morus verlegte sein ideales Gemeinwesen *Utopia* auf eine Insel, die – wie in einem naturwissenschaftlichen Experiment – alle negativen Einflüsse Europas vom utopischen Projekt fernhalten und so einen radikalen Neuanfang ermöglichen sollte. Müntzer sah die entscheidende Bedingung für eine christliche Erneuerung der Gesamtgesellschaft in der Dominanz der „Auserwählten des Herren" und in der gleichzeitigen Vernichtung der Gottlosen. Insofern sind beide Ansätze radikal, als sie auf einer Art *tabula rasa* ihre Alternativen zu errichten suchten, die nicht in die Transzendenz auswichen, sondern von dieser Welt waren. Müntzer stellte sich in der Schlacht bei Frankenhausen an die Spitze der revoltierenden Bauern, um im *hic et nunc* die Macht der Fürsten zu brechen. Mit sofortiger Wirkung sollte das wichtigste Hindernis beseitigt werden, das dem gottwohlgefälligen Leben der Auserwählten und der Schaffung einer wahrhaft christlichen Gesellschaft im Wege stand. Und Morus konfrontierte seiner aus den Fugen geratenen Herkunftsgesellschaft ein fiktives Modell, das in der realen Welt durchaus bei Erfüllung der angegebenen Funktionsbedingungen hätte verwirklicht werden können. Tatsächlich muss die Realitätstüchtigkeit seiner Vision einer besseren Gesellschaft als entscheidendes Kriterium gelten, das das Genre der Utopie von Märchen, Sagen, Mythen etc. unterscheidet.

Diesen Gegenbildern einer besseren Welt war eingeschrieben, dass sie grundsätzlich auf der Seite der kleinen Leute standen und daß sie die herrschenden

Schichten bezichtigten, nur an ihren Eigennutz zu denken. Morus ließ den Protagonisten *Utopias* für die entwurzelten Pachtbauern und gegen den landbesitzenen Adel sowie die frühabsolutistischen Fürsten Partei ergreifen.[7] Müntzer machte die Fürsten wegen ihres ausbeuterischen Verhaltens für die Aufsässigkeit des Volkes selber verantwortlich.[8] Vor allem aber waren sich beide darin einig, dass es mit den Menschen in ihrem gegebenen Zustand des egoistischen Eigennutzes einen Ausweg aus der Krise nicht geben konnte. Beide erhoben die Vision eines Neuen Menschen zum Dreh- und Angelpunkt ihres Krisenlösungsangebots. Beide lehnten also eine Neuordnung des Gemeinwesens in der Art der älteren Kontraktualisten (Hobbes, Locke) ab, wonach von einem Menschentypus auszugehen sei, wie er sich in der spätmittelalterlichen Welt allmählich herausbildete und schließlich in der Frühen Neuzeit zur Hegemonie gelangte: der agonal handelnde, seinen Vorteil maximierende Besitzindividualist. Dass dessen Gegenbild, der solidarische Neue Mensch, bei beiden Autoren auch christliche Wurzeln hatte, steht außer Frage. Verfügte nicht Jesus selbst, dass die Menschern sich perfektionieren sollten? Dieses Motiv wurde im frühen Christentum bekanntlich durch neuplatonische Impulse verstärkt. „Damit gerät (. . .) dieser Topos in ein Immediatverhältnis zum utopischen Denken, weil dessen Konstrukte idealer Gemeinwesen mit der Schaffung eines ‚neuen Menschen‘, der die Defizite der auf Egoismus und Machtakkumulation beruhenden Herkunftsgesellschaft überwunden hat, steht und fällt".[9]

---

[7] „Damit also ein einziger Prasser, unersättlich und wie ein wahrer Fluch seines Landes, ein paar tausend Morgen zusammenhängenden Ackerlandes mit einem einzigen Zaun umgeben kann, werden Pächter von Haus und Hof vertrieben: durch listige Ränke und gewaltsame Unterdrückung macht man sie wehrlos oder bringt sie durch ermüdende Plackereien zum Verkauf. So oder so müssen die Unglücklichen auswandern, Männer, Weiber, Ehemänner mit ihren Frauen, Witwen, Waisen, Eltern mit den kleinen Kindern und einer mehr vielköpfigen als als vielbesitzenden Familie, wie denn die ländliche Wirtschaft zahlreicher Hände bedarf; sie müssen auswandern (. . .) aus der vertrauten und gewohnten Heimstätte und finden nichts, da sie ihr Haupt hinlegen könnten" (U, S. 28).

[8] Müntzer wirft Luther vor, in seiner Schrift „Von Kaufhandlung und Wucher" empfehle er den Fürsten, sie „sollen getrost undter die Diebe und rauber streichen. Im selbigen verschweigt er aber den ursprung aller dieberey. Er ist ein heerholt, er will danck verdienen mit der leuthe blutvergießen umb zeitlich guts willen, welches doch Got nit auff seine maynung befohlen. Sich zu, die grundtsuppe des wuchers, der dieberey und räuberey sein unser herrn und fürsten, nemen alle creaturen zum aygenthumb. Die visch im wasser, die vögel in der lufft, das gewechß auff erden muß alls ir sein [. . .]. Darüber lassen sy dann Gottes gepot außgeen unter die armen und sprechen: Gott hat gepoten, du solt nit stelen; es dienet aber in nit. So sye nun alle menschen verursachen, den armen ackerman, handtwerckman und alles, das da lebet, schinden und schaben [. . .], so er sich dann vergrifft am allergeringsten, so muß er hencken: Do saget denn der doctor (d.h. Luther, R.S.): Amen. Die herren machen das selber, daß in der arme man feyndt wirdt. Dye ursach des auffrur sye nit wegthun, wie kann eie lenge gut werden? So ich das sage, muß ich auffrurisch sein, wol hyn" (MSB, S. 329, 14-29).

[9] Saage 2002b, S. 474.

Schließlich konnten sich Morus und Müntzer bei aller Radikalität ihrer Kritik an der Herkunftsgesellschaft und der Kompromisslosigkeit ihrer Alternativen eines guten Lebens nicht mit einem einzigen Schnitt von der mittelalterlichen Welt lösen. Es ist von Oexle[10] und Seibt[11] nachdrücklich darauf hingewiesen worden, dass die Eigentumsverhältnisse sowie die soziale und politische Struktur Utopias auf zentrale Bau- und Verhaltensprinzipien des mittlalterlichen Klosters verweisen. Der Chiliasmus Thomas Müntzers wiederum deutet auf die mittelalterliche Mystik Meister Eckeharts (z.B. MS, S. 8, 89; S. 13, 219) und des hussitischen Taboritentums[12] hin, die ihrerseits ihre Herkunft aus den eschatologischen Strömungen des mittelalterlichen Ketzertums nicht leugnen können. Aber gemeinsame Merkmale leuchten auch auf, wenn man fokussiert, was sie von der mittelalterlichen Welt trennt. Die Verwirklichung beider Visionen einer alternativen Gesellschaft hätte der politischen und sozialen Hierarchie des Mittelalters ebenso wie der im Enstehen begriffenen bürgerlichen *civil society* den Boden entzogen. An ihre Stelle wären neue Herrschaftsformen mit neuen Eliten und einem „neuen Volk" jenseits ständischer Statusgruppen und feudaler Besitzverhältnisse einerseits und einer kompetetiven Marktgesellschaft andererseits an ihre Stelle getreten.

Diese Tatsache leitet über zu den Differenzen beider Paradigmen. Sicherlich reichen die genannten gemeinsamen Schnittmengen als *tertium comparationis* aus, um einen Vergleich zwischen der *Utopia* des Thomas Morus und den politischen Schriften Thomas Müntzers methodisch zu rechtfertigen. Ob sie aber bereits als Beleg gelten können, den chiliastischen Ansatz Thomas Müntzers unter dem Begriff „Utopie", wie er von Morus geprägt wurde, zu subsumieren, muss eine Analyse der Unterschiede erst erweisen.

III. Differenzen in der Konvergenz des chiliastischen und des utopischen Ansatzes bei Müntzer und Morus

Die Tiefe der Differenz, die den utopischen Ansatz Morus' von dem Müntzers trennt, scheint bereits dort auf, wo sie sich am intensivsten zu treffen scheinen: in der Wahrnehmung der krisenhaften Entwicklung der frühneuzeitlichen Gesellschaften, in dem fiktiven Gegenbild, das sie ihr konfrontieren und in der Vision des Neuen Menschen.

---

[10] Oexle 1994, S. 33-84.

[11] Seibt 1972, S. 15ff.

[12] So leitet Müntzer sein „Prager Manifest" mit dem Satz ein: „„Ich, Thomas Muntzer, bortig von Stolbergk mit wesen zceu Prage, an der stadt des teurbarn und heiligen kempers Johanns Hussem, gedencke, dye lutbaren unde bewegliche trummeten erfullen mit dem newen lobgesange des heiligen geystes. Mit gantzen hertzen bezceuge ich und clage jemmerlich der gantzen kyrchen der ausserwelten, auch der gantzen welt, do dysse briefe mügen hinkommen. Christus unde alle ausserwelten, dye mich von jugent auff erkant haben, becrefftigen ein solch antragen" (MSB, S. 495, 1-8).

In Morus' *Utopia* wird die soziale Krise Englands zu Beginn des 16. Jahrhunderts vor allem in sozio-ökonomischen Kategorien nach dem Kausalitätsprinzip beschrieben und zugleich erklärt. Sie ist ihm zufolge die Konsequenz der Macht- und Geldgier der sozial herrschenden Schichten, die eine Art Verschwörung mit den frühabsolutistischen Fürsten eingegangen sind: „Haben die Reichen erst einmal im Namen des Staates, das heißt also auch der Armen, den Beschluß gefasst, ihre Machenschaften durchzuführen, so erhalten diese sogleich Gesetzeskraft" (U, S. 144f). Der diesem Bündnis zugrunde liegende Konsens besteht darin, dass die nach immer mehr Macht strebenden Fürsten expansive Kriege nach außen führen, während der landbesitzende (verbürgerlichte) Adel ungehindert die Allmende durch Einzäunung okkupieren kann, von der er die Pachtbauern, durch fragwürdige Rechtstitel legitimiert, vertreibt. Die Gentry verwandelt das Gemeindeland in Weiden, um durch Schafzucht den Rohstoff Wolle zu gewinnen, aus der Unternehmer im Verlagssystem Textilien herstellen lassen, die sie auf den regionalen und überregionalen Märkten unter Gewinngesichtspunkten vertreiben.[13] Die entwurzelte Landbevölkerung vor Augen, schrieb Morus: „Eure Schafe! [...] Eigentlich gelten sie als recht zahm und genügsam; jetzt aber haben sie, wie man hört, auf einmal angefangen, so gefräßig und wild zu werden, daß sie sogar Menschen fressen, Länder, Häuser, Städte verwüsten und entvölkern" (U, S. 27f). Morus ließ den Protagonisten Utopias, den Intellektuellen Hythlodeus, die Ursache der sozialen Krise im expandierenden und unter kapitalistischen Bedingungen verwerteten Privateigentum sehen.[14] Dies vorausgesetzt, trifft zu, was Nipperdey über Morus' Schilderung der sozialen Krise Englands zu Beginn des 17. Jahrhunderts schreibt: „Utopie ist Kritik, und zwar grundsätzliche Kritik", die sich nicht gegen Personen wendet, sondern „gegen die Eigentumsverfassung überhaupt".[15] Demgegenüber setzt Müntzer nicht auf säkulare sozio-ökonomische Kategorien, sondern bildet die Fehlentwicklungen seiner Zeit auf der biblischen Folie des Alten und des

---

[13] „Überall da nämlich, wo in eurem Reiche (d.h. in England, R.S.) die besonders feine und darum teure Wolle gezüchtet wird, da lassen sich die Edelleute und Standespersonen und manchmal sogar Äbte, heilige Männer, nicht mehr genügen an den Erträgnissen und Renten, die ihen Vorgängern herkömmlich aus ihren Besitzungen zuwuchsen; nicht genug damit, daß sie faul und üppig dahinleben, der Allgemeinheit nichts nützen, eher schaden, so nehmen sie auch noch das schöne Ackerland weg, zäunen alles als Weiden ein, reißen die Häuser nieder, zerstören die Dörfer, lassen nur die Kirche als Schafstall stehen und – gerade als ob bei euch die Wildgehege und Parkanlagen nicht schon genug Schaden stifteten! – verwandeln diese trefflichen Leute alle Siedlungen und alles angebaute Land in Einöden" (U, S. 28).

[14] So lässt Morus den Protagonisten *Utopias* Hythlodeus sagen: „Freilich, mein lieber Morus, wenn ich dir meine letzte Überzeugung offen sagen soll, so dünkt mich in der Tat: wo es noch Privatbesitz gibt, wo alle Menschen alle Werte am Maßstab des Geldes messen, da wird es kaum jemals möglich sein, eine gerechte und glückliche Politik zu treiben. Du müßtest es denn für einen gerechten Zustand halten, wenn immer der beste Teil den Schlechtesten zufällt, oder für ein Glück, wenn aller Besitz unter ganz wenige verteilt wird, und auch die nicht einmal in jeder Hinsicht gut dran sind, die anderen aber vollends im Elende versinken" (U, S. 53).

[15] Nipperdey 1962, S. 363.

Neuen Testaments ab. Gleichzeitig sieht er die geistige und materielle Situation seiner Zeit im Licht einer apokalyptisch grundierten Endzeit, die auf die Dreistadienlehre des Joachim von Fiore verweist. Doch er modifizierte sie in doppelter Weise. Während bei Joachim von Fiore die Mönche zum Vorbild der christlichen Menschheit aufsteigen, sind es bei dem Protestanten Müntzer die „Auserwählten", die sich scharf von den „Gottlosen" abheben und der Gnade Gottes sicher sein dürfen. Außerdem verläuft der teleologische, von Gott gesteuerte unaufhaltsame Geschichtsprozess nicht über drei, sondern über fünf Stufen: die Reiche der Babylonier, der Perser und Medier, der Griechen, der Römer und schließlich das Heilige römische Reich deutscher Nation seiner eigenen Gegenwart. Dieses fünfte Reich enthält zwar christliche Elemente, aber sein Fundament bröckelt, und sein Ende ist mit dem unmittelbar bevorstehenden Jüngsten Gericht besiegelt,[16] von dessen Zwangsläufigkeit und unmittelbarem Eintritt er überzeugt ist. Auf Müntzers Zeitdiagnose trifft zu, was für das apokalyptische Denken insgesamt gilt: Es dominieren in der Beschreibung der Endkrise „dunkle und ungewöhnliche Bilder und Motive".[17] Auch schließen sich die der Zeitdiagnose Morus' und Müntzers zugrunde liegenden utopischen und chiliastischen Motive aus: „Nicht Aufklärung über die von den Menschen selbst verschuldeten Ursachen depravierter sozialer Verhältnisse ist die Stoßrichtung des apokalyptischen Paradigmas, sondern die Mobilisierung von individuellen und kollektiven Ängsten vor der Strafe Gottes, die – abgesehen von der kleinen Elite der Frommen – die große Mehrheit des in Laster und Sünde verstrickten Menschengeschlechts treffen wird".[18]

Genau so stark wie die zeitdiagnostischen Szenarien klafft die Qualität des gesellschaftlichen „Gegenbildes" auseinander, für das Morus und Müntzer stehen. Morus' Fiktion einer Gesellschaft, in der das Volk, d.h. die Unterschichten, ein gutes Leben führen können, ist durch und durch vom Postulat der sozialen Gerechtigkeit geprägt.[19] So gesehen, ist *Utopia* das ausdifferenzierte Modell ei-

---

[16] „Es ist dieser text Danielis also klar wie die helle sonne, und das werck geht itzt im rechten schwangke vom ende des fünften reichs der welt. Das erst ist erkleret durch den gulden knauff, das war das reich zu Babel, das ander durch die silbern brust und arm, das war das reich der Medier und Perser. Das dritte war das reich der Krichen, wilchs erschallet mit seiner klugheit, durch das ertz ausgezeycht, das vierte das Römische reich, wilchs mit dem schwert gewonnen ist und ein reich de zcwingens gewesen. Aber das funffte ist dis, das wir vor augen haben, das auch von eysen ist und wolte gern zwingen, aber es ist mit kothe geflickt, wie wir vor sichtigen augen sehn, eytell anschlege der heucheley, die da krymmet und symmet auf dem gantzen erdtreich" (MSB, S. 255f, 28-9).

[17] Ringgren 1957, S. 465. So heißt es bei Müntzer: „Dann der stein an hende vom berge gerissen, ist groß worden. Die armen leien vnd bawren sehn yn viel scherffer an dann yr. (d.h. die Fürsten, R.S.). [...]. Ja, der steyn ist groß do hat sich die blöde welt lange vor geforcht. Er hat sie uberfallen, do er noch kleine war. Was sollen wir dann nw thun, weyl er so groß vnd mechtig ist worden? Und weil er so mechtig unvorzcöglich auff die grosse seul gestrichen und sie bis auf die alten töpff zeu zerschmittert hat?" (MSB, S. 256f, 21-1).

[18] Saage 2002b, S. 477. Vgl. Jepsen 1958, S. 655-662.

[19] Im Namen der sozialen Gerechtigkeit sind in der *Utopia* folgende Forderungen an die politische

ner Idealgesellschaft, das sogar noch Platons *Politeia* übertrifft. Ausgehend von den kollektiven Eigentumsverhältnissen der Gesamtgesellschaft und nicht nur – wie bei Platon – der Elite der Wächter und Philosophen werden Aussagen über das Wirtschaftssystem Utopias gemacht, dessen Funktionsbedingungen Morus am Luxusverbot bzw. der Befriedigung der natürlichen Bedürfnisse, an der Ausschöpfung aller Arbeitsressourcen und an dem Einsatz von Wissenschaft und Technik zur Steigerung der Produktivität der Arbeit festmacht. Da auf diese Weise der Verteilungskampf um knappe Mittel der Boden entzogen ist, kann sich über der Sphäre der Produktion und Distribution ein politisches System erheben, das der römischen Republik, also der Mischverfassung aus monarchischen, aristokratischen und demokratischen Elementen, nachempfunden ist (vgl. U, S. 65f). Machiavelli interpretierte sie zeitgleich mit Morus konflikttheoretisch: Gerade in der Konkurrenz dieser Elemente liege die Vitalität Roms und seiner Heimatstadt Florenz.[20] Morus dagegen legte die Mischverfassung platonisch aus: Dem Konflikt ist aufgrund der Abschaffung des Privateigentums der Boden entzogen und daher dysfunktional. Großen Wert legte Morus aber auch auf das Erziehungssystem, auf die Bildungseinrichtungen und auf die polytchenische Ausbildung, die jeder Utopier durchlaufen muss. Von der Versorgung der Alten und Kranken in entsprechenden Hospitälern ist ebenso die Rede wie von dem Verhältnis zu Krieg und Frieden und zu anderen Nationen außerhalb der Insel *Utopia*. Überall wird das Handeln der Utopier von einem kollektiven Utilitarismus und einem Geist des Machens bestimmt. Nirgendwo schlägt er sich deutlicher nieder als in der Stadtplanung und Architektur, die man, auf geometrische Formeln festgelegt, den natürlichen Gegebenheiten von außen oktroyiert (U, S. 62-64. Ganze Wälder werden abgeholzt und an anderer Stelle wieder aufgeforstet, wenn dies der Nutzenmaximierung der Utopier dient: „Dabei sind nicht Rücksichten auf die Fruchtbarkeit, sondern auf die Transportverhältnisse maßgebend: man wünscht das Holz in größerer Nähe des Meeres oder der Flüsse oder der Städte selbst zu haben, weil man auf den Landwegen mit geringerer Mühe Getreide als Holz von weither verfrachten kann" (U, S. 101f).

Müntzer verharrt zwar auch nicht in der bloßen Negation der bestehenden Machtverhältnisse: Angeführt von den „Auserwählten des Herrn" soll das einfache Volk befreit werden von Zinslast und dem Wucher nach der Entmachtung der

---

Klasse Englands zu lesen: „Verordnet, daß die Gehöfte und Dörfer von denen wieder aufgebaut werden, die sie (d.h. vor allem die Gentry, R.S.) zerstört haben, oder laßt sie den Leuten einräumen, die zum Wiederaufbau bereit sind! Setzt Schranken gegen die Aufkäufe der reichen Besitzer und gegen die Freiheit gleichsam ihres Monopols! Sorgt, daß nicht so viele vom Müßiggang leben! Ruft den Ackerbau wieder ins Leben, erneuert die Wollspinnerei; das gäbe ein recht erholsames Geschäft, in dem sich mit Nutzen jener Schwarm von Tagesdieben betätigen könnte, die bisher die Not zu Dieben gemacht macht hat und die jetzt Strolche oder faule Dienstmannen sind, unzweifelhaft beide zu küntigen Dieben vorherbestimmt" (U, S. 30f).

[20] Machiavelli 1931, S. 137.

Fürsten und ihres gottlosen Anhanges. Aber es fällt in diesem Zusammenhang zweierlei auf: Einerseits ist die Parteinahme für die Armen und Benachteiligten theologisch orientiert, wenn Müntzer betont, Gott habe die Reichen und Mächtigen verachtet, aber den kleinen Leuten sein Vertrauen geschenkt.[21] Andererseits bleibt weitgehend offen, welche institutionellen Formen nach der christlichen Umwälzung die neue Gemeinschaft prägen. Deutlich wird jedoch am Beispiel der „Auserwählten" ein antiinstitutioneller Impetus, der schon vor dem Jüngsten Gericht wirksam ist: Sie sind nicht dem staatlichen Gesetz verpflichtet, sondern allein dem Gesetz Gottes. „Wenn es jedem, d.h. auch dem Gottlosen, freistünde, die Sünde durchs Gesetz zu strafen, so würden, da die Gottlosen am Ruder sind, die Gerechten unterdrückt werden, indem sich die gottlosen Tyrannen zu Unrecht Christi Lehre vom Nichtwiderstehen zunutze machen. Die stillschweigende Folgerung ist, daß die Strafgewalt nicht bei der bestehenden Obrigkeit, sondern allein bei den Auserwählten ruht" (MS, S. 83, 218). Was Müntzer dann auch primär leitet, ist nicht ein soziales, sondern ein theologisch-chiliastisches Interesse an der Vorbereitung auf das unmittelbar bevorstehende Jüngste Gericht. Gottfried Seebaß weist auf drei Ausformungen des apokalyptischen Erwartungshorizontes hin: 1. als „die Erneuerung (. . .) der gesamten Christenheit, ja der Welt in einem Reich Christi".[22] 2. als Ende der Welt in Kategorien der Erlösung und der Strafe, „als den furchtbaren Tag des Herrn oder den lieben Jüngsten Tag"[23], 3. als „Individualisierung und Spiritualisierung der endzeitlichen Erwartung, insofern man unter Hinweis auf das nahe Ende auf eine sofortige Buße drängte".[24] Die Forschung ist sich darüber einig, dass Müntzers Endzeitvision dem ersten Reaktionsmuster entspricht: In „seinen Briefen und Schriften findet sich von Anfang an eine Sehnsucht nach der großen Reformation und dem Neuwerden der gesamten Christenheit, nach einer wahrhaft christlichen Gesellschaft".[25] Wie peripher

---

[21] „Gott verachtet die grossen hansen, alls den Herodem und Caipham, Hannam, und nam auff zu seynem dienst die kleynen, als Mariam, Zachariam und Elysabeth. Denn das ist Gottes werkc; er thut auff den heutigen tag mit anderst. (. . .) Zacharias war ein verachtlicher man, darumb das seyn weyb unfrchtbar war, nac eynhalt des gesetz, Maria war gantz verachtet [. . .]. O, lieben freund, es waren nit grosse köpff mit prechtigen titeln, wie yetzt die krich der gotlosen hat (. . .) Es wehnen vil armer, grober menschen, das die grossen, dicken, feysten paußbacken sollen gut urteyl über die ankunfft des christenglaubens beschliessen. [. . .] Denn sie haben ir leben zubracht mit thierischen fressen und sauffen, von jugent auff zum allerzartlichsten erzogen, haben ir lebenslang keynen bösen tag gehabt, wollen und gedencken noch keynen anzunemen, umb der warheyt willen, eynen heller an iren zynsen nachzulassen, wollen richter und beschirmer des glaubens seyn" (MSB, S. 299, 11-12).
[22] Seebaß 2000, S. 229.
[23] Ebd.
[24] Ebd.

für Müntzer das materielle Interesse der Bauern an einer Hebung ihres Lebens-
standards war, geht aus seinem Brief an die Mühlhäuser nach der Niederlage bei
Frankenhausen hervor, den er in der Gefangenschaft verfasste: Er macht hier ihren
„Eigennutz", d.h. die Verfolgung ihrer materiellen Interessen für ihre Niederlage
bei Frankenhausen verantwortlich.[26]

Es wurde bereits darauf hingewiesen, dass eine wichtige Bedingung des radikalen Neuanfangs bei Morus und Müntzer die Schaffung eines Neuen Menschen
ist. Doch bei genauerem Hinsehen zeigt sich, dass sich beide Autoren in dessen
konzeptioneller Profilierung deutlich unterscheiden. Morus vertritt eine ambiva-
lente Anthropologie. Auf der einen Seite ist *Utopia* eine Tugend-Republik: Sie ist
von menschlichen Wesen bevölkert, die das Allgemeinwohl in einem Maße verinnerlicht haben, dass sie – gemessen an der Korruptionsanfälligkeit, der Habgier
und dem Egoismus der Europäer – als Neue Menschen gelten müssen. Gleichzeitig sind die Utopier aber auch keine Asketen. Sie legen vielmehr Wert „auf körper-
liche Schönheit, Kraft und Behendigkeit, die sie als eigentliche und willkommene
Geschenke der Natur betrachten" (U, S. 100). Dem entspricht, dass sie die mo-
derate Befriedigung sinnlicher Bedürfnisse als einen wichtigen Bestandteil ihres
Glücks betrachten.[27] Auf der anderen Seite sind die Utopier gegenüber gravierenden Normenverletzungen nicht immun: Sie reichen von Kapitalverbrechen über
die Sucht nach Luxus und eitlen und sinnlosen Ehrbezeugungen und den üblen
Verlockungen verwerflicher Begierden, bis hin zum Ehebruch und dem Absinken
selbst der Tugenhaften in Verderbnis und Laster. Man wird daher die Anthropologie der Utopier mit einer *tabula rasa* vergleichen können, die eine regressive und
optimierende Entwicklung zulässt. Wenn aber der Mensch weder ganz „gut" noch
ganz „böse" und er in seiner Anthropologie weder in die eine noch in die andere
Richtung festgelegt ist, muss die Plastizität seines Wesens geformt werden. Das
Mittel zu diesem Zweck sind harte Institutionen, welche die Einzelnen von der
Wiege bis zur Bahre umhegen und prägen. Ihre Aufgabe ist, die egoistischen und
individualistischen Neigungen zu reprimieren und die sozialen bzw. tugendhaften
Motivationen des Neuen Menschen zu fördern.[28]

---

[25] Ebd.

[26] „Lieben bruder, es ist euch hoch von nothen, das ir solche schlappen auch nicht empfanget wye
dye von Frangkenhausen, denn solichs ist ane zweyfel entsprossen, das eyn yder seyn eygen
nutz mehr gesucht dan dye rechtfertigung der christenheit. Darumb haltet guten underscheydt
und nempt euer sachen eben wahr, das nit weyter verorsacht euren schaden. Das schreybe ich
euch zuguth von der Frangkenheusischen sachen, welche mit großem bludtvorgissen volzogen
ist, als nemlich uber vier thausent" (MSB, S. 473, 18-25).

[27] „In diesem Punkte halten sie wohl mehr als billig zu der Partei, die für das Vergnügen eintritt,
aus dem sie das menschliche Glück überhaupt oder doch dessen wesentlichste Bestandteile ableiten. Und worüber du dich noch mehr wundern wirst: auch aus der Religion, die doch eine
ernste und strenge Lehre ist, ja fast immer düster und asketisch, entnehmen sie doch die Begründung für eine so sinnenfreudige Denkweise" (U, S. 89).

[28] Saage 2002b, S. 476.

Demgegenüber sind die Neuen Menschen bei Thomas Müntzer die „Auserwählten des Herrn".[29] Sie sind die Instrumente Gottes und daher auf menschliche Institutionen nur peripher angewiesen. Extrem spiritualisiert[30], beherrschen sie ihre Sinne und die aus ihnen folgenden Affekte. Was für die chiliastischen Schwarmgeister im Allgemeinen gilt, trifft für Müntzer im Besonderen zu: Die Überzeugung, die Auserwählten seien von der Sünde erlöst und verkörperten bereits vor dem Jüngsten Gericht den Neuen Menschen.[31] „Sie hofften, bald bei dem erhöhten Herrn zu sein, der Zugang zum Gottesreiche war ihnen offen".[32] Unter dieser Voraussetzung ging Müntzer davon aus, dass für die Auserwählten das irdische Gesetz nicht mehr gelte. In seinen apokalyptischen Predigten wies er immer wieder auf die göttliche Verurteilung der Bösen hin, die bereits vor dem Jüngsten Gericht von den Fürsten zu exekutieren seien. Diese Prämisse generiert die entscheidende Differenz im Staatsverständnis Müntzers und Luthers. Für Müntzer ist Luthers Interpretation der Aufgaben der Fürsten eine Irrlehre, weil er die Indienstnahme des Staates für die Liquidierung der Gottlosen ablehne.[33] Während

---

29 „Es findet der außerwelt freund Gottes ein wunsamme, überschwenckliche freud, wenn seyn mitbrüder auch also durch solche gleychformige ankunfft zum glauben kumen ist wie er. Darumb gibt die muter Gotes zeugnuß Elyzabet, und sie widerumb. Also müssen wir auch thun. Paulus und Petrus besprachen sich; sie überlegten das evangelion, welche petrus durch die offenbarung des vatters hatt [...] und Paulus durch hymlische eröffnung [...]. Das machte wol ein rechte christliche kirche, die gottlosen von den außerwelten zu sundern [...] Die yetzigekirch ist zumal ein alte profeuse dargegen, welche sol noch mit dem ynbrunstigen eyefer angericht werden, wenn nu das unkraut die wurffschaufel muß erdulden. Die zeyt aber der ernden ist alweg da" (MSB, S. 309f, 39-34).

30 „Doraus mag ein itzlicher wol ermessen, wie fern die welt noch vom christenglauben sey. Noch wil niemant sehen oder hören. Sol nw der mensch des worts gewar werden und das er sein empfintlich sey, so muß ym Gott nemen seyne fleischlichen luste, und wenn die bewegung von Gott kumpt ins hertz, das er töten will alle wollust des fleisches, das er yhm do stadt gebe, das er seine wirckung bekummen mag. Dann ein thirscher mensch vornimpt nit, was Got in die sele redet [...], sonder er muß duch den heilgen geyst geweiset werden auf die ernstliche betrachtung des lauttern, reinen vorstandes des gesetzes [...], sunst ist er blint im hertzen und tichtet ym einen höltzern Christum und verfuret sich selber" (MSB, S. 251f, 19-1).

31 „Während die Auserwählten der Pein des Gesetzes als der durch Christus offenbar gemachten Strenge des Vaters nicht zu entfliehen begehren [...], widerstreben die Gottlosen dieser heilsamen Lehre Christi und suchen sich über den Ernst des Gerichts durch einen erdichteten Glauben an Christi Gütigkeit zu beruhigen. Die Auserwählten aber, für die die Strenge des Vaters und Christi Gütigkeit untrennbar sind, gelangen durch das innere Erleiden der Strafe des Gesetzes zum wahren Glauben an die echte Gnade Christi, während die Strafe des Gesetzes, die infolge der Erbsünde an allen Menschen vollzogen werden muß, bei den Gottlosen, den der Läuterung Widerstrebenden, zur Vernichtung führt. Das Werkzeug zu dieser Beseitigung der Gottlosen sind die Gerechten, die sich Raum schaffen müssen, um ihrer Entwicklung und ihrem Glauben leben zu können, was bei der jetzt herrschenden Tyrannei der Gottlosen unmöglich ist. Müntzer gelangt so von seiner theologischen Grundposition aus folgerichtig zum Widerstandsrecht gegen die Obrigkeit" (MS, S. 82, 213).

32 Schütz 1957, S. 468.

33 In diesem Sinne ruft Müntzer den Fürsten zu, ihre christliche Mission zu vollziehen: „Drumb

Müntzer im Staat eine christliche Institution sah, hatte er nach Luther, so die Interpretation seines Gegners, nicht die Aufgabe, das Evangelium zu verbreiten. Als eine Art heidnischer Institution müsse er vielmehr sein Waffenmonopol lediglich zur Friedenswahrung nach innen und außen nutzen. Nur erhaltende und abwehrende Funktionen ausübend, seien die Fürsten auf die religionsneutrale Sicherung des bürgerlichen Friedens – wie auch in heidnischen Staaten üblich – festgelegt (MS, S. 23, 27).

Müntzers Indienstnahme des Staates zur Verfolgung der „Gottlosen" sowohl in den Reihen der alten Kirche als auch innerhalb des lutherischen Protestantismus lässt religiöse Toleranz nicht zu. In seiner „Fürstenpredigt" forderte er die Repräsentanten der weltlichen Obrigkeit immer wieder dazu auf, die „Antichristen" mit der Schärfe des Schwertes zu vernichten. Es sei die Aufgabe und Pflicht der Fürsten, das Unkraut aus dem Weingarten des Herrn herauszureißen, weil es sonst zu einer Rückkehr der Christenheit zu ihren Ursprüngen nicht kommen könne.[34] Ganz anders die Funktion des utopischen Staates in seinem Verhältnis zu den konkurrierenden Religionen: Er ist nicht die Exekutive eines bestimmten Glaubensbekenntnisses, sondern der Garant religiöser Toleranz. So predigte in *Utopia* ein frisch Getaufter über die Verehrung Christi „mit mehr Eifer als Klugheit (. . .); er geriet dabei so ins Feuer, daß er bald unser Glaubensbekenntnis (d.h. den katholischen Glauben, R.S.) über alle anderen erhob, ja diese obendrein alle zusammen in Grund und Boden verdammte, sie unheilig nannte und ihre Bekenner als ruchlose Gotteslästerer, würdig des höllischen Feuers begeiferte" (U, S. 129). Dieser Ausbruch religiöser Intoleranz wurde von den utopischen Behörden umgehend strafrechtlich verfolgt: nicht wegen des Glaubensbekenntnisses eines religiösen

---

lasset die ubelthet er nit lenger leben, die uns von Gott abwenden ...), dann ein gottloser mensch hat kein recht zcu leben, wo er die frumen vorhindert. Exodi am 22. Capitel saget Got: ‚Du sollst die ubeltheter nit leben lassen'. Das meinet auch sant Paulus, der vom schwerdt saget der regenten, das er zcur rache der bösen vorlihen sey und schutz der frumen, Roma. Am 13. Capitel. Gott ist ewr beschirmung und wirdt euch leren streyten widder seine feinde, Psalmo am 17. Er wird ewre hende laufftig machen zcum strytte und wirdt euch auch erhalten. Aber yhr werdet daruber ein grosses creutz und ancfrechtung müssen leyden, auff das euch die forcht Gottis erkleret werde" (MSB 259, 13-24).

[34] „Er (der Antichrist) hat gleychwol in der scherffe des schwerdts yrer nit verschonet. (. . .) Sie haben das lant nicht durch das schwerdt gewonnen, sonder durch die krafft Gottes, aber das schwert war das mittel, wie uns essen und trincken ein mittel ist zu leben. Also nötlich ist auch das schwerdt, die gotlosen zu vertilgen (. . .). Das aber dasselbe nw redlicher weyse und fuglich geschee, so sollen das unser thewren veter, die fursten thun, die Christum mit uns bekennen. Wo sie aber das nicht thun, so wirt yhn das schwerdt geommen. (. . .) dann sie bekennen yhn also mit den worten und legnken sein mit der tath (. . .) Anders mag die christliche kirch zcu yrem ursrpung nicht widder kummen. Man muß das unkraut außreuffen auß dem weingarten Gottis in der zceyt der erndten, dann wirt der schöne roth weytz bestendige wortzeln gewinnen und recht auffgehn (. . .). Die engel aber, weicl yre sicheln darzu scherffen, seint die ernsten knechte Gottis (die Auserwählten), die den eyfer gotlicher seßheit volfuren, Malachie 3) (MSB 261, 9-262, 4).

Fanatikers, sondern aus dem schlichten Grund, dass sein aggressives Verhalten eine Gefahr für die öffentliche Sicherheit darstelle. Im Gegensatz zu Müntzer, der die primäre Funktion des weltlichen Staates darin sah, nicht die Ordnung des Gemeinwesen zu garantieren, sondern den „richtigen" Glauben gegen die „Antichristen" durchzusetzen, hatte der Gründungsvater *Utopias* die Maxime zur ehernen Grundlage seines idealen Staates erhoben, „daß jeder (…) der Religion anhängen (dürfe), die ihn beliebe" (U, S. 129).

IV. Strukturelle Unterschiede im Geltungsanspruch des utopischen und des chiliastischen Ansatzes

Die größte Differenz freilich zwischen dem utopischen und dem chiliastischen Ansatz wird deutlich, wenn wir uns dem Geltungsanspruch zuwenden, den Morus und Müntzer mit ihren fiktiven Alternativen zu den Fehlentwicklungen ihrer Zeit verbanden. Dieser Geltungsanspruch fächert sich in verschiedene Dimensionen auf: 1. Die normative Verbindlichkeit ihrer ideal gemeinten Konstrukte. 2. Der aus ihr folgende praktische Verwirklichungsanspruch. 3. Der Zeithorizont des utopischen Ansatzes bei Morus und die chiliastische Zukunftsperspektive bei Müntzer.

Was die erste Ebene betrifft, so kann der normativ grundierte Denkduktus beider Autoren kaum unterschiedlicher sein. Der Tatsache, dass die Referenzquellen für Morus antike Autoren, für Müntzer Bibelzitate sind, entspricht eine fundamentale Differenz des sprachlichen Ausdrucks und des Darstellungsstils. Morus neigt durch das bereits in der Antike entwickelte Mittel der Ironie und des diskursiven Dialogs dazu, *Utopia* in seiner Vollkommenheit zu hinterfragen. Wie er die Realität seiner Herkunftsgesellschaft im Licht einer möglichen besseren Alternative analysiert, so verfährt er umgekehrt auch mit seinem idealen Konstrukt: Utopia ist nicht das substanziell geronnene Gute, sondern Morus relativiert sie ebenso wie seine Herkunftsgesellschaft im Medium kritischer Diskussion. Deutlich wird dies, wenn er das Gemeineigentum *Utopias* problematisiert.[35] Müntzer dagegen geht von substanziellen Glaubensgewissheiten aus. Sie stützen sich auf die Offenbarungen, an die Gott seine Auserwählten beim Studium der heiligen Schrift täglich teilhaben lässt. Gerade das, was Morus als Mittel der Erkenntnis favorisiert, die rationale Argumentation, lehnt Müntzer rigoros ab. Neben den Fürsten, der alten Kirche und den lutherischen Protestanten sind es vor allem die „Virtuosen des Diskurses", die so genannten „Schriftgelehrten", die er zu den schlimmsten

---

[35] Er kritisiert vor allem, dass das Gemeineigentum „die eigentliche Grundlage ihrer ganzen Verfassung ist, nämlich in ihrem gemeinschaftlichen Leben und der gemeinschaftlichen Beschaffung ihres Lebensunterhalts ohne allen Geldverkehr. Wird doch allein schon durch diese eine Verfassungsbestimmung aller Adel, alle Pracht, aller Glanz, alle Würde und Majestät, also nach der landläufigen Ansicht alle wahre Zierde und aller Schmuck des staatlichen Lebens von Grund auf umgestürzt" (U, S. 147).

Feinden des „wahren Christentums" zählt.[36] Ihre Sünde bestehe darin, dass sie auf ihren natürlichen Verstand bei der Auslegung der Bibel vertrauen und deren Botschaft durch spitzfindige Argumentation angeblich verfälschen. Auf diese Weise seien sie entscheidend mit dafür verantwortlich, dass große Teile des einfachen Volkes im Irrglauben verharrten.

Aus dem divergierenden Verbindlichkeitsanspruch des Geltungsimperativs resultieren unterschiedliche Praxiskonzepte. Morus schließt Politikberatung für die Fürsten als ein probates Mittel für eine Reform von oben nicht aus. Hythlodeus, sein *alter ego,* lehnt dies zwar unter Hinweis auf Platos gescheiterte Reformbemühungen bei Dionyios I und seines Nachfolgers ab[37], kommt aber selber nicht umhin, *Utopia* als ein regulatives Prinzip zu betrachten, das Eins-zu-Eins nicht auf Europa anwendbar ist.[38] Es findet sich in der *Utopia* kein Hinweis auf eine revolutionäre Umwälzung. Zwar gebe es in diesem vollkommenen Staat viele Verfassungseinrichtungen, die Morus „auch in unseren Staaten eingeführt sehen möchte". Aber er fügt hinzu: „Freilich ist das mehr Wunsch als Hoffnung" (U, S. 148). Vielmehr deutet das Ordnungsmuster der gesamten Schrift darauf hin, dass sie eher als Anweisung für Reformen von Wirtschaft, Staat und Kirche zu lesen ist, um revolutionäre Umwälzungen von unten zu vermeiden. Ganz anders Thomas Müntzer. In seinem Praxisverständnis stand von vornherein die theologische Motivation des Kampfes gegen die „Gottlosen" durch die Auserwählten als durchgehende Konstante fest. Variabel waren lediglich die Bündnispartner, mit denen er diesen Anspruch realisieren konnte. Zunächst setzte er offenbar auf die lutherische Reformation, in deren Windschatten es zu seinem Bruch mit der alten Kirche kam. Aber bald musste er einsehen, dass die lutherische Zwei-Reiche-Lehre eine Verwirklichung der „wahrhaft christlichen Gesellschaft" nicht zuließ. „Im Gegenteil: Die lutherische Rechtfertigungslehre, die die guten Werke zugunsten des Vertrauens auf das stellvertretende Werk Christi völlig abzuwerten schien, wurde von ihm

---

[36] „Ja nach yrem vorstande redten sie recht in vernünftiger weise. Sie hatten aber keinen glauben zu got, sondern es waren gottlose heuchler vnd schmeichler die do redten was die herren gern hören glych wie itzt zu vnser zeyt die schriftgelehrten thun die do gern gele bißlen essen zu hofe. (...) Solche schrifftgelerten seindt die warsager die do offendtlich die offenbarung gottes leugknen vnd fallen doch dem heyligen geist in sein handtwerck/wollen alle weldt vnterrichten/vnd was ihre vnerfarnen verstande nit gemeß ist/das muß yn bald vom teuffel sein/vnd scheint doch yrer eygeb seligkeit nit vorsichert/wilchs doch nothalben sein solt" (MSB, S. 248 f, 23-27; 249, 4-7).

[37] „Aber das hat auch Plato unzweifelhaft recht wohl vorhergesehen, daß die Könige niemals, es sei denn, daß sie selber Philosophie treiben, den Ratschlägen philosophierender Männer innerlich zustimmen werden (sind sie doch mit verkehrten Meinungen seit früher Jugend getränkt und davon angesteckt), was er ja am eigenen Leibe bei Dionysios erfahren hat" (U, S. 42).

[38] „Und während die Utopier schon nach der ersten und einzigen Berührung mit uns (d.h. die Europäer, R.S.) sich alle nützlichen Erfahrungen zu eigen machten, wird es, fürchte ich, lange dauern, bis wir irgendeine Einrichtung übernehmen, die bei ihnen besser ist als bei uns. Das halte ich denn auch für die Hauptursache, warum ihr Staatswesen klüger regiert wird und glücklicher aufblüht als das unsere, obschon wir doch weder an Begabung noch an Reichtum hinter ihnen zurückstehen (U, S. 57).

als ebenso antichristlich verworfen wie die seines Erachtens heuchlerische Werk-frömmigkeit der alten Kirche, da auch von ihr keine wirkliche Verbesserung des Menschen und der Welt zu erwarten war".[39] Müntzer sah sich also gezwungen, einen „dritten Weg" zwischen dem lutherischen Protestantismus und der katholi-schen Kirche ausfindig zu machen.

Diesen dritten Weg sah er nicht in den Schriften antiker Autoren wie Platons *Politeia*, für die die *Utopia* des Thomas Morus steht, sondern, wie schon erwähnt, im hussitischen Täufertum und in der Mystik des Meisters Eckhart vorgezeichnet. „Deswegen wendete er sich, als man ihn in Zwickau nicht mehr duldete, nach Prag. Denn er hoffte zuversichtlich, die Böhmen würden sich nach dem erloschen-nen Feuer des hussitischen Taboritentums noch einmal an die Spitze einer um-fassenden Reformationsbewegung stellen. Aber er wurde bitter enttäuscht".[40] Die zweite Stufe seiner Suche nach dem dritten Weg ist mit dem Zulauf der Bevöl-kerung in dem sächsischen Allstedt verknüpft, wo er für kurze Zeit als Pfarrer seine Theologie und die mit ihr verbundenen gottesdienstlichen Ordnungen duch-setzen konnte. Diese theologische Akzeptanz in breiten Schichten im Rücken, forderte er nun die sächsischen Fürsten auf, „mit der ihnen verliehenen obrigkeit-lichen Schwertgewalt die Christenheit von den Sündern zu reinigen. Doch waren die verständlicherweise dazu nicht bereit".[41] Seine Hoffnungen richteten sich nun auf das einfache Volk, obwohl er sich darüber im Klaren war, dass sie die Kri-terien der Auserwählten des Herren noch keineswegs erfüllten.[42] „Als dann aber im Südwesten des Reiches im Herbst 1524 der Bauernaufstand ausbrach und die Bauern für Gottes Ehre, die Verkündigung seines Wortes, für den gemeinen Nut-zen und brüderliche Liebe, für eine Verchristlichung der Gesamtgesellschaft die Waffen ergriffen, da glaubte er, nun sei jene letzte Auseinandersetzung zwischen den Frommen und den Gottlosen gekommen, auf die er eine Fülle alt- und neu-testamentlicher Texte beziehen konnte".[43] Erst jetzt wurde aus einem Theologen, der der Lösung aus den Verstrickungen dieser Welt das Wort redete, der „apoka-lyptische Revolutionär".[44]

Der Gegensatz zwischen Reform und Revolution, zwischen einer vorsichtigen Beseitigung gravierender Strukturdefizite in Gesellschaft, Staat und Kirche und der gewaltsamen revolutionären Umwälzung der Gesamtgesellschaft, zwischen humanistisch gebildeten politischen Eliten, die alles für das Volk, aber nur wenig durch es zu tun bereit waren und einem von dem neuen Messias, nämlich Müntzer

---

[39] Seebaß 2000, S. 230.

[40] Ebd.

[41] Ebd.

[42] Nicht selten spricht Müntzer von einem „abgöttisch holtzener pfaff vnd ein grob tolpelisch und knuttelisch volck/wilchs doch das allergeringste urteil von got nit beschlissen kann/ist das nit ein iamer/sunde vnnd schande?" (MSB, S. 245, 20-23).

[43] Seebaß 2000b, S. 230.

[44] Ebd.

selbst[45], angeführten Bauernheer, das die Fürsten militärisch zur Entscheidungs-schlacht bei Frankenhausen herausforderte, widerspiegelte sich in divergierenden Zeithorizonten des von beiden Autoren angestrebten Neuanfangs. Zu Recht ist festgestellt worden, dass die frühen Raumutopien, deren Modell in Morus' be-rühmter Schrift konzipiert wurde, eher Differenz als im zeitlichen Kontext einge-bundene Zukunftserwartung ausdrücken.[46] „Die utopische Insel und die kritikwür-digen Zustände der Herkunftsgesellschaft existieren zeitgleich. Weil beide in der Gegenwart verankert sind, kennt das ursprüngliche utopische Muster die Projekti-on seiner idealen Gemeinwesen in der Zukunft nicht. Diese spielt nur insofern eine Rolle, als sie, punktuell durch fiktive Modelle einer besseren Alternative gleich-sam spielerisch-experimentell antizipiert, darauf besteht, daß die Welt, wie sie ist, positiv verändert werden kann, wenn ein bestimmter Grad der Naturbeherrschung vorläge und sich die Menschen bereit fänden, ihre eigenen Verhältnisse gemäß den Maximen ihrer Vernunft umzuändern".[47] Die frühe Raumutopie ging also von der Prämisse aus, dass es nur eine Kraft gibt, die, angeleitet von der zeitgleichen fiktiven Alternative eines gelungenen Lebens, Veränderungen zum Besseren be-wirken können, und das sind die Menschen selbst.

Ganz anders der Zeithorizont Thomas Müntzers. Wir haben gesehen, dass er von einem unaufhaltsam über fünf Stufen erfolgenden Geschichtsprozess ausging, den er im Blick auf das kommende Jüngste Gericht als dessen Telos interpretier-te. Die Wiedererlangung des Paradieses auf Erden ist der unumstößliche Sinn der Abfolge der einzelnen historischen Epochen. Auch ist das treibende Element des geschichtlichen Prozesses weder die Fürsten, auf die er anfangs setzte, noch die Masse der Bauern, Bergleute, Handwerker noch der in der Tradition der apokalyp-tischen Propheten stehende Müntzer selbst: Alle diese Akteure sind nichts weiter als Instrumente in der Hand Gottes. Daher sah sich Müntzer auch legitimiert, die Bauern zum bedingungslosen Kampf gegen das professionelle Fürstenheer mit dem Versprechen aufzurufen, der Sieg sei ihnen sicher, weil sie den Willen Gottes exekutierten. Diese Argumentationslinie verließ Münster selbst nach der Katastro-phe von Frankenhausen nicht, in der Tausende von Bauern umkamen: Er glaubt erkennen zu können, „daß die Bauern eben nicht die uninteressierten Streiter für das Reich Gottes gewesen waren, sondern für eine durchaus diesseitig orientierte Verbesserung ihrer Situation in den Aufstand gegangen waren".[48]

---

[45] „Darumb muß eyner auffstehen, der die menschen weyse auff die offenbarung des göttlichen lemblyns, im urteyl des ewigen worts vom vatter ausgehend" (MSB. S. 297, 7-12). Nur so sei die Verstocktheit des Volkes zu überwinden, die heute noch bornierter sei als in biblischen Zeiten: „wie jetzt die christenheyt durch die boswichtischen schrifftgelerten geworden ist. Sie will keynerley weyß glauben, da ir Gott also nahe sey" (MSB, S. 297, 20-25). An anderer Stelle heißt es:„Drumb muß ein newer Daniel auffstehn und euch ewre offenbarung außlegen und derselbige muß forn, wie Moses leret (...), an der spitzen gehen" (MSB, S. 257, 19-22).

[46] Jørgensen 1985, S. 375.

[47] Saage 2002b, S. 477.

[48] Seebaß 2000, S. 231.

V. Schlussfolgerungen

Wie konnte es zu diesen gravierenden Differenzen kommen? Woran lag es, dass für Morus und Müntzer ihre Konzeptionen keineswegs von vornherein mit dem Stigma des Kontrafaktischen behaftet waren? Die Ursache dürfte unter anderem in den unterschiedlichen sozio-politischen Kontexten zu suchen sein, in denen sie ihre Schriften verfassten. Der eine dachte radikal *vor* der großen protestantischen Revolte gegen die alte Kirche, der andere befand sich mitten in diesem Prozess. Morus artikulierte sich, wie gezeigt, in Kategorien einer „reflexiven Radikalität", die seine kritische Distanz zu den imaginierten utopischen Lösungsverschlägen der mittelalterlichen Krise erkennen ließ: Er strebte eine Reform von oben an, welche nicht nur die Missstände der gesellschaftlichen Verhältnisse, sondern auch die Strukturen der alten Kirche reformieren sollte. Müntzer hingegen agierte in einer Situation, in der die Dynamik von unten die kontrollierten Reformmechanismen von oben längst außer Kraft gesetzt hatte. Angesichts der in Bewegung geratenen Unterschichten (Bauern, Handwerker etc.) schien ihm das apokalyptische Ende der Geschichte bevorzustehen, die ihn in die Richtung einer „offenen Radikalität" trieb.[49]

Damit ist die Problemlage angesprochen, von der dieser Aufsatz seinen Ausgang nahm. Wie sind die Übereinstimmungen und Differenzen zwischen dem utopischen Ansatz des Thomas Morus und der chiliastischen Perspektive des Thomas Müntzers zu gewichten? Oder anders gefragt: Lassen sich die aufgezeigten Differenzen unter dem gemeinsamen Dach der „Utopie" sinnvoll interpretieren? Wer davon ausgeht, dass der auf die gesellschaftlichen Verhältnisse gerichtete Veränderungswille nicht per se utopisch, sondern zu seiner Kennzeichnung immer auch inhaltliche Konnotationen aufweist, wird um die Einsicht nicht herum kommen, dass Müntzer für das chiliastische und Morus für das utopische Paradigma steht. Die aufgezeigten Differenzen, so kann abschließend festgestellt werden, verweisen nicht nur auf die unterschiedlichen Orte ihres Ursprungs: Morus' *Utopia* ist ohne die modernisierende Antikenrezeption, und Müntzers politische Schriften sind ohne die jüdisch-christliche Eschatologie nicht zu denken. Darüber hinaus ist der inhaltliche Hiatus zwischen beiden Ansätzen so tief, dass die gemeinsamen Schnittmengen in den Hintergrund treten. Die Verortung des chiliastischen Revolutionärs Müntzers unter dem gemeinsamen Dach der Utopie, wie Thomas Morus sie verstand, so konnte die Untersuchung zeigen, ist nur um den Preis zu haben, dass der utopische Fokus an seinen Rändern ausfranst und so für Forschungszwecke wertlos wird.

---

[49] Vgl. zur Bestimmung dieser beiden Radikalitätsvarianten im Gegensatz zur „kryptischen Radikalität": Heyer/Saage 2009, S. 67-69.

Kapitel 3

„Christliche Utopie" – ein Widerspruch in sich selbst? Zum Verhältnis von Utopie und Chiliasmus

I. Die Notwendigkeit eines Vergleichs zwischen dem utopisch-säkularen und dem chiliastisch-christlichen Denkmuster

Das Dilemma der Utopieforschung in den deutschsprachigen Ländern besteht darin, dass sie sich bis auf den heutigen Tag nicht hinreichend ihres Gegenstandes vergewissert hat. Der Stein des Anstoßes ist das ungeklärte Verhältnis zwischen Chiliasmus und Utopie. Spätestens seit Landauers Schrift *Die Revolution* aus dem Jahre 1907 hat sich nämlich variantenreich zunächst die Ansicht durchgesetzt, dass sich utopisches und chiliastisches Denken *inhaltlich* überschneiden. Später trat die Auffassung hinzu, beide Ansätze seien auch *funktional* identisch. Diese Gleichsetzung hatte weitgehende Konsequenzen.

Einerseits glaubte Landauer, im Chiliasmus der Wiedertäufer des 16. Jahrhunderts[1] die frühesten Formen des utopischen Denkens ausmachen zu können. Für die Sozialwissenschaft und die Philosophie in Deutschland haben Karl Mannheim[2] und Ernst Bloch[3] diese Option folgenreich weiterentwickelt[4]: Sie ernteten für ihre begrifflichen Anstrengungen das überschwängliche Lob, den Utopie-Diskurs endlich aus dem engen Korsett des auf Morus' berühmte Schrift von 1516 zurückgehenden klassischen Musters gelöst zu haben.[5] Doch unübersehbar ist auch, daß diese *inhaltliche* Identifikation zu einem inflationären Gebrauch des

---

[1] Vgl. Landauer 1923, S. 63.

[2] Vgl. Mannheim 1985, S. 184-191.?

[3] Vgl. Bloch 1923; Bloch 1977; Bloch 1990.

[4] Zur Rezeptionsgeschichte des Landauerschen Ansatzes bei Bloch und Mannheim vgl. Braun 1991, S. 127-149. Im übrigen hat auch Troeltsch dem Chiliasmus der Propheten des Alten Testaments Utopiecharakter attestiert. Der „utopische Charakter" ihrer Predigten zeige sich in ihrem „Ideal religiöser und sittlicher Vollkommenheit (. . .) ohne Krieg und Leid (. . .). Dann wird man die Schwerter umschmieden können in Pflugscharen und wird der Wolf bei dem Lamme wohnen; dann wird Jahve Frühregen geben und Spätregen, ja Wunderquellen öffnen in der Wüste; auf daß ein jeder unter seinem Feigenbaum und Weinstock sitzen könne; die Kinder Israels werden ruhig um seinen Tempel wohnen, zu dem alle Heiden pilgern werden, um sich Jahve, dem Gotte Israels, zu unterwerfen" (Troeltsch 1925, S. 58f).

[5] „Nach einer langen Phase der vollendeten Verachtung für den utopischen Begriff brachte unser Jahrhundert eine neue Konjunktur. Zwei Namen stehen an deren Beginn: Gustav Landauer und Ernst Bloch. Beide haben die Konjunktur in Bewegung gebracht, indem sie einerseits am sozialkritischen Engagement der Utopie festhielten, andererseits aber deren Charakter einer idealen Gesellschaftsordnung historisch aufsprengten. Utopie wird aus einem Gebiet der Denkbemühung zu einer die Geschichte durchziehenden Denkhaltung, die in der dialektischen Theorie-Praxis-Vermittlung zu Haus ist" (Schmidt 1988, S. 79).

Utopiebegriffs führte. Am Ende wurden Utopie und chiliastische Verheißungseu-
phorien in einer Weise ineinsgesetzt, daß das rationalistische Konstrukt des Thomas Morus – jedenfalls auf terminologischer Ebene – in ein recht willkürliches
Verhältnis zu den Chiliasmen der frühen amerikanischen Siedler ebenso geriet
wie zu den analogen Visionen der südamerikanischen Stämme der Guarini „auf
der Suche nach dem verlorenen Paradies".[6] Von ihren Quellen in der antiken und
mittelalterlichen Welt und damit aus ihrem eurozentrischen Kontext gelöst, wurde
die Utopie zu einem kulturübergreifenden und universalistischen Muster stilisiert,
dem im Resultat die nordamerikanische Zivilisation ebenso subsumierbar erschi-
en wie die Indianerkulturen Südamerikas.?

Andererseits führt aber auch die *funktionale* Gleichsetzung des utopischen
und des chiliastischen Denkens in eine analytische Sackgasse. Zwar umgeht dieser Ansatz das Problem, heterogene Merkmale beider Traditionslinien wie unterschiedliche Denkstile, differente Konzeptionen der Zeitdiagnose und des alternativen guten Lebens sowie sich ausschließende Geltungsansprüche und Bezüge
zur Herkunftsgesellschaft auf einen gemeinsamen Nenner zu bringen. Was nämlich im Zentrum dieses Konzepts steht, ist eine eigentümliche Dichotomie, die
sowohl für das utopische als auch für das chiliastische Denken charakteristisch
sein soll: Der im antiutopischen Sinne depravierten Herkunftsgesellschaft wird
die „Utopie" als das ganz Andere konfrontiert. Mit der dialektischen Formel der
„Negation der Negation" auf ihren abstraktesten Begriff gebracht, umfasst sie alle
Denkformen und Bewegungen, die den gesellschaftlichen Status quo – in welchen
historischen, sozialen und kulturellen Kontexten auch immer – zu überschreiten
suchen, und zwar im Namen einer vermeintlich besseren Alternative.[7] Aber auch
dieser Versuch einer Gleichsetzung von utopischem und chiliastischem Denken
hat seinen Preis. Die aus ihm folgende Begrifflichkeit krankt daran, dass sie ein
Element des utopischen Konstrukts, wie Morus es 1516 konzipierte, nämlich die
antithetische Gegenüberstellung zwischen Sein und Sollen, für das Ganze nimmt

---

[6]   Eliade 1964, S. 211-234 sowie S. 352-354.

[7]   Vgl. zu diesem „gegenstandsunabhängigen" Utopiebegriff, der von dem ursprünglichen Muster
      nur noch die „Intention" gelten lässt, Neusüss 1986, S. 31f: „Worauf die utopische Intention
      abzielt, soll die Zukunft erst bringen (...). Die utopische Intention manifestiert sich inhalt-
      lich in den verschiedenen Vorstellungen von der besseren Zukunft, formal drücken sich diese
      Vorstellungen auf unterschiedlichste Weise aus. Das Interesse an utopischen Trauminhalten,
      die je nach historischer Situation und sozialem Kontext wechseln, führt zu enzyklopädischen
      Bestandsaufnahmen. So notwendig diese sind: aus der inhaltlichen Fülle der historisch aufge-
      tretenen Bilder von der besseren Zukunft läßt sich eine Präzisierung des Begriffs der utopischen
      Intention kaum gewinnen. Zwar sind die verschiedenen Erscheinungsweisen utopischen Den-
      kens und ihre gemeinsame Intention nicht voneinander zu lösen, aber ihr Gemeinsames liegt
      nicht in irgendwelchen Ähnlichkeiten positiver Zukunftsbilder – solche Ähnlichkeiten dürften
      kaum einsichtig abzugrenzen sein –, sondern in der kritischen Negation der bestehenden Ge-
      genwart im Namen einer glücklicheren Zukunft, die noch so verschieden ausgemalt sein mag.
      Deshalb kann sich die utopische Intention auch da ausdrücken, wo auf Zukunftsbilder verzichtet
      wird".

und alle anderen Merkmale für kontingent und austauschbar hält. Wie die Charakterisierung der „utopischen Intention" als die „Negation der Negation" zeigt[8], wird die gemeinsame Schnittmenge von utopischem und chiliastischem Denken noch abstrakter gefaßt als dies bei der inhaltlichen Identifikation der Fall war.

Was ist angesichts dieser wenig befriedigenden Ausgangslage der Bestimmung des Verhältnisses von Utopie und Chiliasmus zu tun? Eine „essentialistische" Lösung des angesprochenen Problems verbietet sich: Sie würde zur Aporie zweier normativer Standpunkte führen, die sich nicht vermitteln lassen. Demgegenüber erscheint ein historisch-generischer Ansatz in komparativer Absicht erfolgversprechender zu sein, der zu den ideengeschichtlichen Quellen beider Ansätze zurückkehrt. Der Schlüsseltext des utopischen Paradigmas ist dann zweifellos die 1516 erschienene Schrift des Thomas Morus, die dem ganzen Genre erst ihren Namen gab. Schwieriger stellt sich die Quellenfrage innerhalb des christlichen Musters. Die das Mittelalter beherrschende augustinische Orthodoxie ist von einem englischen Utopieforscher als geradzu antiutopisch bezeichnet worden.[9] Wenn die Welt des gefallenen Menschen ein Tal der Tränen, eine Periode der notwendigen Leiden und der damit verbundenen Bewährung und Reinigung ist, bevor sie durch göttliche Vermittlung erlöst werden kann, dann ist ein Standpunkt bezogen, in dessen Perspektive jeder Versuch, ein Paradies auf Erden zu errichten, als hybride Anmaßung erscheinen muss.[10]

Doch die Bücher des Alten und des Neuen Testaments enthalten genügend Passagen von der Genesis über das Matthäus-Evangelium und die Prophezeiungen des Jesaja bis hin zur Offenbarung des Johannes, an die ketzerische Bewegungen und Interpreten anknüpfen konnten, welche die antiutopische Einstellung des Augustinus[11] nicht teilten. Diese „Urquellen" haben selbstverständlich eine differenzierte Rezeptionsgeschichte ausgelöst, deren Beschreibung ihrerseits ganze Bibliotheken füllt. Wenn es im Folgenden darum geht, Bewusstseinsformen und ideengeschichtliche Strukturen, wie sie für das so verstandene utopische und chili-

---

[8] Vgl. List 1973, S. 50-61.

[9] „*The contemptus mundi* was profoundly discouraging to Utopian speculation: as a result, the Middle Ages are a conspicuously barren period in the history of Utopian thought" (Kumar 1987, S. 11).

[10] „Der Gottesstaat ist kein Ideal, das sich in der Geschichte verwirklicht, und die Kirche in ihrer irdischen Existenz ist auch nur eine Repräsentation der übergeschichtlichen *civitas Dei*. Für Augustin liegt die Aufgabe der Kirche nicht in der Entwicklung der christlichen Wahrheit in aufeinanderfolgenden Epochen der Weltgeschichte, sondern in der Verkündigung und Verbreitung der Wahrheit, die ein für allemal offenbart und feststehend ist" (Löwith 1957, S. 153).

[11] „Im Mittelalter hat es eine Utopie (. . .) nicht gegeben, und es konnte sie auch nicht geben. Denn in den Ordnungen des Lebens und der Welt, des Staates und der Gesellschaft war Gottes Gerechtigkeit zwar durch den Sündenfall korrumpiert, aber doch substantiell gegenwärtig, eine innerweltlich bessere Ordnung konnte darum institutionell nicht eine grundsätzlich andere sein. (. . .) Der Sinn des Lebens erfüllt sich in der Gegenwart, in der über das Heil entschieden wird, und in der Ewigkeit: die Ewigkeit ist der Ort der Transzendenz; die Zukunft ist daher nicht primär weltimmanente, sondern welttranszendente Zukunft" (Nipperdey 1975, S. 125).

astische Denken charakteristisch sind, zu vergleichen, dann kann nur idealtypisch vereinfacht in dem Sinn vorgegangen werden, dass die jeweils charakteristischen Elemente beider Ansätze in Betracht zu ziehen sind, die sich seit ihren Anfängen auch in den zahlreichen Metamorphosen ihrer jahrhundertelangen Wirkungsgeschichte als Konstanten durchgehalten haben. Aber nicht nur die Gegenstände eines Vergleichs sind möglichst präzise zu umreißen, sondern auch das, was eine Komparatistik erst sinnvoll macht: ihre gemeinsame Schnittmenge. Auf sie ist in der Literatur so oft hingewiesen worden, daß ich mich kurz fassen kann:

a) Das Paradies als Gegenbild zu den kritikwürdigen Verhältnissen der Menschen ist im chiliastischen Denken nicht im Jenseits, sondern – wie die utopische Fiktion – in dieser Welt angesiedelt. Zudem teilt die biblische Paradiesvorstellung mit dem utopischen Paradigma die Prämisse, dass eine Welt ohne das Böse nicht nur nicht vorstellbar, sondern auch möglich ist, sofern zwei Bedingungen erfüllt sind: Dem Kampf um Besitz muss ebenso der Boden entzogen sein wie der aus der Sexualität folgenden Rivalität. Tatsächlich kennt nach dem Bericht der *Genesis* der Garten Eden weder über die Unterscheidung von Mein und Dein vermittelte Konkurrenzbeziehungen noch sexuelle Begierden.[12]

b) Selber ein Beispiel göttlicher Vollendung, hat nach dem Evangelium des Matthäus (5:48) für das chiliastische Denken keine geringere Autorität als Jesus selbst verfügt, dass die Menschen sich perfektionieren sollen: ein Postulat, das durch das im frühen Christentum weit verbreitete neoplatonische Denken noch zusätzliche Impulse erhielt.[13] Damit gerät auch dieser Topos in ein Immediatverhältnis zum utopischen Denken, weil dessen Konstrukte idealer Gemeinwesen mit der Schaffung eines Neuen Menschen, der die Defizite der auf Egoismus und Machtakkumulation beruhenden Herkunftsgesellschaft überwunden hat, steht und fällt.

c) Die Idee des Chiliasmus verweist insofern auf den utopischen Ansatz, als das Konzept des Milleniums eine intermediäre Ebene zwischen der rein irdischen Existenz der gefallenen Menschen und der rein himmlischen Seinsweise der Erlösten darstellte. Es handelt sich also um eine Form der Transzendenz, die Erde und Himmel eher verbindet als dass sie beide unversöhnlich trennt, wie die orthodoxe Doktrin des Augustinus dies fordert. Die chiliastische Erwartung des tausendjährigen Zwischenreichs lebt also von der Perspektive eines neuen Himmels und einer neuen Erde, die in ihrer paradiesischen Vollkommenheit auf den

---

[12] Vgl. Finley 1967, S. 6f. Als Belegstellen im AT vgl. für diese Interpretation 1. Mose 3:16-19.?

[13] „Wer den Heiligen Geist in sich selbst inkarniert und Träger der damit einhergehenden Offenbarung ist, der ist von den Toten auferstanden und besitzt den Himmel. Wer von dem Gott in sich selbst weiß, der trägt seinen Himmel in sich. Man braucht lediglich seine eigene Göttlichkeit zu erkennen, und man wird als Spiritualer wiederentdeckt, als Bewohner des Himmels auf Erden. Hingegen ist es Todsünde, ja die einzige Sünde, sich seiner Göttlichkeit nicht bewußt zu sein" (Cohn 1961, S. 162).

Garten Eden vor dem Sündenfall des Menschen zurückgreift und gleichzeitig die zukünftigen Wonnen des ewigen Lebens vorwegnimmt.[14]

d) Wenn in der chiliastischen Geschichtskonzeption des Joachim von Fiore mit dem Dritten Zeitalter des Heiligen Geistes die Endphase der historischen Entwicklung eingeleitet wird, in der nicht mehr die Hierarchie der Kirche, sondern die Mönche zum Vorbild für die Menschheit aufsteigen, dann ist zugleich auf die Affinität hingewiesen, die das mittelalterliche Kloster mit der Organisationsstruktur der klassischen utopischen Gemeinwesen der Frühen Neuzeit verbindet.[15] Hingewiesen wird auf den disziplinierten Tagesablauf, das frugale, auf jeden Luxus verzichtende Leben, die einfache und uniforme Kleidung sowie das hohe Ansehen der physischen Arbeit auf der Grundlage des Gemeineigentums.[16] Diese Strukturen finden sich in Morus' *Utopia*, in Campanellas *Sonnenstaat* (1602) und in Andreaes *Christianopolis* (1612) wieder. Selbst Bacons Wissenschaftsorganisation des „Hauses Salomon", wie er sie in seiner *Neu-Atlantis* (1627, lat.) schildert, kann sein Vorbild-Muster des mittelalterlichen Klosters nicht leugnen.

Aber die Frage ist, ob diese gemeinsamen Merkmale ausreichen, eine Ineinssetzung von chiliastischem und utopischem Denken hinreichend zu begründen. Ist der chiliastische Ansatz nur eine Variante des utopischen und umgekehrt? Oder können die nicht zu leugnenden Strukturbeziehungen zwischen beiden Paradigmen lediglich einen – wenn auch bedeutsamen – Anteil des mittelalterlichen Erbes an der Entstehungsgeschichte der neuzeitlichen Utopie belegen? Wenn Krishan Kumar Recht hat, dass die antiken und christlichen Komponenten zwar in die Genesis des utopischen Konstrukts eingegangen sind, aber nicht mit diesem selbst verwechselt werden dürfen[17], dann stellt sich die Frage nach der Differenz zwi-

---

[14] Vgl. Kumar 1987, S. 17.

[15] Vgl. a.a.O.,S. 17-19.

[16] Ausgehend von dem Idealplan eines Klosters aus dem 9. Jahrhundert zeigen Ferdinand Seibt zufolge „die umfassende Regelung des Tagesablaufs im Innern der Anlage und die Disposition ihrer Aufgaben für die Umwelt, wie sie im architektonischen Grundriß (...) festgehalten sind, (...) den Rationalismus der Klosterkultur jener Zeit auf einem hohen Rang. Eigenheiten der Ordensregeln bestärken den Planungsanreiz der mönchischen Lebensgemeinschaft in einzigartiger Weise. Es geht dabei um solche Regeln des mönchischen Gemeinschaftslebens, die voraussetzen, daß der Tagesablauf des ganzen Gemeinwesens minutiös geregelt ist, wie überhaupt eine jede antiindividualistische Lebensweise, im Gegensatz zum Einzeldasein, Planung zwingend herausfordert. Der vielberufene mönchische Kommunismus ist bereits als utopisches Element erkannt worden (...). Ähnliches ließe sich am mönchischen Arbeitsethos beobachten, das, ebenfalls unentbehrlicher Bestandteil des Utopischen, im frühen Mönchtum. erstmalig aus einer theoretisch-theologischen Forderung zu einem mit lebendigem Inhalt erfüllten sittlichen Wert' (Prinz) geworden ist" (Seibt 1972, S. 15f). Ähnlich argumentiert Oexle 1994, S. 33-84

[17] „Christian civilization may be unique in giving birth to Utopia (as has already been suggested, milleniarism is probably the key link); but the Christian and classical components are not themselves Utopia. The Golden Age, the ideal city and the rest constitute the essential ‚pre-history' of utopia. Like many prehistoric fragments, they remain embedded in the later forms; or, to change the figure somewhat, we may say, that they live on the Unconscious of Utopia, giving it

schen beiden Ansätzen in aller Schärfe, weil nur auf der analytischen Folie ihrer Diskrepanzen das spezifische und unverwechselbare Profil der modernen Utopie abbildbar ist. Ein solcher Versuch soll im Folgenden in der gebotenen Kürze unternommen werden.

II. Die Divergenz beider Paradigmen

Zwar hat die biblische Paradies-Vorstellung der modernen Utopie in dem Sinne vorgearbeitet, dass sie der Sehnsucht nach einer besseren Alternative zu den bedrückenden Lebensverhältnissen der Herkunftsgesellschaft bildhaft Ausdruck verleiht. Aber eine genaue Komparatistik beider Ansätze zeigt ebenso klar, dass sie von geradezu entgegengesetzten Prämissen ausgehen, die sich bis auf die Ästhetik ihrer Formensprachen auswirken. Während der *Utopia* des Thomas Morus ein klarer Gattungstyp zugrundeliegt, der – in welcher literarischen Gestalt auch immer – in der Darlegung seiner Geschichte auf die diskursive Argumentation festgelegt ist, entzieht sich die Metaphorik des Paradieses einer eindeutigen Gattungsbezeichnung. Offenbar schon im Stadium der mündlichen Überlieferung sich aus vielfältigen – Wandlungen ausgesetzten und zum Teil heterogenen – kulturellen Quellen speisend, hat man mit „Anreicherungen verschiedener Art zu rechnen, die sich keineswegs immer organisch, in überzeugender Logik an das schon Gegebene anschließen mußten".[18] Die Folgen sind evident. Die Gattung der Utopien läßt das rational nachvollziehbare Paradigma einer idealen Gesellschaft erkennen, die zwar nicht faktisch existiert, aber als Fiktion sich den Gesetzen der diskursiven Logik unterwirft. Elemente des Märchens und der Sage assimilierend, ähnelt demgegenüber die Paradies-Erzählung einem Mythos, dessen Symbole vom Wandeln Gottes im Garten über den Lebensbaum und den Baum der Erkenntnis bis hin zur Schlange reicht. „Gattungsmäßig ist die Paradieserzählung also durch aus ein mixtum compositum"[19]: eine Feststellung, die ihrem unvergleichlichen Rang in der Weltliteratur zwar keinen Abbruch tut, zugleich aber eine entscheidende entwicklungsgeschichtliche Differenz zum utopischen Denken andeutet.

Die Paradies-Erzählung musste deswegen jede enge, vom europäischen Denken geprägte Gattungszuordnung sprengen, weil sie, wie schon hervorgehoben wurde, in allen Kulturen und Epochen zu finden ist: Evoziert von dem Wunsch „nach der Rückkehr zu den Ursprüngen, nach Wiedererlangung einer ursprünglichen Situation" ebenso wie von der Sehnsucht, „die Geschichte nochmals von vorne zu beginnen, (...) nochmals die Glückseligkeit (...) und die schöpferische Begeisterung der Anfänge" erleben zu können, scheint das „Warten auf ei-

---

much of its motivation and dynamism. But, no more than the it can be identified with the ego, can these utopian ‚pre-echoes' be identified with utopia itself (Kumar 1987, S. 19f).

[18] Hesse 1961, S. 98-100, Sp. 99.

[19] Ebd.

ne *renovatio radicale*[20] eine Art anthropologischer Grundkonstante zu sein. Im Gegenzug zu diesem universalistischen Trend wird man die Entstehung des utopischen Denkens geographisch auf Westeuropa eingrenzen müssen. Sein scharfes gattungsspezifisches Profil verdankt sich den spezifischen Bedingungen, die in anderen Zivilisationen am Ende des Mittelalters so nicht zu finden waren: einen durch das antike und das christlich-nominalistische Erbe geprägten Individualismus, dem der utopische Ansatz mit der Fiktion einer alternativen, gleichfalls von antiken und christlichen Vorstellungen beeinflußten Solidargemeinschaft entgegentrat, und zwar im Medium einer weitgehend säkularisierten Vernunft, der erst jenen Geist des Konstruierens und des „Machens" ermöglichte, ohne den es ein utopisches Denken nicht gäbe.

Für unseren Vergleich ist nun freilich entscheidend, was inhaltlich hinter diesem gattungsgeschichtlichen *mixtum compositum* der Paradies-Erzählung steht: die Schilderung nicht einer Gesellschaft und ihrer Reproduktionsmechanismen, sondern die Metaphorik eines „natürlichen Zustandes" der Nichtentfremdung, der insbesondere im Alten Testament bei Jesaja eindrucksvoll geschildert wird. Nicht nur werden „die Wölfe (...) bei den Lämmern wohnen und die Leoparden bei den Böcken liegen. Ein kleiner Knabe wird Kälber und junge Löwen und Mastvieh miteinander treiben".[21] Dieser Friede zwischen den Tieren und zwischen Mensch und Tier hat seine Entsprechung im Umgang der Völker miteinander. Sie machen „ihre Schwerter zu Pflugscharen und ihre Spieße zu Sicheln (...)".[22] Denn es wird „kein Volk wider das andere ein Schwert aufheben" und gegeneinander Krieg führen. Vor allem aber können die „Erlöseten des Herrn" mit ihrer Wiederkunft rechnen, „und gen Zion kommen mit Jauchzen; ewige Freude wird über ihrem Haupte sein, Freude und Wonne werden sie ergreifen, und Schmerz und Seufzen wird entfliehen"[23]. Diese Schilderung des Paradieses als Endzustand der Geschichte ist zu ergänzen durch die Verfassung der Menschen vor dem Sündenfall Adams. Selbst ein Stück der von Gott geschaffenen Natur, setzt sich der einzelne nicht, durch Arbeit vermittelt, mit ihr auseinander, um dem Boden „im Schweiße seines Angesichts" das abzuringen, was sein Überleben ermöglicht. Vielmehr steht ihm die ganze Natur zur freien Disposition. Er muss nur die Hand heben, um die Früchte zu pflücken, die er essen will.[24] Auf den ersten Blick scheint es hier eine substanzielle Übereinstimmung zwischen dem Chiliasmus und den naturalisierten Utopien der Frühen Neuzeit zu geben, deren *anarchistische* Struktur eine Alternative zur *archistischen* Stoßrichtung der utopischen Gesellschaftskonstrukte in der Nachfolge der *Utopia* des Thomas Morus darstellt. Doch stehen einer solchen Gleichsetzung folgende gravierende Einwände gegen-

---

[20] Eliade 1964, S. 353.
[21] Jesaja 22:6.
[22] Jesaja 2:4.
[23] Jesaja 35:10.
[24] 1. Moses 2:16; 1. Moses 3:2.

über: 1. Das Naturverständnis der anarchistischen Utopie der Frühen Neuzeit rekurrierte vorwiegend auf das antike Automaton-Prinzip, wie es uns seit Hesiod im Mythos des „goldenen Zeitalters" bekannt ist. 2. Wie die archistische Utopie sind auch die anarchistischen Gattungsvarianten durch ihre rationale Sozialkritik auf die Struktur der Herkunftsgesellschaft ihrer Autoren zurückbezogen: Es geht ihnen in erster Linie darum, die Kosten für den in individualistischen Bahnen verlaufenden Zivilisationsprozeß zu verdeutlichen. 3. Die anarchistische Utopie der „République Sauvage" ist durch Eigenschaften charakterisiert, die dem Chiliasmus gerade abgehen: Es wird nicht nur eine staatsfreie Gesellschaft imaginiert, die ohne transzendente Intervention funktioniert. Darüber hinaus zeichnet sie sich aus durch „Tugendhaftigkeit ohne Religion" und „ein hedonistisches Leben nach dem Gesetz der Natur"[25]

So gesehen, ist der Ausgangspunkt des utopischen Konstrukts ein ganz anderer als der des chiliatischen Musters. Für Morus' *Utopia* ist der Rekurs auf Bibel-Zitate peripher, wenn nicht bedeutungslos. Die Quelle seiner Inspiration ist neben der Aneignung der antiken Schriftsteller, vor allem der *Politeia* des Platon[26], jene Welle der Säkularisierung, die mit der Entdeckung der Neuen Welt mächtige Impulse erhielt. „1507 publizierte Amerigo Vespucci einen Bericht über vier seiner Reisen. Morus erzählt uns, Raphael Hythlodeus habe Vespucci auf allen vier Reisen begleitet: Er war einer der vierundzwanzig Männer, die während der vierten Reise am Kap Frio zurückblieben. Von hier aus unternahm er mit einigen anderen Gefährten eine weitere Reise, die ihn zur Entdeckung Utopias führte. Utopia ist Nirgendwo. Aber es hat viele intelligente und nicht notwendigerweise weit hergeholte Versuche gegeben, die Übereinstimmung zwischen utopischen Institutionen und gewissen Einrichtungen der Zivilisationen in der Neuen Welt, besonders die der Inkas, nachzuweisen: Berichte, die Morus bereits zur Verfügung standen".[27] Morus geht es also nicht um die Schilderung der Vergangenheit und der Zukunft der Menschheit, nachdem sie ihre unmittelbare Gemeinschaft mit Gott preisgegeben hat. Auch rechnete er nicht mit einer natürlichen Fülle der Güter, die alle Konfliktursachen per se beseitigt. Vielmehr geht der utopische Ansatz von dem realistischen Erwartungshorizont aus, dass die wirkliche Welt auf unabsehbare Zeit mit einem absoluten Mangel an Ressourcen konfrontiert ist. „Antike und frühneuzeitliche Utopien waren gezwungen", schreibt Finley, „die Knappheit der Güter als eine gegebene Tatsache zu akzeptieren und aus diesem Grund Einfachheit, Einschränkung der Bedürfnisse, Askese und eine statische Gesellschaft zu fordern". Erst die mit der Industriellen Revolution erfolgende Erschließung neuer Energiequellen ermöglichte einen Paradigmenwechsel innerhalb des utopischen Diskurses, der den materiellen Mangel durch den Überfluss an Lebensmitteln im

---

[25] Funke 1986, S. 42-47.

[26] Vgl. Saage 1989, S. 67-92 sowie Saage o.J., S. 935-937.

[27] Kumar 1987, S. 23.

weitesten Sinne angesichts der neuen technischen Möglichkeiten ersetzte: ein Vorgang, der „vorher außerhalb der Welt des Mythos undenkbar gewesen wäre".[28]

Vor allem aber bleibt die transzendente Stoßrichtung der biblischen Paradiesvorstellung selbst dann in Kraft, wenn sie auf Erden verwirklicht werden soll.[29] Gebunden an Zeit und Ort, die nicht von dieser Welt sind, ist und bleibt ihr Vorbild der Zustand der Menschen vor dem Sündenfall und nach dem Jüngsten Gericht.[30] So gesehen, ist das Paradies der Ort, „an dem die Frommen wie einst in der Urzeit mit Gott leben werden".[31] Nicht die irdische Welt, in der die Menschen ihre Geschicke weitgehend selbst bestimmen, ist die Prämisse der Paradies-Erzählung, sondern jene natürliche Unschuld vor und nach der Geschichte, die allein Gott gewähren kann. Demgegenüber ist das Paradigma der idealen Gesellschaft *Utopias* ausschließlich das Resultat menschlicher Anstrengungen und nicht eines transzendenten Gnadenaktes. Im Unterschied zur Paradies-Konzeption erscheint dann auch Morus' *Utopia* als das Resultat der Analyse jener Gesellschaft, aus der ihr Autor stammt und der sie zugleich als die bessere Möglichkeit entgegentritt. Die Alternative besteht nicht darin, dass man den irdischen Lastern und Beschäftigun-

---

[28] Finley 1967, S. 12.

[29] Wenn Troeltsch das Zukunftsprogramm des Propheten Ezechiels als „Utopie" bezeichnet, dann ist dies nur unter der Bedingung möglich, daß er sie mit dem Transzendenz-Bezug des Chiliasmus gleichsetzt und damit eine ausufernde Begrifflichkeit in Kauf nimmt: „(…) neue und dauernde Verteilung der Landlosen in dem von allen Heiden gereinigten Lande; Fürsorge für Arme und Priester, d.h. für die kein Land Besitzenden; Zentralisation des Kultus, der Moralgesetzgebung und der Richtertätigkeit in Jerusalem; ein gereinigtes Leben der Buße und Demut, der Liebe und Güte; strenge Entsprechung von Verdienst und Lohn; Sünde und Strafe auch im individuellen Schicksal; der König als Großgrundbesitzer zur Unterstützung der priesterlichen Leitung; über allem Jahves Wunderkraft, der Sieg und Frieden, Fruchtbarkeit und Gedeihen garantiert und aus dem Tempelberge die das ganze Land nährende Wunderquelle entspringen läßt. Das ist nicht ein Priester- oder Kirchenstaat, sondern eine Utopie, ein prophetisch orientalisches Gegenstück der platonischen Politeia, nicht eine Parallele zu den gleichzeitigen rationalisierenden, das Herkommen an der sittlichen Vernunft messenden Gesetzgebung griechischer Stadtstaaten, sondern ein orientalisch-religiöser Messiastraum" (Troeltsch 1925, S. 60).

[30] Diese theologische Motivation war selbst für einen chiliastischen Aktivisten wie Thomas Müntzer ausschlaggebend. Völlig zu Recht hat Gerhard Zschäbitz gegenüber allzu simplifizierenden marxistischen Interpretationsversuchen geltend gemacht, es gebe „keinen stichhaltigen Grund dafür, daß der scharfsinnige Denker bei allen Steigerungen seiner Lehre, die die aufsteigenden Klassenkämpfe hervorbrachten, ihrer ursprünglichen Aufgabenstellung, der Läuterung des Menschen, untreu geworden wäre und den Akzent seines Kampfes generell auf die soziopolitische Umgestaltung der Gesellschaft um ihrer selbst willen gelegt hätte. Mochten im praktischen Tageskampf diese Aspekte als drängende Aufgaben auch in den Vordergrund treten, sie blieben für Müntzer im Grunde auch hier nur Mittel zum Zweck. Die Behauptung aber, daß Müntzer irdische Zielsetzungen mit einem theologischen System getarnt habe, das scheint uns bei Berücksichtigung der Bewußtseinslage der Zeit und Müntzers tiefer persönlicher Religiosität nicht tragbar" (zit. n. List 1973, S. 133, FN 11) Zu Müntzers Ansatz vgl. neuerdings auch Quilisch 1998 sowie Kap. 2 in diesem Bd.

[31] Hesse 1961, S. 98-100, Sp. 97.?

gen entsagt, um ein frommes Leben zu führen. Worauf es ankommt, ist vielmehr, die aufgezeigten weltimmanenten, von den Menschen selbst zu verantwortenden Ursachen des Elends zu beseitigen: Erst dann sind die Fundamente *Utopias* gelegt. Lebt in letzter Instanz die Paradies-Vorstellung von dem Diktum Jesu: „Mein Königreich ist nicht von dieser Welt", so ist es umgekehrt genau jenes Element der Analyse und der Kritik der sozialen Fehlentwicklungen, das die Utopien, wie Finley zu Recht schreibt, vom Medium der Fiktion eines Nirgendwo in die Realität der Herkunftsgesellschaft zurückübersetzt.[32]

Die Bedingung der Möglichkeit einer Wiedererlangung des Paradieses steht und fällt mit der Annahme, dass der Mensch ein vervollkommnungsfähiges Wesen sei: ein anthropologisches Axiom, das, wie wir sahen, gleichfalls für das utopische Denken konstitutiv ist. Doch auch diese scheinbar gemeinsame Prämisse wird durch tiefgreifende Differenzen relativiert. Die chiliastischen „Schwarmgeister" waren überzeugt, sie seien von der Sünde erlöst und verkörperten bereits den Neuen Menschen. „Sie hofften, bald bei dem erhöhten Herrn zu sein; der Zugang zum Gottesreich war ihnen offen. Dort würden sie mit dem Herrn thronen und zu Tisch liegen"[33]; insofern hätten die vom Geist Gottes Getriebenen auch kein irdisches Gesetz mehr nötig: eine Überzeugung, aus der in der chiliastischen Praxis ein unübersehbarer antiinstitutioneller Impetus resultierte, der nicht nur den säkularisierten Staat und das Privateigentum, sondern auch Institutionen wie die der Ehe und der Familie[34] in Frage stellte.[35]

Alles zielte darauf ab, den egalitären Zustand der christlichen Urgemeinde wieder herzustellen, der die Einführung des Gemeineigentums zur zwingenden Voraussetzung erhob. Demgegenüber sind die Neuen Menschen *Utopias* keineswegs a priori vollkommen. Ihre anthropologische Grundausstattung gleicht die einer *tabula rasa*: Sie kann durch äußere Einflüsse in eine positive oder nega-

---

[32] Finley 1967, S. 5.

[33] Schütz 1957, S. 467-469, Sp. 468.?

[34] „Der springende Punkt dieser Ketzerei des freien Geistes lag in der Selbsteinschätzung ihrer Jünger, sie glaubten eine so absolute Vollkommenheit erreicht zu haben, daß sie nicht sündigen konnten. (...) Der ‚vollkommene Mensch' konnte leicht zu dem Schluß kommen, daß es ihm erlaubt, ja sogar geboten sei, gerade das zu tun, was verboten war. In einem christlichen Kulturkreis, der Keuschheit besonders hoch schätzte und den Geschlechtsverkehr außerhalb der Ehe als schwere Versündigung empfand, äußerte sich dieser Antinomismus am häufigsten in Form einer grundsätzlichen Promiskuität" (Cohn 1961, S. 138).

[35] Vgl. hierzu List 1973 der auf S. 185 Justus Menius zitiert: „Es sollen ‚die Auserweleten mit dem Bundzeichen vnter Christo jrem Koenig ein selig new leben fueren auff Erden / on alle gesetze vnd Obrigkeit / da man auch keine Ehe stiffte / nicht freie noch sich freien lasse / vnd doch gleichwol vnter einander eitel heilige vnd reine frucht zeuge / on alle suendliche lust / und boesen willen des fleisches. Da sollen und werden alle gueter gemein sein / und niemand etwas / mangeln / sondern alle gueter ein reicher und vberschwenglicher vberflus werden / on alle arbeit vnd muehesligkeit. Ja in dem selben leben sollen auch alle Propheceien vnd heilige Schrifft gantz aufgehaben vnd vnnoetig sein / als der solche heilige Leute vnd vollkommene Gottes kinder nicht mehr beduerffen werden'" (zit. n. List 1973, S. 185).

tive Richtung modelliert werden.[36] Im Gegensatz zum chiliastischen Selbstverständnis spielten daher in der Raum-Utopie der Frühen Neuzeit Institutionen eine entscheidende Rolle: In Staat, Wirtschaft, Familie, Bildungswesen, Religionsgemeinschaft und Schule haben sie dafür zu sorgen, dass die konstruktiven Anlagen der Menschen gefördert und ihr destruktives Potential durch vernünftige Gesetze reprimiert wird. Zwar wurde in den Raum-Utopien der Frühen Neuzeit in der Regel gleichfalls dem Mein und Dein der Boden entzogen. Doch im Unterschied zum Chiliasmus hielt man an einer etatistischen Ordnung fest, die vom politischen System bis zur patriarchalischen Familienstruktur reichte.

Die Differenzen, die die biblischen Paradies-Vorstellungen und die chiliastische Konzeption des Neuen Menschen vom utopischen Denken trennen, scheiden auch den chiliastischen Erfahrungshorizont religiösen Erlebens vom theologischen Selbstverständnis des utopischen Ansatzes. Die chiliastische Heilsgeschichte lebt vom Sprung der als Apokalypse erlebten Gegenwart in die Zukunft der erlösten Menschheit. Ohne das Heilsversprechen der zweiten Wiederkehr Christi, des Jüngsten Gerichts und der Wiedererlangung des Paradieses hätten die millenarischen Bewegungen die Quellen ihrer Energie verschüttet und sich letztlich ihrer „Identität" und damit auch ihres Feindbildes[37] entledigt: „Die Apokalypse enthüllte mit glühendem Fanatismus das vermessene Gebaren der antichristlichen Tyrannis und verkündete ihren Sturz".[38] Das Ziel der Utopisten, eine vollkommene Gesellschaft mit den Mitteln der säkularisierten Vernunft zu konstituieren, musste demgegenüber dem chiliastischen Denken als hybride Gotteslästerung erscheinen.

Nicht zufällig waren die Utopier des Thomas Morus Heiden. Utopia „ist ein heidnischer Staat, gegründet auf Vernunft und Philosophie".[39] Obwohl sich die Utopier zu einer bestimmten Variante der monotheistischen Religion bekennen, beruht der innere Frieden ihres Gemeinwesens ganz wesentlich auf weitgehender Toleranz, die ein relativierendes Verhältnis zu religiösen Überzeugungen erkennen

---

[36] Vgl. Jørgensen 1985, S. 380.

[37] Thomas Müntzer wurde nicht müde, darauf zu bestehen, daß dieses Feindbild die physische Vernichtung des „Antichristen" mit einbezog. Er ging von der Notwendigkeit aus, „man muß das unkraut außreuffen auß dem weingarten Gottis in der zceyt der erndten, dann wirt der schöne rothe weytz bestendige wortzeln gewinnen und recht aufgehen. (…) Dann die gottlosen haben kein recht zcu leben" (MSB, S. 261f). Die Zeit der Ernte sei da. „Drumb hat mich Goth selbern gemit in seyn ernde. Ich habe meyne sichel scharff gemacht … " (a. a. O., S. 504). Sein Postulat, „das dye christenheyt solt alle gleych werden", ist kategorisch: „dye fursten und herren, dye dem ewangelio nit wollen beystehen, solten vertriben und totgeschlagen werden. (…) Omnia sunt communia, und sollen eynem idern nach seyner notdorft ausgeteylt werden nach gelegenheyt. Welcher fürst, graff oder herre das nit hette thun wollen und des erstlich erinnert, den solt maneye koppe abschlahen ader hengen" (a. a. O., S. 548). Zum historischen Hintergrund dieser Äußerungen vgl. Blickle 1998.

[38] Schütz 1957, S. 467–469, Sp. 469.

[39] Kumar 1987, S. 20.

lässt: Das von den Chiliasten reklamierte religiöse Auslegungsmonopol, dem ein manichäisches Weltbild entsprach, wird konsequent durch die gleichberechtigte Pluralität religiöser Anschauungen ersetzt. Nicht die Verkündigung von absoluten Glaubensgewissheiten über die „letzten Dinge" und ebensowenig das Feindbild des „Antichrist" steht in *Utopia* auf der Tagesordnung, sondern die Aufforderung, „seine Anschauung ruhig und bescheiden mit Vernunftgründen" zu belegen, „nicht aber die fremden Meinungen gehässig (zu) zerpflücken". Führt das argumentierende Überzeugen nicht zum Ziel, so ist die Anwendung von Gewalt strikt untersagt. Religiöser Fanatismus wird „mit Verbannung und Zwangsarbeit"[40] bestraft.

Der theologische Hiatus, der chiliastisches und utopisches Denken auseinanderklaffen lässt, wirkt sich selbst auf jenen Dualismus zwischen dem faktischen Elend der Welt und dem Zustand des nichtentfremdeten guten Lebens aus, der oft als gemeinsame Quelle beider Ansätze hingestellt wird. Doch bei genauerem Hinsehen geht der Riss auch durch die Rezeption jener Realität hindurch, der Chiliasmus und Utopie als die besseren Alternativen gegenübertreten. Im utopischen Denken konstituiert sich der Realitätsbezug der Fiktion einer idealen Gesellschaft in der kritischen Zeitdiagnose. „Utopie ist Kritik", schreibt Nipperdey, „und zwar grundsätzliche Kritik".[41] Sie richtet sich nicht als moralischer Appell an Personen – seien es die Gewinner und Verlierer oder die Täter und Opfer der innergesellschaftlichen Polarisierung. Vielmehr zielt sie auf das Zentrum des Systems, auf die Eigentumsverfassung überhaupt."[42] Tatsächlich haben die Klassiker des utopischen Denkens stets darauf geachtet, dass sie die Mechanismen der in ihren Augen ungerechten Herrschaft von Menschen über Menschen bloßlegten. In aller Regel von den sozialen und politischen Machtverhältnissen ausgehend, die sie in der eigenen Herkunftsgesellschaft vorfanden, wollten sie vor allem den Nachweis führen, dass das Ausmaß der Über- und Unterordnung im gesellschaftlichen Zusammenhang bei weitem jenes Minimum überschritt, welches angesichts des Standes der wissenschaftlich technischen Entwicklung für die Reproduktion der Gesellschaft unverzichtbar ist. Der kategoriale Rahmen, innerhalb dessen diese Bestandsaufnahmen durchgeführt wurden, war interdisziplinär wie die Komponenten des kritisierten Herrschaftssystems selbst: Er integriert ökonomische, gesellschaftliche, philosophische und politische Aspekte, die in ihrer Totalität dem Ideal dessen, was sein könnte, aber nicht ist, konfrontiert wird.

Was für die Utopie die Sozialkritik bedeutet, ist für das chiliastische Paradigma die Apokalypse.[43] Sie lässt sich durch zwei Strukturmerkmale kennzeichnen. Einerseits dominieren in ihr nicht analytische Kategorien, sondern „unklare und ungewöhnliche Bilder und Motive". Auf die Einheitlichkeit der Gedanken-

---

[40] Morus 1996, S. 98.?
[41] Nipperdey 1962, S. 362.
[42] Ebd.
[43] Vgl. Ringgren 1957, S. 464-466, Sp. 465.

führung und diskursive Stringenz weitgehend verzichtend, werden der Tradition entlehnte Metaphern und Symbole „in unlogisch erscheinenden Kombinationen weitergeführt, ohne dass man dafür eine mechanische Kompilation von Quellen und Interpolationen voraussetzen darf"[44]. Überhaupt scheint die „Unbestimmtheit und Unklarheit" der apokalyptischen Botschaft beabsichtigt zu sein; sie soll „den Eindruck des Geheimnisvollen" verstärken und das „Unklare und Unergreifbare andeuten"[45]. So treten Völker, Reiche und Könige „als Tiere, Berge und Wolken usw. auf. (. . .) Auch Zahlenspekulationen spielen dabei eine Rolle, symbolische Zahlenwerke wie 3 1/2, 4, 7, 70 und 12 sind häufig".[46] Andererseits schließen die dem utopischen und dem chiliastischen Ansatz zugrundeliegenden Motive einander aus. Nicht Aufklärung über die von den Menschen selbst verschuldeten Ursachen depravierter sozialer Verhältnisse ist die Stoßrichtung des apokalyptischen Paradigmas, sondern die Mobilisierung von individuellen und kollektiven Ängsten vor der Strafe Gottes, die – abgesehen von der kleinen Elite der Frommen – die große Mehrheit des in Laster und Sünde verstrickten Menschengeschlechts treffen wird[47].

Noch wichtiger aber ist, dass der transzendente Bezug des chiliastischen Denkens die Vision eines tausendjährigen „Zwischenreiches" in einen Zeithorizont einbindet, wie ihn die europäische Geschichte bisher nicht kannte. Lebte das antike Denken in der Regel von der Vorstellung einer zyklischen Geschichtsentwicklung, deren Prämisse die ewige Wiederkehr des Gleichen war, so wird im chiliastischen Denken die historische Welt im Blick auf das Jüngste Gericht interpretiert: Die Wiedererlangung des Paradieses erfolgt also in der Zukunft; es ist diese Erwartung, durch die die Geschichte ihren Sinn erhält. Demgegenüber „drücken (die frühen Raumutopien [R. S.]) eher Differenz aus – Utopia liegt nicht auf einer Entwicklungslinie, sondern bezeichnet eine Alternative – nicht Progression oder Steigerung".[48] Die utopische Insel und die kritikwürdigen Zustände der Herkunftsgesellschaft existieren zeitgleich. Weil beide in der Gegenwart verankert sind, kennt das ursprüngliche utopische Muster die Projektion seiner idealen Gemeinwesen in die Zukunft nicht. Diese spielt nur insofern eine Rolle, als sie, punktuell durch fiktive Modelle einer besseren Alternative gleichsam spielerisch-experimentell antizipiert, darauf besteht, dass die Welt, wie sie ist, positiv verän-

---

44 Ebd.
45 Ebd.
46 Ebd.
47 Jepsen 1958, S. 655-662, Sp. 658f.: „Da wird der Tag des Gerichts ein Tag von Schwert, Hunger und Pest, ein Tag des großen Mordens und des Schlachtens, ein Tag des Schreckens und der Angst. Dann sendet Gott seine Heerscharen über die Erde; der Erdkreis wird zur Wüste; gewaltige Naturerscheinungen begleiten diese Gerichte: Erdbeben und Finsternis, Trockenheit und Feuer; ja, der Himmel wird sich zusammenrollen und Wunderzeichen werden am Himmel wie auf Erden erscheinen, nämlich Blut, Feuer und Rauchsäulen; die Sonne wird in Finsternis verwandelt und der Mond in Blut, ehe der große und furchtbare Tag des Herren kommt".
48 Jørgensen 1985, S. 381.

dert werden kann, wenn ein bestimmter Grad der Naturbeherrschung vorläge und sich die Menschen bereit fänden, ihre eigenen Verhältnisse gemäß den Maximen ihrer Vernunft umzugestalten.

So gesehen, war es kein Zufall, dass die Architekten der frühneuzeitlichen Raum-Utopie im 16. und 17. Jahrhundert das Angebot der chiliastischen Geschichtsphilosophie ausschlugen, ihren idealen Staat in die Zukunft zu verlegen: Beide Denkansätze waren schlicht inkompatibel. Jener setzte auf die Rationalität der planenden menschlichen Vernunft; dieser glaubte, den Willen Gottes als das *movens* der Geschichte erkennen zu können. Kompatibel im Sinne einer Konvergenz wurden beide Konzeptionen erst in der Mitte des 18. Jahrhunderts mit der Entstehung der Zeit-Utopie bei Morelly und Mercier[49], nachdem die Geschichtsphilosophie sich vom eschatologischen Heilsgeschehen verabschiedet und Kant den Chiliasmus gleich in zweierlei Hinsicht destruiert hatte. Einerseits stilisierte er das Ziel der Geschichte in Gestalt des himmlischen Jerusalem zu einem bloßen Postulat des „göttlichen (ethischen) Staates", den man immer nur annäherungsweise erreichen kann. Andererseits nahm er „die Erwartung des *nahen Reiches der Gerechten in der Zeitlichkeit*"[50] in die Subjektivität des Individuums zurück und entschärfte damit ihren kollektiven Geltungsanspruch. Kant zog nur die letzten Konsequenzen aus der für die Aufklärung so charakteristischen Einsicht, dass, wie Blumenberg schreibt, „Entstehung der Fortschrittsidee und ihr Einspringen für die von Schöpfung und Gericht begrenzte Gesamtgeschichte (...) zwei verschiedene Vorgänge (sind)".[51]

Im Gegensatz zur chiliastischen Geschichtskonzeption setzt in der Tat der Fortschritt „als eine Aussage über die Totalität der Geschichte und damit der Zukunft" eine empirische Basis „in der Erweiterung der theoretisch zugänglich und verfügbar gewordenen Realität und in der Leistungsfähigkeit der dabei effektiven theoretischen Methodik"[52] voraus. Wer die auf den Fortschritt setzende Geschichtsphilosophie schlicht als säkularisierten Chiliasmus ausgibt, kommt nicht um die Prämisse herum, dass die mit den Mitteln moderner Naturwissenschaft betriebene Beherrschung der Natur der wirkende Wille Gottes sei, der durch den Prozess der Industrialisierung die Menschen zur Wiedererlangung des Paradieses und damit zum Ende der Geschichte treibt. Kein Utopist der klassischen Tradition hat sich jemals zu einer solchen These verstiegen, und auch sonst ist, soweit ich sehen kann, bisher ein entsprechender Nachweis nicht ernsthaft geführt worden. Insofern ist Karl Löwith zu widersprechen, wenn er schreibt: „Die fortschrittlichen und verfallsgeschichtlichen Konstruktionen der Geschichte von Voltaire und

---

[49] Vgl. Koselleck 1985, S. 1-14.
[50] Jørgensen 1985, S. 390.?
[51] Blumenberg 1974, S. 60.
[52] A.a.O.,S. 61.

Rousseau bis zu Marx und Sorel sind das späte, aber immer noch machtvolle Ergebnis der biblischen Heils- und Verfallslehre".[53]

Und schließlich klafft im praktischen Geltungsanspruch eine unüberbrückbare Differenz zwischen chiliastischem und utopischem Denken. Das millenarische Paradigma hat keinen einheitlichen Handlungsimperativ zu bieten: Es oszilliert gleichsam zwischen den beiden Extremen einer Skala, die einerseits attentistische Abkapselung von der sozio-politischen Realität und andererseits ihre sofortige sozialrevolutionäre Umgestaltung einklagen.[54] Die eine Richtung chiliastischer Praxis geht von der Annahme aus, dass Gott allein das Subjekt der Geschichte ist: Es wäre hybrid, wollten die Menschen von sich aus in ihren Lauf eingreifen und ihn dadurch beeinflussen. Die Aufgabe des Menschen sei vielmehr, sich durch ein frommes und von der sündigen Welt abgewandtes Leben auf das kommende tausendjährige Reich vorzubereiten und sich nur den Geboten Gottes, nicht aber den Gesetzen des säkularisierten Staates als der Inkarnation des Antichrist zu unterwerfen. Für die andere Strömung steht der revolutionäre Aktivismus im Vordergrund. Sie ist überzeugt, dass „der Gegensatz zwischen der künftigen (. . .) und dieser Welt (. . .) nur durch eine Umwälzung, eine radikale Neugestaltung" aufgehoben wer den könne. So säuberten „die chiliastischen Täufer in Münster in mehreren Schüben das Neue Jerusalem von Katholiken und Lutherischen, von dem Unkraut, das mit dem Weizen aufgewachsen war, wie es im Neuen Testament berichtet wird".[55]

---

[53] Löwith 1957, S. 63.

[54] Exemplarisch lassen sich diese beiden Strömungen am Beispiel des hussitischen Chiliasmus aufzeigen. Dessen attentistischer Flügel verweigert zwar dem säkularisierten Staat und der etablierten Kirche den Gehorsam: „Hütet euch vor Götzenbildern und neigt euch vor keinem sichtbaren Ding als vor dem Vater selbst, dem unermeßlichen Schöpfer, den kein menschliches Auge, kein Herz und kein Sinn erfassen kann" (Kalidova/Kolesnyk 1969, S. 275). Doch zugleich gilt das strikte Verdikt des kämpferischen Engagements. „Rottet euch nicht zusammen, wenn ihr von Kämpfen und Streitigkeiten hört, denn diese Dinge müssen sein, wie es die heiligen Propheten geweissagt haben. Und insbesondere sagt der heilige Jesaias: Auf besondere Weise werdet ihr sie besiegen, nämlich die Widersacher, die Heuchler, die Verführer und alle, die den von Gott Auserwählten sich in den Weg stellen. Denn es sagt der heilige Johannes in seiner Offenbarung, im siebzehnten Kapitel (Off. Joh. 17,14): ,Diese werden streiten mit dem Lamm, und das Lamm wird sie überwinden (denn es ist der Herr aller Herren und der König aller Könige) und mit ihm die Berufenen sind die von Gott Auserwählten'" (a. a. O., S. 275f). Demgegenüber ruft der revolutionäre Chiliasmus der Hussiten zur „Vernichtung allen Übels auf dieser Welt" auf. Für ihn ist die gegenwärtige Epoche „nicht mehr die Zeit der Gnade und der Erbarmung noch der Barmherzigkeit gegenüber den bösen, dem göttlichen Gesetze widerstrebenden Menschen". Vielmehr ist die Epoche „der Strafe und der Vergeltung gegenüber den bösen Menschen mit dem Schwerte und dem Feuer" gekommen, „so daß alle Widersacher des göttlichen Gesetzes geschlagen werden sollen mit dem Schwerte oder dem Feuer oder auf andere Art getötet" (a. a. O., S. 296). Zum Gesamtzusammenhang der Hussiten-Bewegung vgl. Macek 1958; Bartos 1986; Seibt 1990; Patschovsky/Smahel 1996.

[55] Jørgensen 1985, S. 378. Zum historischen Kontext des Münsterischen Täuferreichs vgl. List 1973, S. 191-241 sowie Dülmen 1974.

Von beiden Praxis-Varianten des Chiliasmus unterscheidet sich der Handlungsimperativ der frühneuzeitlichen Utopie. Den gottergebenen Quietismus musste sie ablehnen, weil sie den Baustoff der neuen und besseren Welt im Konstruktivismus der säkularisierten Vernunft sah. Nicht Abkapselung von der Herkunftsgesellschaft, sondern die Analyse ihrer Defizite und die Entwicklung einer sozialen Therapie ihrer Leiden war von Anfang an das Gesetz, unter dem sie seit Morus angetreten war. Andererseits lag ihr aber auch jeder sozialrevolutionäre Aktivismus fern. Die Raum-Utopie verstand sich nicht als Aufruf zur Umwälzung der gesellschaftlichen Verhältnisse, sondern hatte den Status eines Ideals oder eines regulativen Prinzips, dem man sich – wenn überhaupt – bestenfalls annähern konnte. Morus' erkenntnisleitende Fragestellung lautete: „Wie wäre es, wenn hier auf Erden nicht das Christentum verwirklicht wäre – dessen Verwirklichung ist ihm ein Versprechen für die Ewigkeit, keine Utopie, sondern einstweilen wenigstens etwas vernünftiges? Wie könnte etwas vernünftiges eingerichtet werden – und was?"[56]. Im Licht dieser besseren Alternative sollten die Defizite der eigenen Gesellschaft beleuchtet und der Weg für vorsichtige Reformen geebnet werden. Wieder ist es kein Zufall, dass sich die sozialen Adressaten beider Ansätze grundlegend unterschieden. Der Chiliasmus fiel bei den Unterschichten auf fruchtbaren Boden: den Arbeitslosen, den armen Handwerkern und den ausgepressten Bauern, die im niederen Klerus ihre Wortführer fanden. Dagegen wurde die Raum-Utopie geschaffen „von den humanistischen Gebildeten mit Zugang zu den Machtzentren (Morus, Bacon) als Medium einer Diskussion über politische Zielvorstellungen".[57]

Bleibt abschließend zu fragen, ob die These ohne Einschränkung zu halten ist, das mittelalterliche Kloster habe Modell für den institutionellen Aufbau *Utopias* gestanden. Zwar spricht fast alles dafür, daß die äußeren Organisationsformen des klösterlichen Lebens bei der Formierung des utopischen Staates der Frühen Neuzeit eine nicht unbedeutende Rolle gespielt hat. Doch während das Kloster nur einen gesellschaftlichen Teilaspekt der mittelalterlichen Sozietät darstellt, zielt das utopische Organisationsschema auf die Gestaltung der *Gesamtgesellschaft* ab. Ein weiterer wichtiger Unterschied kommt hinzu. Den klassischen Utopisten kam es von Anfang an darauf an, in einem durchaus materiellen Sinn den Lebensstandard aller so zu heben, dass Not und Elend für immer beendet sind. Nur so konnten sie ihr Versprechen, eine Alternative zur sozialen Krise ihrer Zeit zu bieten, einlösen. Wenn sie sich für eine strikte Organisation der Arbeit, einen reglementierten Tagesablauf, eine einheitliche Kleiderordnung und eine kontrollierte frugale Lebensweise entschieden, dann folgten sie der Einsicht, dass angesichts des unentwickelten Standes der wissenschaftlich-technischen Entwicklung der Natur erst mühsam mit physischer Muskelkraft von Mensch und Tier abgerungen werden

---

[56] Kerényi 1964, S. 11.
[57] Jørgensen 1985, S. 379.

musste, was man zum Leben benötigte. Jede wissenschaftlich-technische Innovation, die diesem Ziel diente, wurde als „Fortschritt" verstanden.

Demgegenüber hatte das klösterliche Reglement vor allem das Ziel, die Tür zum jenseitigen Paradies durch ein gottwohlgefälliges Leben aufzustoßen. Weit davon entfernt, ein gesamtgesellschaftliches Organisationsmuster zu sein, hatte die wirtschaftliche Effizienz, die in den mittelalterlichen Klöstern zweifellos erreicht wurde, gegenüber der Spiritualisierung des Lebens durch Askese, Fasten, Beten und nicht selten durch Kasteiungen eine nachgeordnete Bedeutung. Im Gegensatz hierzu ist das Selbstverständnis der Utopier dem Diesseits fast bedingungslos verbunden, wie ihr utilitaristisches und hedonistisches Lebensgefühl erkennen läßt. Einerseits halten sie es für töricht, „den Schmuck körperlicher Schönheit zu verachten, die Kräfte zu zermürben, Beweglichkeit in Trägheit zu verkehren, den Körper durch Fasten zu entkräften, die Gesundheit willkürlich zu untergraben und überhaupt die natürlichen Freuden zu verschmähen". Es bringe niemandem Nutzen, „sich selbst zu peinigen, immer nur des nichtigen Scheins der Tugend willen oder um künftige Beschwerden leichter ertragen zu können, die vielleicht niemals auftreten werden".[58] Andererseits entspricht dieser Utilitarismus einer hedonistischen Einstellung zum eigenen Körper, die im Licht des Kloster-Ideals geradezu ketzerisch genannt werden muß. So betrachten die Utopier die Lust als völlig legitim, die beim Essen, aber auch bei der Ausscheidung dessen entsteht, „woran der Körper Überfluß hat: das erfolgt, wenn man den Darm leert und ein Kind zeugt oder eine juckende Körperstelle reibt oder kratzt".[59]

III. Drei Fragen zum utopischen und chiliastisch-christlichen Ansatz

Wie sind diese gravierenden Unterschiede zwischen dem chiliastischen und dem utopischen Ansatz zu erklären? Warum konnte sich trotz dieser unübersehbaren Differenzen die Vorstellung durchsetzen, beide Denkansätze seien nur unterschiedliche Fixpunkte eines identischen Koordinatensystems?[60] Und was folgt begriffsanalytisch aus der vorliegenden Komparatistik?

Die erste Frage ist ohne den zeitgenössischen Hintergrund, auf dem die frühneuzeitliche Utopie entstand, nicht zu beantworten. Das chiliastische Denken des

---

[58] Morus 1996, S. 77.

[59] Ebd.

[60] „Es gibt in der frühen Neuzeit deutlich einen Fächer von utopischen Gattungen, dem ein Fächer von utopischen Handlungen entspricht. Am einen Ende Eschatologisches/Chiliastisches, das sich in der Aktualisierung (Predigt, Kirchenlied, Visionen, Sendbriefe usw.) des utopisch-mythischen Potentials der Bibel äußerte, und die Zeitdimensionen typologisch/prophetisch aktualisierte: Garten Eden-Neues Jerusalem; Sündenfall-Gegenwart; Tausendjähriges Reich-Parusie. Am andern Ende das Entwerfen fiktiver idealer Staaten als Gegenbilder zu der jetzigen Ordnung, wobei der Abstand zur zeitgenössischen Wirklichkeit, der Sprung, meistens hier durch den Abstand: Seereise mit Schiffbruch, ausgedrückt wird" (Jørgensen 1985, S. 380f).

16., 17. und sogar noch des 18. und 19. Jahrhunderts[61] war keine Neuschöpfung, sondern die Wiederbelebung einer Tradition, die sich auf die ältere jüdische Überlieferung ebenso berufen konnte wie auf das frühe Christentum und die zahlreichen Ketzerbewegungen des Mittelalters, welche Front machten gegen die herrschende Orthodoxie der Kirche.[62] So gesehen, waren die chiliastischen Strömungen, die im Zuge der Reformation entstanden, in ihrem Selbstverständnis eher rückwärtsgewandt, auch wenn sie in ihrer praktischen Auswirkung die Grundlagen des Feudalsystems und der sie stützenden katholischen Kirche in Frage stellten. Anders der utopische Ansatz. Er war von Anfang an das Produkt einer neuen Epoche, die mit der Relativierung absoluter Glaubensgewissheiten das säkularisierte Erbe der religiösen Bürgerkriege antrat, noch bevor diese mit dem Westfälischen Frieden von 1648 beendet wurden: Der sich bahnbrechenden Individualisierung der Lebenswelten wollte er eine nach vorn gerichtete kollektive Alternative entgegensetzen. Die Entdeckungen neuer Kontinente, Kulturen und Zivilisationen mit der Neuinterpretation der Antike verbindend, führte die Synthese beider Erfahrungshorizonte zu der Entwicklung fiktiver Modelle „bester" Gemeinwesen, die gleichsam experimentell und selbstreflexiv zugleich konstruktive Antworten auf die Umbruchkrise Europas zu finden versuchten.

Die zweite Frage verweist auf die Tatsache, dass es noch keinem Autor – so radikal seine Denkintentionen auch sein mögen – gelungen ist, sich vollständig von seiner sozio-kulturellen Herkunftswelt zu lösen. Aus diesem Grund blieben im utopischen Denken zumindest subkutan Elemente der chiliastischen Tradition präsent. Deren Assimilierung im utopischen Diskurs lag um so näher, als die „Kolonisation der beiden Amerika (...) unter einem eschatologischen Zeichen (begann)" und sich im Zuge des von ihr ausgelösten Zivilisationsprozesses mehr und mehr die Auffassung durchsetzte, das „Paradies auf Erden" werde „teilweise ein Produkt der Arbeit"[63] sein, das seinerseits – wie dies beim utopischen Denken seit der Mitte des 18. Jahrhunderts der Fall war – mit der Idee des Fortschritts konvergierte. Was das utopische Denken von Anfang an war, vollzog sich nun auch am Chiliasmus:„Der eschatologische Millenarismus und das Warten auf das irdische Paradies endeten mit einer radikalen Säkularisierung. Der Mythos des Fortschritts, der Kult der Neuheit und der Jugend sind das hervorragendste Resultat".[64] Zu Beginn des 20. Jahrhunderts war dieser Prozess weitgehend abgeschlossen. Wenn Landauers Vorschlag, Chiliasmus und Utopie zu identifizieren,

---

[61] Vgl. Herkenrath 1930. Zum Gesamtzusammenhang vgl. neuerdings Jakubowski-Tiessen 1999.

[62] Als Überblick vgl. Cohn 1961. Freilich ist der Wert dieses Buches, das 1957 erschien, dadurch eingeschränkt, dass es nicht frei von teleologischen Unterstellungen ist, wie sie in der Periode des Kalten Krieges üblich waren: Im Zeichen eines undifferenzierten Totalitarismusbegriffs avanciert der Chiliasmus der Frühen Neuzeit zum Vorläufer der kommunistischen und nationalsozialistischen Herrschaftssysteme und der ihnen zugrundeliegenden Massenbewegungen.

[63] Eliade 1964, S. 354.

[64] Ebd.

zumindest im deutschsprachigen Bereich auf eine weitgehende Akzeptanz stieß, so war sie nicht zuletzt auch dieser Konvergenz geschuldet.

Die dritte Frage schließlich eröffnet drei methodologische Optionen: Selbstverständlich kann man an dem Terminus „christliche Utopie" festhalten. Die gemeinsamen Schnittmengen des utopischen Denkens mit dem christlichen Erbe des Paradieses, der Vervollkommnungsfähigkeit des Menschen, der Idee des Milleniums und der Organisationsstruktur des mittelalterlichen Klosters sind aufgezeigt worden. Schwärmte der Utopist de Foigny nicht von einem Land, in dem „Milch und Honig" fließen[65], und nannte nicht ein Autor wie Schnabel seine Utopie der Insel Felsenburg ein „irdisches Paradies"?[66] Lebte Morus nicht vier Jahre in einem Kloster? Und war nicht Campanella Zeit seines Lebens ein Mönch? Doch abgesehen davon, dass die chiliastische Metaphorik bei den genannten Autoren in keinem Fall die spezifische Struktur des utopischen Musters sprengt, hat diese Option den eingangs erwähnten Nachteil in Kauf zu nehmen: Sie muss den Begriff der Utopie bzw. des Chiliasmus so weit fassen, dass sie die aufgezeigten Differenzen mit einzuschließen hat. Ihr heuristischer Gebrauchswert und ihre analytische Trennschärfe sind also denkbar gering.

Auf der Grundlage der aufgezeigten Differenzen kann ferner idealtypisch zwischen dem christlichen Millenarismus und der ihr zuzuordnenden Apokalypse auf der einen und der Utopie auf der anderen Seite unterschieden werden. Wie beim Idealtypus üblich, handelt es sich dann um ein Konstrukt beider Strömungen, die in dieser Reinform in der historischen Realität nirgendwo auftauchen. Auch liegt die Rekonstruktion der Ursprünge der modernen Utopie in der antiken und in der mittelalterlichen Welt außerhalb des idealtypischen Erkenntnisinteresses. Doch besteht ihre heuristische Relevanz darin, nicht nur die chialiastischen und utopischen Strömungen bündeln und systematisieren, sondern auch chiliastische Elemente in der Utopie und utopische Komponenten im Chiliasmus verdeutlichen zu können.

Schließlich erscheint es möglich, den analytischen Fokus auf die Entstehungsgeschichte der modernen Utopie mit ihren Wurzeln in der Antike und im Mittelalter zu konzentrieren. Dann wird man die utopischen Potenziale des christlichen und des antiken Paradigmas als Präludium, als Vorläufer Utopias aufzufas-

---

[65] Zur chiliastischen Metaphorik des irdischen Paradieses vgl. bei Foigny 1693, S. 131: „Mais que peut-on s'imaginer de plus souhaitable que de vivre splendidement & tres délicatement sans faire aucune dépense, puis qu'il ne faudroit pour cela qu'avoir trois ou quatre de ces fruit, plus délicats & plus apettiflans que nos viandes les plus succulantes & les mieux assaisonnées, & boire d'une espece des nectar naturel qui coule par risseaux en ce pais, où chacun peut s'en reflassier sans être obligé ni à labourer la terre, ni à culitiver les arbres". Auf S. 18 ist die Rede von einem „vrai Paradis Terrestre".

[66] So war einer der Entdecker der Insel Felsenburg davon überzeugt, „daß er das schönste Paradies" vor sich habe, „woraus vermutlich Adam und Eva durch den Cherub verjagt worden" sind (Schnabel 1979, S. 152). Auf S. 88 ist ebenso wie bei Foigny von einem „irdischen Paradies" die Rede.

sen haben, ohne dass sie bereits deren Kriterien voll genügten. Dieser historisch-generische Ansatz steht vor der Schwierigkeit, einerseits auf die Utopierelevanz der christlichen und der antiken Überlieferung hinzuweisen und andererseits sie klar vom utopischen Muster absetzen zu müssen. Im Grunde ist also a priori vorauszusetzen, was die ideengeschichtliche Analyse erst bestätigen soll. Insofern bleibt dieses Fragemuster auf die idealtypische Unterscheidung zwischen beiden Ansätzen angewiesen.

Kapitel 4

Aristoteles-Kritik und frühneuzeitliche Modernisierung. Von Morus' *Utopia* zu Hobbes' *Leviathan*

I. Methodologische Vorüberlegungen

Noch Mitte des 17. Jahrhunderts stellte Thomas Hobbes fest, in den Universitäten sei das Fach Philosophie, auf keine Autoritäten reduzierbar, nicht existent. Was dort gelehrt werde, sei vielmehr Aristotelistik.[1] Doch diese selbst in der Frühen Neuzeit erstaunlich massive Hegemonie der Philosophie des Aristoteles, wie sie von der Scholastik weiter entwickelt wurde, wirft die Frage auf, ob jenseits der Schulphilosophie Breschen in ihr historisch gewachsenes Gefüge geschlagen und mit welchen Inhalten sie als alternative Angebote gefüllt worden sind. Diese Frage soll am Beispiel der Gesellschaftskonzeption Thomas Morus' und Thomas Hobbes' diskutiert werden. Es steht dabei das Problem im Vordergrund, ob deren Ansätze auf der Folie ihrer jeweiligen (impliziten oder expliziten) Aristoteles-Kritik „modernisierend" im Sinne eines nach vorn orientierten Bruchs mit der historisch überlieferten Erbschaft einer ständisch gegliederten Welt betrachtet werden können, die sich im erheblichen Umfang mit aristotelischen Argumenten legitimierte. Doch welche Alternativen konfrontierten Morus und Hobbes dem Gesellschaftsmodell des Aristoteles? Worin liegen deren Differenzen? Und sind angesichts der verändernden Kraft des utopischen und des individualistischen Wegs in die Moderne aristotelische Postulate obsolet geworden?

Um diese komplexe Problemstellung konzeptionell in den Griff zu bekommen, gehe ich im Folgenden von einem methodologischen Ansatz aus, den man am besten mit dem Begriff „Modellanalyse"[2] umschreibt. Zwar spielt für sie die kleinteilige philologische Analyse von zentralen Begriffen und Theorieteilen eine unverzichtbare Rolle, um deren semantischen Gehalt in ihrem zeitgeschichtlichen Kontext, aber auch in der diesen übersteigender Bedeutung dechiffrieren zu können. Doch das eigentliche Erkenntnisinteresse geht über eine rein textimmanente Textinterpretation hinaus. Im Kern idealtypisch ausgerichtet, verdichtet dieser

---

[1] An den Universitäten, so Hobbes, räume man dem Studium der Philosophie „keine andere Stelle ein als die einer Dienstmarkt der römischen Religion. Und da dort die Autorität des Aristoteles allein vorherrscht, ist dieses Studium nicht eigentlich Philosophie (deren Natur nicht von Autoren abhängt), sondern Aristotelistik. Und bis in die allerjüngste Zeit hatte sie für Geometrie überhaupt keinen Platz, da diese nur der strengen Wahrheit dient. Und hatte jemand durch seinen eigenen natürlichen Scharfsinn irgendeinen Grad von Vollkommenheit hierin erlangt, so wurde er gewöhnlich für einen Magier und seine Kunst für teuflisch gehalten" (Hobbes 1984, S. 511).

[2] Vgl. hierzu Euchner 1973, S. 9-46.

Ansatz die fokussierten Textstellen zu einem Modell, in dem das Paradigmatische sozio-politischer Herrschaft und die in ihr dominierenden gesellschaftlichen Interessenlagen abbildbar sind, wie es sich in den Köpfen großer Denker niedergeschlagen haben.

Dabei berücksichtigt die Modellanalyse im hier gemeinten Sinn immer auch die Fehlentwicklungen der Herkunftsgesellschaft der jeweiligen Autoren, denen sie ihr Modell politischer und gesellschaftlicher Herrschaft konfrontieren. So verstand Aristoteles das in seiner *Politik* (ca. 335-323 v. Chr.) entwickelte Oikos-Polis-Modell als Antwort auf die egalitären Tendenzen der attischen Demokratie, der er in ihren extremen Formen den Umschlag in die Tyrannis vorwarf.[3] Morus' *Utopia* (1516) ist nicht nur als eine Alternative zu den innen- und außenpolitischen Defiziten des Frühabsolutismus, sondern vor allem auch zu der Expropriation der Schicht der Pachtbauern im Rahmen der Einhegungsbewegung zu verstehen.[4] Und Hobbes' *Leviathan* (1651) lässt sich leicht als die friedensstiftende Antwort auf die das Gemeinwesen zerstörende Wirkung des englischen Bürgerkriegs von 1642 bis 1649 begreifen[5], den er mit der Metapher des *Behemoth* kennzeichnete.

Auch wenn diese zeitgenössischen Krisenherde und die angebotenen Lösungsvorschläge stets mitzudenken sind, ist der Ausgangspunkt der folgenden

---

[3] „Die Demokratien zunächst erleiden eine Umwandlung vorzugweise infolge des zügellosen Übermuts der Volksführer (demagogòs), indem diese teils durch die von ihnen auf eigene Faust den Wohlhabenden angehängten Prozesse, teils durch die Aufhetzung der ganzen Volksmenge gegen dieselben es dahin bringen, daß sie sich zusammenscharen; denn gemeinsame Furcht verbündet auch die äußersten Feinde" (Aristoteles 1968, S. 172). Hinzu komme, dass der Großteil des Volks auf dem Land ansässig gewesen sei, das politische Geschehen sich aber in der Stadt abgespielt hat. In dieser Situation sei es für die Demagogen leicht gewesen, „sich zu Tyrannen aufzuwerfen. Das aber gelang ihnen allen, daß sie das Vertrauen des (in der Stadt lebenden, R.S.) Volkes besaßen, und das Vertrauen gründete sich auf den Haß gegen die Reichen" (a.a.O., S. 173).

[4] „,Das sind eure Schafe', sage ich, ,die so sanft und genügsam zu sein pflegten, jetzt aber, wie man hört, so gefräßig und bösartig werden, daß sie sogar Menschen fressen, Felder, Gehöfte und Dörfer verwüsten und entvölkern. Denn überall, wo in eurem Reiche feinere und daher bessere Wolle erzeugt wird, da sind hohe und niedere Adlige, ja auch heilige Männer, wie einige Äbte, nicht mehr mit den jährlichen Einkünften und Erträgnissen zufrieden, die ihren Vorgängern aus den Landgütern erwuchsen. Es genügt ihnen nicht, müßig und üppig zu leben, der Allgemeinheit nicht zu nützen, sofern sie ihr nicht sogar schaden; sie lassen kein Stück Land zur Bebauung übrig, sie zäunen alles als Weide ein, reißen die Häuser ab, zerstören die Dörfer und lassen gerade noch die Kirchen als Schafställe stehen, und, als ob die Wildgehege und Tiergärten bei euch noch zu wenig Ackerboden beanspruchten, verwandeln jene edlen Leute alle Ansiedlungen und alles, was es noch an bebautem Land gibt, in Wüsten" (Morus 1996, S. 26).

[5] Hobbes erwähnt den Bürgerkrieg im *Leviathan* als das Schlimmste, was Menschen zustoßen kann, in 26 Textstellen: Das verdeutlicht bereits quantitativ, welche Bedeutung er ihm für seine Staatskonstruktion beimaß. Und, auf die theologische Dimension des englischen Bürgerkriegs von 1641 bis 1649 anspielend, sieht er die häufigste Ursache für seinen Ausbruch in „einer immer noch nicht zureichend gelösten Schwierigkeit, nämlich wie man gleichzeitig Gott und den Menschen gehorchen könne, wenn sich ihr Befehle widersprechen" (Hobbes 1984, S. 446).

Überlegung die Aristoteles-Kritik, die sich in den alternativen Modellen sozio-politischer Herrschaft bei Morus und Hobbes niederschlug. Zunächst stelle ich die wichtigsten Argumente vor, mit denen Morus und Hobbes den aristotelischen Ansatz kritisierten. In einem zweiten Schritt will ich die Differenzen aufzeigen, die signalisieren, in welchen Hinsichten sie über das aristotelische Modell „modernisierend" hinausgingen. Und in einem dritten Teil schließlich ist zu untersuchen, ob der Versuch von Morus und Hobbes, aus dem Schatten des Aristoteles herauszutreten, in zwei sehr unterschiedliche Wege in die Moderne einmündeten. Es schließen sich einige Überlegungen über das Verhältnis der Philosophie des Aristoteles zu den genannten Modernisierungskonzeptionen an.

II. Morus' *Utopia* als kollektive Alternative zum ständischen Gesellschaftsmodell des Aristoteles

In Morus' *Utopia* sucht man eine *explizite* Kritik an der aristotelischen *Politik* vergebens. Doch sie findet *implizit* im Rahmen einer modernisierenden Antiken-Rezeption statt. Hythlodeus, der Lobredner *Utopias*, erwähnt zwar auch die Schriften des Aristoteles. Doch der dominante Referenz-Autor ist Platon. Morus übernimmt Platons Kritik am Privateigentum[6], der die herrschende Elite von ihm ausschließt: im Gegensatz zu Aristoteles, der die Vorstände der Gutsherrschaft, die Oikos-Despoten, mit der privaten Verfügung über Grund und Boden als einer Basisinstitution seines Gesellschaftsmodells zum Zweck der Selbstversorgung ausstattet. Aber Morus geht nun seinerseits in der *Utopia* noch einen Schritt über Platon hinaus: Er weitet das Gemeineigentum auf die Gesamtgesellschaft aus. Damit divergiert sein Modell von der aristotelischen Politik noch radikaler als dies in Platons *Politeia* der Fall ist: Immerhin durften ihr zufolge die für das Wirtschaftsleben zuständigen Handwerker, Ackerbauern, Händler, Reeder usw. über Privateigentum verfügen.

Weitere Differenzen zum Gesellschaftsbild, wie Aristoteles es in seiner *Politik* entwickelte, kommen hinzu. Für Aristoteles war die menschliche Arbeit keineswegs minderwertig. Aber in der Hierarchie der Werte spielte sie eine untergeordnete Rolle: Diejenigen, die aufgrund ihrer Geburt zum Arbeiten verpflichtet sind,

---

6   In vielen Staaten „nennt jeder das sein Privateigentum, was er sich erworben hat. Aber so viele Gesetze auch Tag für Tag für Tag erlassen werden, sie genügen nicht, um einen jeden das, was er sein Privateigentum nennt, erwerben oder schützen oder genügend von fremdem Besitz abgrenzen zu lassen. Das zeigen ja leicht jene unzähligen, ebenso häufig entstehenden wie niemals endenden Streitigkeiten an. Wenn ich das, wie gesagt, bedenke, werde ich dem Platon besser gerecht und wundere mich weniger, daß er es verschmäht hat, solchen Leuten überhaupt noch Gesetze zu geben, die die gleichmäßige Verteilung aller Güter ablehnten. Denn das sah dieser kluge Mann leicht voraus, daß es nur einen einzigen Weg zum Heile des Staates gebe, nämlich die Verkündigung der Gleichheit des Besitzes, die schwerlich eingehalten werden kann, wo die einzelnen noch Privateigentum haben" (Morus 1996, S. 44).

hätten nicht die Muße, um in der Polis als vollentwickelte Menschen über das *bonum commune* zu diskutieren und es in konkrete Politik umzusetzen.[7] In Morus' *Utopia* ist dagegen die anthropologische Prämisse supendiert, dass die einen zum Arbeiten und die anderen zum Befehlen geboren sind: Tendenziell müssen alle arbeiten.[8] Adel und Klerus, die sich auf die anthropologische Ungleichheit der Menschen im Sinne des Aristoteles beriefen, verlieren in *Utopia* ihren hervorgehobenen Status, weil auch sie durch Arbeit zur materiellen Reproduktion der utopischen Gesellschaft beitragen müssen. Aristoteles sah im Übrigen die Sklavenarbeit als eine selbstverständliche Grundlage einer wohlgeordneten Gesellschaft an. Für Morus dagegen ist sie in *Utopia* eine strafrechtliche Maßnahme als Folge eines Kapitalverbrechens ohne substantielle volkswirtschaftliche Bedeutung.[9] Es ist klar, dass unter solchen Bedingungen in *Utopia* von einer Ständegesellschaft nicht mehr die Rede sein kann, weil einer anthropologisch begründeten Hierarchisierung des gesellschaftlichen Lebens die aristotelische Grundlage entzogen ist.

---

[7] „Hier ist nun aber unsere Untersuchung auf die beste Verfassung gerichtet, das aber ist diejenige, durch welche der Staat am meisten glückselig (eudaìmon) wird. Glückseligkeit endlich (...) ist ohne Tugend unmöglich und hieraus ergibt sich denn, daß in dem aufs schönste verwalteten Staat, dessen Bürger gerechte Männer schlechthin und nicht bloß bedingungsweise sind, dieselben weder das Leben eines Handwerkers (bànousos) noch das eines Kaufmanns führen dürfen, denn ein solches ist unedel und der Tugend (aretè) zuwider, und daß auch Ackerbauern diejenigen nicht sein dürfen, welche hier Staatsbürger sein wollen, denn es bedarf voller Muße (scholé) zur Ausbildung der Tugend und zur Besorgung der Staatsgeschäfte" (Aristoteles 1968, S. 244).

[8] „Ihr seht schon: es gibt dort keinerlei Möglichkeit zum Müßiggang und keinerlei Vorwand, sich vor der Arbeit zu drücken: keine Weinstube, keinerlei Bierschenke, nirgendwo ein Freudenhaus, keine Gelegenheit zur Verführung, keinen Schlupfwinkel, keine Lasterhöhle. Vor aller Augen vielmehr muß man seine gewohnte Arbeit verrichten oder seine Freizeit anständig verbringen" (Morus 1996, S. 63).

[9] „Ihre Sklaven sind weder Kriegsgefangene – es sei denn, sie haben den Krieg selber geführt – noch Kinder von Sklaven, noch überhaupt solche, die sie bei anderen Völkern als Sklaven kaufen könnten, sondern entweder solche Leute, die bei ihnen infolge eines Verbrechens in die Sklaverei fallen oder die in ausländischen Städten wegen einer Untat zum Tode verurteilt wurden (...). Die verschiedenen Arten von Sklaven halten sie nicht nur beständig an der Arbeit, sondern auch in Fesseln; die eigenen Landsleute behandeln sie aber härter, weil sie diese für nichtswürdiger und für schwererer Strafe würdig halten, da sie trotz einer so hervorragenden Erziehung zur Rechtschaffenheit sich dennoch nicht von Verbrechen zurückhalten lassen" (Morus 1996, S. 80).

Im Modell des Aristoteles geht die Polis aus individualisierten Oikos-Einheiten hervor[10], die nach dem Prinzip der Selbstversorgung[11], nicht nach dem Motiv der Chrematistik[12] wirtschaften. Nur einige Produkte wie Salz, Gewürze etc. müssen über den Fernhandel bezogen werden. Die gesellschaftliche Integration obliegt der patrimonialen Mediatisierung widerstreitender Interessen im Oikos, deren Vorstände als Freie und Gleiche in der Polis das *bonum commune* diskutant ermitteln. Das Wirtschaftsmodell der *Utopia* lehnt zwar auch die Produktion für den Markt ab, ähnelt aber im Kern einer Planwirtschaft, deren Ziel nicht die Befriedigung der Bedürfnisse einer geschlossenen lokalen Hauswirtschaft, sondern die Gesamtgesellschaft ist. Diese Volkswirtschaft funktioniert unter der Voraussetzung des gesamtgesellschaftlichen Gemeineigentums und der Abschaffung des Geldes nach drei Kriterien: 1. Alle Arbeitsressoucen müssen erschlossen werden. 2. Luxuskonsumtion ist verboten. 3. Wissenschaft und ihre Anwendung als Technik haben die Arbeitsproduktivität zu erhöhen. Wirtschaftliche Ungleichgewichte in dieser gebremsten Ökonomie ermittelt in Amaurotum, der Hauptstadt Utopias, eine zentralisierte statistische Behörde, die durch eine geplante Koordinierung die egalitäre Güterverteilung sichert.[13] Hier ist nicht der Ort, weitere

---

[10] „Die für das gesamte tägliche Leben bestehende Gemeinschaft ist also naturgemäß das Haus (oikos) (...). Diejenige Gemeinschaft aber, welche zunächst aus mehreren Häusern zu einem über das tägliche Bedürfnis hinausgehenden Zweck sich bildet, ist das Dorf (kome), das am naturgemäßesten als Kolonie (aopikia) des Hauses (oikia) zu betrachten sein dürfte (...). Die aus mehreren Dörfern sich bildende vollendete Gemeinschaft nun aber ist bereits der Staat, welcher, wie man wohl sagen darf, das Endziel völliger Selbstgenügsamkeit (autàrkeia) erreicht hat, indem er zwar entsteht um des bloßen Lebens willen, aber besteht um des vollendeten Lebens willen" (Aristoteles 1968, S. 9f).

[11] „Nach diesem allen ist denn nun die eine Art von Erwerbskunst naturgemäß ein Teil der Hausverwaltungskunst, diejenige nämlich, deren Aufgabe es ist, einen Vorrat zu sammeln von Gegenständen, die notwendig zum Leben und nützlich für die staatliche und häusliche Gemeinschaft (koinonia) sind und die daher auch entweder schon vorhanden sein oder durch die Hausverwaltungskunst herbeigeschafft werden müssen. In diesen Dingen scheint auch der wahre Reichtum zu bestehen. Denn das zu einem zweckentsprechenden Leben genügende Maß eines solchen Besitzes geht nicht ins Unendliche, und von ihm gilt nicht, was Solon dichtete: ‚Reichtum hat keine Grenze, die greifbar den Menschen gesetzt ist'" (Aristoteles 1968, S. 23.

[12] „Es gibt noch eine Art von Erwerbskunst (ktetiké), die man vergleichsweise und mit Recht die Kunst des Gelderwerbs (chrematistiké) nennt und sie ist es, welche die Schuld daran trägt, daß es für Reichtum (ploutos) und Besitz (ktesus) keinerlei Grenze zu geben scheint" (Aristoteles, Politik, Anm. 3, S. 24). Nach Aristoteles ist eine Schatzhäufung um ihrer selbst willen verwerflich, weil sie unter allen Formen der Erwerbskunst „die widernatürlichste von allen" (Aristoteles 1968, S. 28) ist.

[13] „Im Senat von Amaurotum (...) wird zunächst einmal festgestellt, was in den einzelnen Bezirken an Überfluß vorhanden ist und was, umgekehrt, irgendwo einen geringeren Ertrag gebracht hat. Sodann gleicht man unverzüglich den Mangel des einen durch den Überfluß des anderen aus. Und zwar geschieht dies unentgeltlich, ohne daß die Empfänger diejenigen, die etwas abgeben, entschädigen. (...) So ist die ganze Insel gleichsam eine einzige Familie" (Morus 1996, S. 64).

Differenzen zu benennen. Es reicht die Feststellung, dass die *Utopia* des Thomas Morus, orientiert an einer modernisierten Variante der *Politeia* (387-367 v.Chr.) des Platon, gravierend über das aristotelische Modell hinausweist: An die Stelle der in Europa immer noch vorherrschenden Ständegesellschaft tritt eine Sozietät, die sich nicht hierarchisch vertikal über abgestufte Seinsqualitäten integriert, sondern horizontal unter funktionalen Gesichtspunkten: Wirtschaftliche, soziale, kulturelle und politische Subsysteme bedingen auf egalitärer Grundlage einander und formieren so das gesellschaftliche Ganze. Dem entspricht bei Morus das Muster der geplanten Idealstadt, welche die Symbolik der Seinsqualitäten hinter sich lässt und sich an geometrischen Mustern ausrichtet.[14] Das entscheidende Symbol *Utopias* ist nicht das Himmlische Jerusalem, sondern die utopische Insel, die nach dem Vorbild eines naturwissenschaftlichen Experiments funktioniert: Nach außen von Fremdeinflüssen abgeschottet, folgt das ideale Gemeinwesen konstruktiven Prinzipien, die genau die Defizite vermeiden, unter denen die europäische Herkunftsgesellschaft leidet.

Doch die Frage ist, wie sich etwa 150 Jahre später die mühsam der Hegemonie des aristotelischen Weltbildes abgerungenen Spielräume entwickelten und mit welchen gesellschaftlichen Inhalten sie in ihrer Orientierung geprägt wurden, ohne in eine idealisierte Vergangenheit auszuweichen. Wer diese Frage stellt, stößt auf einen Autor, der wie kaum ein zweiter die modernisierende Denkrichtung des individualistischen Naturrechts seit der zweiten Hälfte des 17. Jahrhunderts prägte: Thomas Hobbes.

III. Hobbes' *Leviathan* als Gegenmodell zur aristotelischen Polis

Es ist ein alte Beobachtung in der Geschichte der politischen Ideen, dass immer dann, wenn neue Denkhorizonte erschlossen werden, für die es noch keine präzisen Begriffe gibt, nicht selten Bilder eine Rolle spielten, welche das anvisierte denkerische Neuland charakterisieren. Genauso war es bei Morus, als er sich entschloss, ein utopisches Gegenbild zu der in England bereits in der Auflösung befindlichen aristotelisch legitimierten Ständeordnung zu entwerfen. Bei Hobbes spielt zwar auch noch die Metaphorik des künstlichen Tieres, des *Leviathan*, eine bedeutende Rolle. Doch im Kern formulierte er seine Aristoteles-Kritik in begrifflich präzisen Kategorien ebenso wie die sozio-politische Alternative, die er der

---

[14] „Amaurotum (...) liegt an dem sanften Abhang eines Berges. Der Grundriß der Stadt ist fast quadratisch. (...) Die Straßen sind zweckmäßig angelegt: sowohl günstig für den Verkehr, als auch gegen die Winde geschützt. Die Häuser sind keineswegs unansehnlich. Ihre lange und blockweise zusammenhängende Reihe übersieht man von der gegenüberliegenden Häuserfront aus. Die Fronten der Häuserblöcke trennt eine zwanzig Fuß breite Straße. An der Hinterseite zieht sich, jeweils den ganzen Block entlang, ein großer und durch die Rückseite der Blöcke von allen Seiten eingeschlossener Garten hin. (...) Der Überlieferung nach ist (...) der gesamte Plan der Stadt bereits von Utopos (dem Gründungsvater, R.S.) selbst festgelegt worden" (Morus 1996, S. 52).

traditionellen Gesellschaft konfrontierte. Hobbes' Aristoteles-Kritik wird in dem Maße explizit, wie sie an deren wissenschaftstheoretischen Prämissen ansetzt und daraus sozio-politische Konsequenzen zieht, die sich in entscheidenden Aspekten von denen der *Utopia* des Thomas Morus unterscheiden.

Ins Visier seiner Kritik gerät vor allem der Begriffsrealismus des Aristoteles. Allgemeinen Begriffen wie Körper, Zeit, Ort Materie, Form, Essenz, Subjekt, Substanz, Akzidenz, Gewalt, Akt, endlich, unendlich, Quantität, Qualität, Bewegung, Handlung, Erleiden etc. entspreche keine Realität; sie seien lediglich konventionelle Absprachen zur Ermöglichung intersubjektiver Kommunikation. Wer sich über diese Einsicht hinwegsetze, laufe Gefahr, sich in die Sphäre haltloser Spekulationen jenseits der natürlichen Vernunft zu begeben, die ihre empirisch abgesicherten Denkoperationen in der Sprache der Mathematik bzw. der Geometrie artikuliere.[15] Hobbes' konsequenter Nominalismus hatte methodische Konsequenzen, die unvereinbar mit der *Entelechie* des Aristoteles waren. Diesem zufolge tragen alle anorganischen und organischen Naturdinge ihren Zweck in sich selbst. Eine Pflanze ist auf Wachstum, ein Stein aufs Fallen hin angelegt. Hobbes dagegen wies diese teleologische Option schroff zurück. Er stellte ihr die *resolutiv-kompositorische* Methode[16] gegenüber, die im ersten Schritt die nicht mehr teilbaren Elemente des Gemeinwesens, die isolierten Gleichen und Freien im vorstaatlichen Naturzustand, *resolutiv* freilegt, um sie dann in einem zweiten Schritt durch einen Vertrag *kompositorisch* wieder zusammenzuführen.

Mit diesen methodologischen Prämissen ist zugleich die Grundlage für das Profil eines Gemeinwesens gelegt, das Hobbes zufolge den höchsten Wert menschlichen Zusammenlebens überhaupt garantiert: den inneren und äußeren Frieden. Denn im Gegensatz zu Aristoteles ist dessen Ziel nicht das „gute Leben", sondern das schlichte Überleben. Diese Leitvorstellung ist anthropologisch fundiert. Nach Aristoteles ist der Einzelne als *zoòn pòlitikòn* aufgrund der *conditio humana* teleologisch auf Herrschaft bezogen: Er partizipiert an ihr in dem Maße, wie seine jeweilige Vernunftpotenz dies ermöglicht: Bei den einen schwach ausgeprägt, deren Bestimmung das Dienen ist, befähigt sie die anderen in der Polis zur tugendhaften Herrschaft, weil sie im Vollbesitz ihrer vernünftigen Fähigkei-

---

[15] Vgl. Hobbes 1984, S. 510-514.

[16] „Denn aus den Elementen, aus denen eine Sache sich bildet, wird sie auch am besten erkannt. Schon bei einer Uhr, die sich selbst bewegt und bei jeder etwas verwickelten Maschine kann man die Wirksamkeit der einzelnen Teile und Räder nicht verstehen, wenn sie nicht auseinandergenommen werden und die Materie, die Gestalt und die Bewegung jedes Teils für sich betrachtet wird. Ebenso muß bei der Ermittlung der Rechte des Staates und der Pflichten der Bürger der Staat zwar nicht aufgelöst, aber doch gleichsam als aufgelöst betrachtet werden, d.h. es muß richtig erkannt werden, wie die menschliche Natur geartet ist, wieweit sie zur Bildung des Staates geeignet ist, und wie die Menschen sich zusammentun müssen, wenn sie eine Einheit werden wollen" (Hobbes 1959, S. 67f.)

ten sind. Herrschaft ist also als Ausfluss der Natur des Menschen zugleich selbst Naturprodukt.[17]

Hobbes macht die Gegenrechnung auf. Für ihn ist der Mensch im Kern ein Egoist, der vor allem sein Eigeninteresse verfolgt. Er ist nicht auf Herrschaft angelegt, sondern im Gegenteil: Verwickelt im Naturzustand in einen *bellum omnium in omnes*[18] muss er im Interesse des Überlebens Herrschaft über einen Vertrag aller mit allen erst künstlich schaffen, um die Regeln festlegen zu können, nach denen die Einzelnen im politischen Gemeinwesen miteinander kooperieren. Nicht das teleologische Prinzip des Aristoteles ist für ihn zielführend, sondern die bereits erwähnte, am naturwissenschaftlichen Erkenntnismodell seiner Zeit ausgerichtete resolutiv-kompositorische Methode. Der Staat ist kein natürliches Phänomen, sondern das Kunstprodukt verständiger Egoisten. Die tödliche Konkurrenz bewegt die ursprünglich Gleichen und Freien im Naturzustand erst im Medium eines Vertrages zur Vergesellschaftung, d.h. zum Eintritt in ein kompositorisches Artefakt: den Staat.[19] Aber auch im Staat haben die Einzelnen bei Hobbes einen anderen Stellenwert als bei Aristoteles. Im Oikos kommt es aufgrund der unterschiedlichen Partizipation an der im Kosmos verankerten *lex aeterna* zu einer Herrschaftspyramide, an deren Spitze die Oikos-Despoten stehen und an deren Basis die Sklaven ihr Leben fristen. Die gesellschaftlichen Konflikte sind in diesen hierarchischen Strukturen gleichsam weitgehend entschärft und geben den Raum der Polis frei, in dem die Oikos-Despoten ihren herrschaftsfreien Diskurs über das *bonum commune* zu führen vermögen. Bei Hobbes dagegen ist die Gesellschaft im Kern individualisiert: der *Kampf aller gegen alle* bleibt wie im Naturzustand bestehen; nur erfolgt er jetzt im Rahmen der Gesetze des *Leviathan,* des „starken Staates".

Diese konkurrenzbezogene Grundkonstellation steht im schroffen Gegensatz zum aristotelischen Verhaltenskodex: Prangerte dieser die Chrematistik, d.h. die Schatzhäufung, als krasse Fehlentwicklung an, welche die Tür zu einem „guten Leben" zuschlage, und verbannte er entsprechend den Markt und das ihm zuzu-

---

[17] „Hiernach ist denn klar, daß der Staat zu den naturgemäßen Gebilden gehört und daß der Mensch von Natur ein nach der staatlichen Gemeinschaft strebendes Wesen (zoòn politikòn) ist; und derjenige, der von Natur und nicht durch zufällige Umstände außer aller staatlichen Gemeinschaft lebt, ist entweder mehr oder weniger als ein Mensch (...)" (Aristoteles 1968, S. 10).

[18] „In einer solchen Lage ist für Fleiß kein Raum, da man sich seiner Früchte nicht sicher sein kann; und folglich gibt es keinen Ackerbau, keine Schiffahrt, keine Waren, die auf dem Seeweg eingeführt werden können, keine bequemen Gebäude, keine Geräte, um Dinge, deren Fortbewegung viel Kraft erfordert, hin- und herzubewegen, keine Kenntnis von der Erdoberfläche, keine Zeitrechnung, keine Künste, keine Literatur, keine gesellschaftlichen Beziehungen, und es herrscht, was das Schlimmste von allem ist, beständige Furcht und Gefahr eines gewaltsamen Todes – das menschliche Leben ist einsam, armselig, ekelhaft, tierisch und kurz" (Hobbes 1984, S. 96).

[19] Hobbes sieht bekanntlich für die Staatsgründung einen Vertrag zugunsten eines Dritten vor. Die Vertragsformel lautet: „Ich autorisiere diesen Menschen oder diese Versammlung von Menschen und übertrage ihnen mein Recht, mich zu regieren, unter der Bedingung, daß du ihnen ebenso dein Recht überträgst und alle ihre Handlungen autorisierst" (Hobbes 1984, S. 134).

ordnende Konkurrenzverhalten aus seiner Oikos-Wirtschaft, so steht sie bei Hobbes im Mittelpunkt. Der Wert eines Menschen sei der Preis, den er nach dem Gesetz von Angebot und Nachfrage für sich erzielen kann. Die Ehre, ein hoher Wert in der aristotelischen Lehre, wird durch den Stellenwert ersetzt, den jemand aufgrund seines Marktwertes für sich reklamieren kann.[20] Das unbegrenzte Streben nach Macht ist durchaus vereinbar mit der Gier, von der sich Marktteilnehmer bei der Verfolgung ihrer Interessen leiten lassen. Auch wenn Hobbes, wie gezeigt, von einem Paradigma ausging, das dem Stand der zeitgenössischen Naturwissenschaften verpflichtet war, ist nicht auszuschließen, dass stillschweigend in seine politische Physik Prämissen der entstehenden *possessive market society* Englands im 17. Jahrhundert eingegangen sind.[21]

IV. Der kollektive und der individualistische Pfad in die Moderne

Fraglos haben die *Utopia* des Thomas Morus und der *Leviathan* des Thomas Hobbes eines gemeinsam: Sie treten aus dem Schatten der geistigen Hegemonie des Aristoteles heraus. Gemeinsam ist ihnen ferner, dass sie diesen Schritt im Zeichen eines hochgradigen Konstruktivismus tun: Morus bildet die alternative Gesellschaft im Denkbild der *Utopia* ab, die er als fiktive Alternative den Fehlentwicklungen seiner Gesellschaft konfrontiert. Und Hobbes' Konstruktivismus findet seinen Ausdruck in der resolutiv-kompositorischen Methode. Doch diese beiden Varianten des Konstruktivismus gehen von unterschiedlichen Prämissen aus: Morus wies den Weg in eine kollektive und Hobbes in eine individualistische Moderne. Welche Auswirkungen hatte diese Differenz auf ihre konkurrierenden Gesellschaftsmodelle? Und vor allem: Ist der Aristotelismus tatsächlich, wie es scheint, zwischen diesen Alternativen zerrieben worden? Oder konnte er eine Rolle bei der Selbstkorrektur des kollektiven und des individualistischen Ansatzes spielen?

Die Differenz der Muster, die Morus und Hobbes ihrer Herkunftsgesellschaft im 16. und 17. Jahrhundert konfrontierten, wird deutlich bei ihrem Versuch, das Verhältnis des Einzelnen zum Staat zu bestimmen. Bei Morus erhält das Individuum seine entscheidenden Prägungen durch die ihn wie Ringe überlappenden

---

[20] „Die *Geltung* oder der Wert eines Menschen ist wie der aller anderen Dinge sein Preis. Das heißt, er richtet sich danach, wieviel man für die Benützung seiner Macht bezahlen würde und ist deshalb nicht absolut, sondern von dem Bedarf und der Einschätzung eines anderen abhängig. Ein fähiger Heerführer ist zur Zeit eines herrschenden oder drohenden Krieges sehr teuer, im Frieden jedoch nicht. Ein gelehrter und unbestechlicher Richter ist in Friedenszeiten von hohem Wert, dagegen nicht im Krieg. Und wie bei anderen Dingen, so bestimmt auch bei den Menschen nicht der Verkäufer den Preis, sondern der Käufer. Denn mag jemand, wie es die meisten Leute tun, sich selbst den höchsten Wert beimessen, so ist doch sein wahrer Wert nicht höher, als er von anderen geschätzt wird" (Hobbes 1984, S. 67).

[21] Vgl. hierzu grundlegend Macpherson 1962, S. 9–106.

Institutionen des wohlgeordneten Gemeinwesens: Es kann keine legitimen Interessen entwickeln, die nicht durch das Filter des erziehenden, versorgenden und die Lebenswelt der Menschen organisierenden Staates hindurch gegangen sind. Hobbes' resolutiv-kompositorische Methode verfährt umgekehrt. Ausgangspunkt sind die ursprünglich Gleichen und Freien im vorstaatlichen Naturzustand, die, wie bereits betont, über einen Vertrag die staatlich sanktionierten Normen erst garantieren, unter denen sie im Gemeinwesen interagieren können. Die Interessen der Einzelnen, vor allem in Gestalt der Verwertung ihres Eigentums, sind bereits *vor* der Konstituierung des Staates ausgebildet. Das Gemeinwesen trägt dem dadurch Rechnung, dass es, obwohl es das Privateigentum erst konstituiert, sich einer Intervention in das Wirtschaftsleben weitgehend enthält, während Morus auf der Grundlage des Gemeineigentums die zentral gelenkte Planwirtschaft in *Utopia* einführt.

Doch auch die anthropologische Fundierung des kollektiven und des individualistischen Wegs in die Moderne kann unterschiedlicher kaum sein. Bei Morus gelingt das utopische Experiment nur dann, wenn das utopische Gemeinwesen durch Erziehung und durch die prägende Kraft dazu geeigneter Institutionen einen Neuen Menschen hervorbringt, der, von seinen egoistischen Neigungen befreit, in der Lage ist, das *a priori* vorgegebene Gemeinwohl zu erkennen und auch praktisch umzusetzen. Diese Ineinssetzung geht so weit, dass für eine Sphäre der Privatheit kein Raum bleibt. Zwar wird die partriarchalische Familie nicht abgeschafft. Aber sie ist als Agentur des Staates von diesem weitgehend instrumentalisiert. Demgegenüber bleiben die Individuen bei Hobbes auch im verfassten Staat das, was sie bereits im Naturzustand waren: egoistische Nutzenmaximierer. Allerdings können sie ihre besitzindividualistischen Bestrebungen nur im Rahmen der Gesetze verfolgen, die ihnen der „starke Staat" vorgibt. Doch entscheidend ist, dass er einen Bereich im Interesse dieses Individualismus freigibt: Die Verwertung des Privateigentums, die Erziehung der Kinder, die Wahl der Wohnung etc. ist nicht Angelegenheit des Staates, sondern der privaten Initiative der Bürger überlassen.[22]

Diese wenigen Hinweise mögen genügen, um die unterschiedlichen Pfade in die Moderne anzudeuten, die von Morus' *Utopia* und von Hobbes' *Leviathan* ihren Ausgang nahmen. Ihre Spuren lassen sich bis in die Gegenwart hinein verfolgen. *Ex post* und in der Perspektive einer gewissen Abstraktionshöhe betrachtet, sind die gemeinsamen Schnittmengen zwischen dem utopischen Modell bei Morus und den der Herrschaftsordnungen des sowjetischen Typs nicht zu übersehen. Hat nicht in beiden Gesellschaftsbildern die Politik Priorität gegenüber der Wirt-

---

[22] „Die Freiheit eines Untertanen ist daher auf die Dinge beschränkt, die der Souverän bei der Regelung ihrer Handlungen freigestellt hat: so zum Beispiel die Freiheit des Kaufs und Verkaufs oder anderer gegenseitiger Verträge, der Wahl der eigenen Wohnung, der eigenen Ernährung, des eigenen Berufs, der Kindererziehung, die sie für geeignet halten, und dergleichen mehr" (Hobbes 1984, S. 165).

schaft und die bürokratische Bevormundung den Vorrang vor den individuellen Grund- und Menschenrechten? Besitzt nicht in beiden Ansätzen die kollektive Planbarkeit der gesellschaftlichen Prozesse einen höheren Stellenwert als die individuelle Spontanität und Kreativität? Und hat nicht das utopische Inselmotiv eine Entsprechung im Eisernen Vorhang als Symbol und Realität des Versuchs, sich vom Rest der Welt abzuschotten?

Aber auch das dem Muster des Hobbesschen *Leviathan* zu Grunde liegende Paradigma des modernen Naturrechts[23] hat, zumal in der westlichen Welt, die Verfassungswirklichkeit aller Staaten geprägt, deren politische Systeme als repräsentative Demokratien die Krisen des 20. Jahrhunderts überdauerten. Denn die autoritäre Form, die Hobbes dem modernen Naturrecht gab, kann seinen individualistischen Ursprung nicht verwischen. Von ihm ausgehend, sind – wie John Locke und Jean-Jacques Rousseau zeigten – auch liberale und demokratische Ausprägungen von Regierungssystemen möglich, die ohne zentrale Axiome des individualistischen Naturrechts nicht funktionieren können. Durch den Herrschafts- und Gesellschaftsvertrag konstituiert sich die Gesellschaft zum Staat. Doch dies geschieht in ihren liberalen Varianten in einer Weise, dass die ursprünglich Gleichen und Freien zwar fundamentale Rechte auf den Staat übertragen, sich aber gleichzeitig individuelle Grund- und Menschenrechte vorbehalten. Institutionelle Vorkehrungen wie Gewaltenteilung, regelmäßige Wahlen und unabhängige Gerichte haben die Aufgabe, diese Sphäre der Privatheit vor willkürlichen Eingriffen des Staates zu schützen.

V. Die aristotelische *Politik* als Korrektiv

Ist die politische Philosophie des Aristoteles der große Verlierer im Spannungsfeld zwischen den beiden geschichtsmächtigen Ansätzen des utopischen und des individualistischen Wegs in die Moderne? Oder anders gefragt: Geht das Gesellschaftsmodell des Aristoteles in seiner Rolle als Legitimationsbeschaffer ständischer Sozialstrukturen auf, die längst erodiert und zu historischen Zeugen einer vormodernen Welt geworden sind? Ich zögere, diese Fragen mit einem eindeutigen „Ja" zu beantworten. Zwar kann kaum bestritten werden, dass auch in den klassischen politischen Ideen gesellschaftliche Interessen eingegangen sind. So legitimierte das aristotelische Gesellschaftsmodell über viele Jahrhunderte soziopolitische Herrschaftsformen der europäischen Antike und des abendländischen Mittelalters, die es so nicht mehr gibt, weil sie seit dem Abfall der Niederlande von der spanischen Krone in der zweiten Hälfte des 16. Jahrhunderts von einer Serie umwälzender Revolutionen destruiert worden sind. Aber der Rang politischer

---

[23] Walter Euchner hat eine gültige Unterscheidung zwischen dem traditionellen und modernen Naturrecht im Blick auf die Ordnung der Natur, auf die naturrechtliche Erkenntnistheorie, auf die Verbindlichkeit des Naturrechts und auf das Verhältnis von Naturrecht und politischer Ordnung vorgelegt. Vgl. hierzu: Euchner 1979, S. 14-42.

Ideen wie die des Aristoteles zeichnet sich gerade dadurch aus, dass sie einen überschießenden Gehalt hervorgebracht haben, der nicht auf die sozialen und politischen Interessenkonstellation reduzierbar ist, von denen sie einst in Anspruch genommen wurden.

Ist es möglich, dass im Licht eines solchen „überschießenden" Gehalts Aspekte der *Politik* des Aristoteles eine überraschende Aktualität als Korrektive der utopischen und der individualistischen Modernisierungsstrategie erlangen können? Morus' selbst hätte sich auf die Kritik beziehen können, die Aristoteles an Platon übte. Durch dessen Gesellschaftskonzeption gehe ein polarisierender Riss: Auf der einen Seite stünde die politische Elite der Wächter und Philosophen, die unter kommunistischen Verhältnissen lebe, aber alle politische Macht kontrolliere. Auf der anderen Seite befände sich die große Masse der Bevölkerung, die den gesellschaftlichen Reichtum hervorbringe, aber von der politischen Macht ausgeschlossen sei. Das Gemeineigentum der politischen Elite minimiere also nicht gesellschaftliche Spannungen, sondern steigere sie, ja, es bedrohe den gesellschaftlichen Zusammenhalt.[24] Im Resultat ähnlich argumentiert Morus gegen den Lobredner *Utopias,* den Intellektuellen Hythlodeus. Zwar vermeidet *Utopia* dadurch den sozio-politischen Antagonismus, dass das Gemeineigentum die Gesamtgesellschaft umfasst. Doch läuft die kommunistische Aufhebung des Mein und Dein nicht auf einen tristen Egalitarismus[25] hinaus? Bewirkt die Abschaffung aller Ränge nicht die Lähmung jeglicher Initiative? Ist die Negation des Eigentums an einer Sache, das andere von ihr ausschließt, nicht die Ursache endloser Streitereien? Fördert die totale Daseinsvorsorge des Staates nicht die Indolenz der Einzelnen und damit die wirtschaftliche und kulturelle Stagnation?[26]

---

[24] Im Falle der Einführung des Gemeineigentums, so argumentiert Aristoteles gegen Platon, würden notwendig „in *einem* Staat zwei Staaten entstehen und noch dazu zwei in feindlichem Gegensatz zueinander stehende, da ja Sokrates die Wächter nur zu einer Art Besatzung und die Bauern, Handwerker (technites) und was noch hier her gehört zu Bürgern (polites) macht. Und ferner würden ja so Klagen, Prozesse und alle jene anderen Übel, die er den Staaten zur Last legt, ebensogut auch hier vorkommen" (Aristoteles, 1968, S. 47f).

[25] „Mir kam nun zwar manches in den Sinn, was mir an den Sitten und Gesetzen dieses Volkes (der Utopier, R.S.) überaus unsinnig erschienen war, nicht nur an der Art der Kriegsführung, am Gottesdienst, an der Religion und noch anderen ihrer Einrichtungen, sondern vor allem auch an dem, was die eigentliche Grundlage ihrer ganzen Verfassung bildet, nämlich an ihrem gemeinschaftlichen (kommunistischen, R.S.) Leben und der Lebensweise ohne jeden Geldumlauf; denn allein schon dadurch wird aller Adel, alle Erhabenheit, aller Glanz und Würde, alles, was nach allgemeiner Ansicht den wahren Schmuck und die wahre Zierde eines Staatswesens ausmacht, vollständig ausgeschaltet" (Morus 1996, S. 109).

[26] So wendet Morus gegen die Einrichtungen Utopias ein, ihm scheine dort, „wo alles Gemeingut ist, ein erträgliches Leben unmöglich. Denn wie soll die Menge der Güter ausreichen, wenn sich jeder vor der Arbeit drückt, da ihn keinerlei Zwang zu eigenem Erwerb drängt und ihn das Vertrauen auf fremden Fleiß faul macht? Aber selbst wenn die Not ihn antreibt und ihm dann kein Gesetz erlaubt, sich das, was er erworben hat, als Eigentum zu sichern, wird man dann nicht zwangsläufig beständig mit Mord und Aufruhr rechnen müssen? Wenn zudem noch das

Doch auch Hobbes' Konzeption des kontraktualistisch begründeten autoritären Staates weist Defizite auf. Der Staat, so Hobbes, könne seiner Funktion als Friedensstifter nach innen und außen nur dann genügen, wenn er das absolute Meinungsmonopol zwar nicht im privaten, wohl aber im öffentlichen Sektor des Gemeinwesens innehabe. Aber dadurch, dass er sich aller institutionalisierter Kontrollen der Kritik staatlicher Meinungsbildung begibt, ist es für ihn fast unmöglich, politische Fehlentwicklungen zu erkennen und zu korrigieren. Was Hobbes von Aristoteles hätte lernen können, ist dessen Vorstellung, dass im hellen Licht der Polis die Vollbürger als Gleiche und Freie erst über einen diskutanten Prozess des Abwägens und der Reflexion definieren, in welche Richtung die Politik gehen soll. Nicht die hermetische Abschottung des autoritären Willensbildungsprozess empfiehlt Aristoteles, sondern die Offenheit des Diskurses und des schließlichen Konsenses im herrschaftsfreien Raum der Polis.

Die *Politik* des Aristoteles ist in zweierlei Hinsicht für die europäische Modernisierung in ihrer kollektiven und individualistischen Spielart bedeutsam geworden: Einerseits war seine Philosophie der geistig-intellektuelle Hegemon, der jene Kritik beförderte und inspirierte, die erst den Durchbruch neuer Legitimationsmuster im Wandel begriffener gesellschaftlicher Formationen seit dem 16. Jahrhundert ermöglichte. Andererseits enthält sie aber auch „überschießende Gehalte", die bis auf den heutigen Tag geeignet sind, als kritische Korrektive modernisierender Dynamiken zu wirken. Der Politik und Ethik verbindende Ansatz des Aristoteles erinnert uns nicht nur daran, dass das Politische keineswegs nur Machtkampf und Interessenkonflikt ist. Er verdeutlicht auch, dass das „gute Leben" als regulatives Prinzip nur in einem offenen kommunikativen Raum möglich und keineswegs ausschließlich durch sozialtechnische Arrangements „herstellbar" erscheint.

Ansehen der Behörden und die Achtung vor ihnen geschwunden ist, dann kann ich mir nicht einmal ausdenken, was bei solchen Menschen, zwischen denen es keinen Unterschied gibt, an deren Stelle treten könnte" (Morus 1996, S. 45f).

Kapitel 5

Politische Utopien der Aufklärung

I. Einleitung

Nach Thomas Nipperdey ist die Epoche der Aufklärung von der zweiten Hälfte des 17. Jh. bis zum Ausbruch der Französischen Revolution „utopienahe Zeit".[1] Wurde auch innerhalb des utopischen Musters der Renaissance (Morus, Campanella) und der Reformation (Bacon, Andreae) scharfe Kritik an den Fehlentwicklungen der politischen, ökonomischen, kulturellen und religiös-kirchlichen Institutionen der eigenen Herkunftsgesellschaft geübt, so war dennoch die frühabsolutistische Monarchie mit ihrer Kontroll- und Gestaltungskompetenz das heimliche Vorbild des alternativen „besten Staates". Doch in der Periode des entfalteten Absolutismus und seiner Adelsgesellschaft haben wir es mit einer neuen Situation zu tun. „Der durch den Absolutismus politisch entmachtete, in die Privatheit von Gesinnungen und Theorien zurückgedrängte, aber da auch freigelassene Bürger beginnt im Namen der Tugend und im Namen der Vernunft den Prozess, ja den Angriff gegen das absolutistische System, gegen den moralfreien Raum seiner absoluten Staatsräson und seine vorrationalen gesellschaftlichen Grundlagen".[2]

Eine der markantesten Folgen dieser Selbstermächtigung des Subjekts innerhalb des utopischen Diskurses, sich Gemeinwesen für ein gelungenes Leben im Namen der Moral und der Integrität des Individuums jenseits eines starken Staates vorzustellen, besteht darin, dass in Gestalt eines harmonischen sozio-politischen Systems nun gleichberechtigt neben den *archistischen* (herrschaftsbezogenen) Entwurf die (herrschaftsfreie) *anarchistische* Lösung der gesellschaftlichen Krise tritt. Gewiss, mit Rabelais' *Abtei Thelema* hatte auch die Renaissance die Möglichkeit einer herrschaftsfreien Vergesellschaftung angedacht. Aber sie blieb auf halbem Wege stehen. Als höfische Adelsgesellschaft konzipiert, ließ sie die *gesellschaftlichen* Herrschaftsbeziehungen, auf denen die fiktive Idealgemeinschaft beruht, unangetastet.[3] Dagegen wird jetzt im Namen der Rechte des Individuums der utopische Angriff auf die gesellschaftlichen und politischen Grundlagen des entfalteten Absolutismus selbst eröffnet.

Es ist nun für das spezifische Profil der Utopie im Zeitalter der Aufklärung signifikant, dass sich sowohl die „Traditionalisten", die am Muster des „starken Staates" festhielten ebenso auf die *Utopia* (1516) des Thomas Morus (1478-

---

[1] Nipperdey 1962, S. 366.
[2] Ebd.
[3] Vgl. Saage 2001, S. 212-217.

1535)[4] beriefen wie die „Neuerer", welche den entschiedenen Bruch mit allen Formen institutionalisierter Herrschaft forderten. So rekurrierte Vairasse (1478-1535)[5] in seinem etatistischen Entwurf eines utopischen Gemeinwesens in gleicher Weise auf dieses Werk wie Gueudeville (1652-1721)[6], der große Propagandist des anarchistischen *Edlen Wilden*. Aus dieser gemeinsamen Schnittmenge darf der Schluss abgeleitet werden, dass die an das ursprüngliche Muster der Utopie angelehnte heuristische Definition hegemonial war. Danach wurde die politische Utopie verstanden als rationale Kritik an den sozio-ökonomischen und politisch-religiösen Fehlentwicklungen der eigenen Herkunftsgesellschaft, die der Autor des utopischen Textes eine staatlich verfasste oder staatsfreie Alternative mit innerweltlichem Möglichkeitsanspruch konfrontierte.[7]

Geht man von dieser klassischen Utopiekonzeption aus, müssen andere affine Literaturgattungen wie chiliastische Visionen oder apokalyptische Alpträume ebenso unberücksichtigt bleiben wie Robinsonaden und Satiren. Daniel Defoes *Robinson Crusoe*, streng individualisiert, vollzieht nicht den expliziten Bruch mit der westlichen Zivilisation, sondern lässt den Leser die Trennung von ihr als schmerzliches Defizit empfinden. Und Jonathan Swifts Satire *Gullivers Reisen* ist zwar im Kern sozialkritisch ausgerichtet. Doch bleibt die gesellschaftliche Alternative in der Latenz. Demgegenüber kommt es im Folgenden darauf an, das spezifische Profil der politischen Utopien der Aufklärung durch die Rekonstruktion der folgenden Aspekte zu erhellen: Die utopische Kritik (II); die normativen Grundlagen (III); die materiellen Voraussetzungen (IV); das politische Muster (V); Formwandel, Geltungsanspruch und Wirkungsgeschichte (VI).

II. Die utopische Kritik

Die Forschung ist sich darüber einig, dass der Aufstieg des französischen Absolutismus unter Ludwig XIV. gleichsam spiegelbildlich das utopische Denken in Frankreich zwischen 1680 und 1789 zur Hegemonie in Europa verholfen hat.[8] Die utopische Kritik am *Ancien Régime* und das fiktive, aber rationale Gegenbild zu ihm wirkten als ein wichtiges Ferment der Zerstörung der legitimatorischen Grundlagen der französischen Adelsgesellschaft unter dem Dach der absolutistischen Staatsräson, bis am Ende das alte Frankreich der Dynamik der Revolution zum Opfer fiel. Tatsächlich nehmen die Utopisten der Aufklärung keine Einrichtung des Ancien Régime von ihrer Kritik aus: Vor allem die katholische Kirche[9]

---

4   Vgl. Morus 1983.
5   Vgl. Vairasse 1702, S. 7.
6   Vgl. Gueudeville 1730, S. II f.
7   Vgl. Elias 1985, S. 101-150 u. Saage 2000, S. 46.
8   Vgl. Atkinson 1920; Atkinson 1922; Krauss 1964; Lichtenberger 1967; Girsberger 1973; Baczko 1978; Yardeni 1980; Kohl 1986; Funke 2005, S. 101-120; Saage 2002.
9   Vgl. Meslier 1970, Bd.II, S. 146.

sowie die von ihr praktizierte Inquisition[10], das sozio-ökonomische Ausbeutungssystem des Feudalismus[11] sowie das Herrschaftssystem des Absolutismus[12] gerät in deren Fadenkreuz.

Zwar unterschiedlich akzentuiert, knüpfen diese Kritikmuster an die Zeitdiagnose des ersten Teils der *Utopia* des Thomas Morus[13] an. Doch geraten die Strukturmerkmale des frühneuzeitlichen Staates, denen die Utopien der Renaissance und der Reformation verpflichtet waren – die hervorgehobene Stellung einer „politischen Klasse", die Geometrie der Architektur und der Stadtplanung sowie die durchgehenden Kontrollmechanismen der Gesellschaft im Dienste der bestehenden Herrschaftsverhältnisse – nun selbst zum Gegenstand radikaler Kritik.[14] Hinzu kommen einzelne innovatorische Kritikelemente. So wird z.B. die Analyse der absolutistischen Kriegspolitik überlagert von der Auseinandersetzung mit dem europäischen Kolonialismus, der im Namen seiner vermeintlichen Überlegenheit vor systematischem Völkermord nicht zurückschreckt.[15]

An Radikalität der Zeitkritik ist freilich der Abbé Jean Meslier (1664-1729) von niemandem übertroffen worden. Er empfahl in seinem posthum edierten *Testament*, das von den Enzyklopädisten und Voltaire (1694-1729) aufgefunden wurde, der Nachwelt, „alle Großen der Erde und alle Adligen an den Gedärmen der Priester aufzuhängen".[16] Wenn vor allem die Religion ins Visier der Fundamentalkritik Mesliers rückte, dann war der Grund nicht nur ihre Wissenschaftsfeindschaft. Vielmehr machten ihre falschen und lügenhaften Lehren die Menschen unglücklich. In ihnen sah er die entscheidenden Fesseln, welche die soziale Polarisation zwischen den Armen und Reichen sowie die Unmündigkeit der großen Masse der Bevölkerung ermöglichten: ein beispielsloser Akt der Unterdrückung, an dessen Durchführung sich Religion und Politik gegenseitig unterstützten.[17]

Ferner ist vor allem in Johann Gottfried Schnabels (1692-ca.1744) *Insel Felsenburg* (1731-1743) ein neues Kritikmuster erkennbar. In der Renaissance-Utopie, vor allem bei Morus, herrscht die Tendenz vor, die Unterschichten vor allem als Opfer der jeweils Herrschenden darzustellen. Demgegenüber fokussiert Schnabel den Verfall der öffentlichen und privaten Moral eher schichtenneutral: Sozialkritik mündet in eine allgemeine Zivilisationskritik ein, welche die Unterschichten mit einbezieht.[18] Das Elend und die soziale Depravation durchbricht die Standesschranken und wird zum Signum des Niederganges der europäischen Zi-

---

[10] Vgl. Restif 1979, S. 558f.
[11] Vgl. Vairasse 1702, Bd. I, S. 267f, 318-320.
[12] Vgl. Fénelon 1984, S. 228f, 385, 400.
[13] Vgl. Morus 1983, S. 15-57.
[14] Vgl. Yardeni 1980, S. 17.
[15] Vgl. Diderot 1984, S. 207.
[16] Zit. n. Lichtenberger 1967, S. 77.
[17] Vgl. Meslier 1970, Bd. I, S. 19.
[18] Vgl. Schnabel 1979, passim.

vilisation insgesamt. Dieses Szenario schwingt noch in Étienne Gabriel Morellys (1717-1778) berühmtem Diktum aus dem *Code de la nature* (1775) nach, das Bewusstsein der beherrschten Masse sei nicht weniger vom Eigentumsdenken, d.h. von der Habsucht, beherrscht als das der oberen Stände.[19] Durch egoistische Motivation gleichsam atomisiert, habe das Volk, zu „einer blinden Menge"[20] verkommen, *insgesamt* den Sinn für das Gemeinwohl verloren.

Darüber hinaus weicht die für die Utopien der Renaissance und der Reformation so charakteristische Konfrontation zwischen den Depravationen der Herkunftsgesellschaft und dem idealisierten gesellschaftlichen Gegenmodell seit der Mitte des 18. Jh. zunehmend einer dialektischen Argumentationsfigur: Das, was an Fehlentwicklungen radikaler Kritik verfällt, beginnt nun, wie insbesondere bei Morelly zu beobachten, als notwendige Zwischenstufe auf dem Weg zur idealen Gesellschaft historisiert zu werden. Das Negative der Herkunftsgesellschaft avanciert also zur „List der Vernunft", die als *movens* des historischen Prozesses wirkt.[21] Diese geschichtsphilosophische Option ist nicht nur für das utopische Denken folgenreich geworden, weil sie den Übergang von der Raum- zur Zeitutopie[22] ermöglichte. Zugleich verliert die utopische Kritik ihren nur anklagenden Charakter: Die konstatieren Fehlentwicklungen selbst enthalten die vorwärts treibenden Elemente ihrer eigenen Negation.

Ein weiterer wichtiger Aspekt utopischer Kritik, der seit Morus eine entscheidende Rolle spielt, ist als eine Art selbstkritischer Umgang mit sich selbst beschreibbar. Schon Morus hielt seinem *alter ego* Hythlodeus entgegen, ob nicht das von ihm so gelobte kommunistische Gemeinwesen *Utopia* in elende Gleichmacherei, in Indolenz, ja in Mord und Totschlag enden müsse.[23] Diese Linie des Umschlags der Utopie in die Dystopie wird von einigen Utopisten der Aufklärung wieder aufgenommen und stark gemacht. Bereits de Foigny demonstriert an der Hypervernunft der Bewohner seines idealen Gemeinwesens deren eigene Dialektik: Die Überlegenheit der Utopier, die Abweichung von der Homogenität ihres Sittenkodex' nicht duldet, schlägt in offenen Terrorismus um, dem der Ich-Erzähler nur mit Mühe entkommt. Offenbar ist die Botschaft dieser Utopie, dass die Perfektion der sich selbst nicht in Frage stellenden Vernunft noch lange kein humanes Leben ermöglicht.[24]

Andere Varianten einer selbstreflexiven Kritik des utopischen Genres haben Voltaire, Diderot und Rousseau vorgelegt. Zwar handelt es sich beim Eldorado-Szenario in Voltaires' *Candid* (1759) um eine Episode in einem Roman, der in satirischer Weise unter dem Eindruck des Erdbebens von Lissabon 1755 die The-

---

[19] Vgl. Morelly 1964, S. 109.
[20] A.a.O., S. 149.
[21] A.a.O., S. 154f
[22] Vgl. Abschnitt VI.
[23] Vgl. Morus 1983, S. 54f, 147.
[24] Vgl. Foigny 1693, S. 157.

se Leibniz' und seines Schülers Wolff, wir lebten in der besten aller Welten, ad absurdum zu führen sucht. Doch lassen sich in Eldorado genügend einschlägige Elemente entdecken, die an *Utopia* erinnern: Verachtung von Gold und Edelstein, Abschottung nach außen als Schutz vor Sittenverderbnis, deistischer Vernunftglauben, Hochschätzung von Wissenschaft und Technik etc. Dennoch entscheidet sich Candid trotz der schlimmen Verhältnisse in der Außenwelt, Eldorado zu verlassen, weil ihm die Langeweile in diesem wohlgeordneten Staat unerträglich wird.[25]

Im Unterschied zu Voltaire kritisiert Denis Diderot (1713-1784) in seinem utopischen Dialog *Supplément au voyage de Bougainville* (1772) nicht die mangelnde innerutopische Differenz des idealen Gemeinwesens, sondern dessen Ohnmacht gegenüber der verdorbenen, aber dynamischen europäischen Zivilisation. Utopia tritt nicht als potenzieller Sieger, sondern als Verlierer gegenüber den Fehlentwicklungen der Herkunftsgesellschaft in Erscheinung. Dadurch verändert sich der traditionelle Gegensatz zwischen den kritikwürdigen gesellschaftlichen Zuständen und der utopischen Norm entscheidend. Letztere wird zum ersten Mal explizit mit ihrem Scheitern konfrontiert: nicht, weil sie an ihrer eigenen Dialektik zugrunde geht, sondern weil ihre imaginierte kulturelle Identität dem Zugriff der Europäer nichts entgegenzusetzen hat.[26]

Demgegenüber übte Jean-Jacques Rousseau (1712-1778) scharfe Kritik am Typus der archistischen Utopie. In seinem Roman *Nouvelle Héloise* (1761) schildert er das Szenario einer nach außen abgeschotteten Lebens- und Wirtschaftsgemeinschaft mit folgenden Merkmalen: Autarkie, fast totale Verfügungsgewalt des adligen Gründungsehepaares über die Bediensteten, Statik der sozialen Beziehungen, Luxusverbot, soziale Gleichheit, gerechte Verteilung der Güter, Stigmatisierung des Müßigganges sowie ein strenger Sittenkodex. Doch die archistische Struktur zerbricht, als der einstige bürgerliche Liebhaber der Ehefrau am Ort des Geschehens in Clarens am östlichen Ufer des Genfer Sees eintrifft: Die Leidenschaften flammen erneut auf; sie lassen sich nicht in das enge Korsett des archistischen Musters pressen, und das Experiment scheitert.[27]

III. Die normativen Grundlagen

Über die Strukturprinzipien der idealen Gegenwelt, nämlich Harmonie und Statik der gesellschaftlichen Verhältnisse, herrschte im utopischen Diskurs der Aufklärung in Anlehnung an Platon und Morus weitgehende Übereinstimmung. Allerdings wurde dieses Ideal in einer Weise „naturalisiert", wie es die älteren Klassiker nicht kannten. Wenn die Gesellschaft harmonisch funktionieren und das Glück

---

[25] Vgl. Voltaire 1987, S. 55.
[26] Vgl. Diderot 1984, S. 204.
[27] Vgl. Rousseau 1988.

der Bürger verwirklicht werden soll, dann muss sie sich der Natur annähern. Identisch mit der Vernunft, ist sie die eigentliche Gegenfolie zum Elend und der Zerrissenheit der europäischen Zivilisation. Zwar ersetzt das aus ihr abgeleitete Naturrecht Platons „Gerechtigkeit" durch die unbedingte Forderung nach „Gleichheit". Aber zugleich halten sie an der antiindividualistischen Stoßrichtung des Gemeinwohlkonzepts der älteren Tradition fest.

Dem entspricht, dass vom Ende des 17. bis zur Mitte des 18. Jh. eine deutliche Trennlinie zwischen dem Holismus des utopischen Denkens der Aufklärung und dem Individualismus des modernen Naturrechts zu konstatieren ist. Der Kontraktualist Baruch de Spinoza (1632-1677) selbst profilierte sich als erster prominenter Utopiekritiker mit dem Argument, es komme nicht darauf an, den Menschen zu schildern, wie er sein soll, sondern wie er ist.[28] Doch im Verlauf des 18. Jh. brach sich eine neue Erfahrung bahn, die durch Stichwörter wie „Rückgang auf die Empirie", „Naturalisierung des Menschen" und „Rehabilitierung der Sinne" gegen den Rationalismus Descartesscher Prägung Front machte.[29] Die Rezeption dieser „anthropologischen Wende" führte zu einer Individualisierung des utopischen Musters, ohne freilich deren holistische Struktur zu sprengen. Umgekehrt reicherte sich, wie das Beispiel von Rousseaus *Contrat Social* (1762) zeigt, das Vertragsmodell mit utopischen Elementen an, ohne freilich das individualistische Vertragsmodell zu zerstören.[30]

Allerdings wurde die Frage, wie die utopische Ineinssetzung von „Natur", „Vernunft" und „idealem Gemeinwesen" zu denken sei, unterschiedlich beantwortet. Wenn in der Renaissance Morus' *archistisch* ausgelegte *Utopia* Rabelais' *anarchistisch* konzipierte *Abtei Thélème* gegenübertrat, so bildete sich jetzt dieser Gegensatz voll aus: François Fénelon (1651-1715) mit seiner Salent- und Baetica-Utopie[31] sowie Morelly mit seiner *Basiliade*[32] und seinem *Code de la nature*[33] experimentierten mit beiden Ansätzen. Die eine Richtung ging von der Annahme aus, dass das Gesetz der Natur, von allen institutionellen Restriktionen der europäischen Zivilisation befreit, ausreiche, um die Einzelnen in einer harmonischen Gesellschaft zu sozialisieren. Sie verweisen nicht selten auf das Ideal der *bons sauvages*, der *edlen Wilden*, die in einer wohlgeordneten Anarchie leben. Es hat programmatische Bedeutung, wenn Gueudeville von dem Indianerstamm der Huronen behauptet, er ähnle den tugendhaften Bewohnern der *Utopia* des Thomas Morus am meisten.[34] Die Wilden, so müssen wir de Lahontan (1666-1716) und Gueudeville interpretieren, haben ihr Glück nicht politischen oder religiösen In-

---

[28] Vgl. Spinoza 1994, S. 7.
[29] Vgl. Garber/Thoma 2004 u. Saage 2006, S. 127-137.
[30] Vgl. Saage 2006, S. 139-151.
[31] Vgl. Fénelon 1984.
[32] Vgl. Morelly 1753.
[33] Vgl. Morelly 1964.
[34] Vgl. Gueudeville 1730, S. III.

stitutionen zu verdanken. Das Gegenteil ist der Fall. Erst deren völliges Fehlen verhindert, dass sich die Einzelnen dem Gesetz der Natur entfremden.

Aber dieses Leitbild des *bon sauvage* wurde von der anderen Richtung, der Mehrheit der Utopisten der Aufklärung, abgelehnt. Die Anhänger einer etatistischen Utopie konnten sich auf Morus nicht nur wegen des tugendhaften Lebens der Bürger ihrer idealen Gemeinwesen berufen. Darüber hinaus teilten sie dessen Option für starke Institutionen, die das gesamte Leben reglementieren. Mit Platon und Morus waren sie der Ansicht, das sich die vernünftige Natur nicht *unmittelbar*, sondern nur mit Hilfe eines allmächtigen Staates in gesellschaftliche Wirklichkeit umsetzen lasse. Deswegen stand für sie nicht die Abschaffung, sondern die Rehabilitierung herrschaftsstabilisierender Institutionen auf der politischen Tagesordnung: In dem Maße, wie sie den politischen Institutionen Geltung verschaffen und nicht durch private Interessen korrumpiert werden, ist das Allgemeinwohl des utopischen Staates verwirklicht.

Dennoch ist nicht zu übersehen, dass es im utopischen Diskurs der Aufklärung Formen des gesellschaftlichen Normenkonsenses gab, die zwischen dem archistischen und dem anarchistischen Pol der Skala oszillierten. Eine solche Position nahm Johann Gottlieb Schnabel mit seinem Roman *Insel Felsenburg* ein. Zwar verzichtet er zur Stabilisierung des Normenkonsenses nicht auf Institutionen wie die monogame Ehe oder das protestantische Reglement, welches das Alltagsleben regulieren. Doch im Sinne der schon erwähnten „anthropologischen Wende" trat sein Entwurf aus dem Schatten der *Utopia* des Thomas Morus dadurch heraus, dass er das ideale Zusammenleben psychologisierte. Tatsächlich ist die Ehe, in der sich das Glück der Menschen vollzieht, nicht wie in den Renaissance-Utopien eine Agentur des starken Staates, sondern Ausdruck geronnener Privatheit. Unter dieser Voraussetzung konnte er – ohne für eine anarchistische Position zu optieren – die politischen Institutionen zugunsten der sich entfaltenden Privatheit und des ihr entsprechenden subjektiven Glücksanspruches der Einzelnen minimieren.[35]

IV. Die materiellen Voraussetzungen

Auch wenn über die Mittel zur Erreichung des utopischen Ziels gestritten wurde, so herrschte doch über dieses selbst Konsens, nämlich gesellschaftliche Harmonie und Konfliktfreiheit als Voraussetzung „brüderliche Eintracht" (Fénelon). Doch welche Eigentumsverhältnisse und welche Lösung des Problems der Produktion, Konsumtion und Distribution strebten sie gemäß dieser normativen Vorgabe an? Grundlage der materiellen Reproduktion in den politischen Utopien der Aufklärung war die primär auf tierische und menschliche Muskelkraft beruhende Landwirtschaft. Selbst noch am Vorabend der Französischen Revolution konnten sich führende Utopisten wie Édmond Restif de la Bretonne (1734-1806),

---

[35] Vgl. Schnabel 1979, S. 236f. u. passim.

Louis-Sébastien Mercier (1740-1814) oder Diderot nicht die Umrisse einer auf Maschinen basierenden „Industriegesellschaft" vorstellen. Den Schule machenden Prämissen Platons und Morus folgend, waren ferner die meisten Utopisten der Aufklärung davon überzeugt, dass erst mit der Abschaffung des individuellen Eigentums Aussicht bestehe, die permanenten Wandlungen der Verfassung zu sistieren sowie die angestrebte Statik und Harmonie der gesellschaftlichen Verhältnisse zu erreichen.[36] Es ist paradigmatisch, wenn Morelly für den Versuch, das Gemeineigentums abzuschaffen und durch die private Verfügung zu ersetzen, die Todesstrafe vorsieht.

Wie ihre Vorgänger in der Renaissance und der Reformation traten die Utopisten der Aufklärung für eine Wirtschaftsform ein, der jede kapitalistische Dynamik abgeht: Man kann sie am besten mit dem Etikett „gebremste Ökonomie" kennzeichnen. Produktion und Distribution der Güter erfolgen nicht über den Markt zum Zweck der Profitrealisierung oder der Akkumulation von Kapital. In dieser auf Selbstversorgung festgelegten Wirtschaft gilt Geld in der Regel als nutzlos, wenn nicht sogar als schädlich. Wird es aber aus pragmatischen Gründen akzeptiert, so verliert es alle Kapitalfunktionen: Es dient nicht als Äquivalent von Tauschwerten, sondern steht – wie die Produktion insgesamt – ausschließlich im Dienst der Bedürfnisbefriedigung.[37] Diese Strukturmerkmale der utopischen Wirtschaft vorausgesetzt, stellt sich die Frage, welche Rolle der Staat im ökonomischen Leben der Utopisten der Aufklärung spielt.

Da sowohl für die Produktion als auch für die Distribution der Güter ein sich selbst regulierender Markt fehlt, kommt bei den archistischen Utopisten der Aufklärung dem Staat im Wirtschaftsleben eine überragende Bedeutung zu. In Anschluss an Morus ist in der Regel eine etatistische Bürokratie vorgesehen, deren Aufseher und Beamte für das Funktionieren des Produktions- und Austauschsystems verantwortlich sind. Sie haben nicht nur die Herstellung und Abgabe der Güter an die allgemeinen Magazine zu kontrollieren, sondern auch dafür zu sorgen, dass unter strikter Umgehung des Marktes die Bedürfnisse der Konsumenten mit nachgefragten Gütern befriedigt werden. Selbst in Utopien, die vom Privateigentum ausgehen, stimmt der Staat die Interessen der Produzenten und der Konsumenten aufeinander ab. Darüber hinaus obliegt ihm die Preiskontrolle für Lebensmittel und andere Waren. Besondere Speicher und Magazine horten erwirtschaftete Überschüsse für Notzeiten. Und selbstverständlich reguliert der Staat den gesamten Außenhandel.[38] Demgegenüber ist für den anarchistischen Utopiediskurs der Aufklärung das von Morus geprägte Schema einer staatlich regulierten Ökonomie obsolet. In dem Maße, wie sich die Naturalisierung der Utopie bis in die Sphäre der gesellschaftlichen Reproduktion hinein verlängert, muss der Na-

---

[36] Vgl. Foigny 1693, S. 60, 81, 79; Vairasse 1702, Bd. I, S. 277f.; Lahontan 1704, S. 53f.; Morelly 1964, S. 139, 181; Fontenelle 1982, S. 64; Diderot 1984, S. 204 u. 206.
[37] Vgl. z.B. Mercier 1982, S. 187, der das Privateigentums beibehält.
[38] Vgl. exemplarisch Vairasse 1702, Teil II, S. 316.

tur nicht erst durch etatistisch garantierte Arbeitsdisziplin und Verteilung der Güter abgerungen werden, was zum Erhalt des Gemeinwesens notwendig erscheint.
Wenn die Natur von sich aus den Menschen ihre materielle Existenz sichert, haben wir es in der Tat mit einer staatlich deregulierten Wirtschaft zu tun. In ihr
ist die Versorgung der Gesellschaft per se gelöst.[39] Anders verhält es sich in den
archistischen Utopien, die von der Annahme ausgehen, ihre Ziele, die Produktion
von Überschüssen bei gleichzeitiger drastischer Arbeitszeitverkürzung auf bis zu
vier Stunden pro Tag, können nicht durch Kooperation allein, sondern nur durch
Beherrschung der Natur realisiert werden. Dieses Ziel ist aber lediglich durch die
staatlich kontrollierte Mobilisierung aller Arbeitsressourcen[40], das strikte Luxusverbot[41] und die Förderung von Naturwissenschaft und Technik zu erreichen.[42]

Diese für die utopische Denkschule wichtige Triade „Mobilität der Arbeitsres-
sourcen", „Befriedigung natürlicher Bedürfnisse" und „Hochachtung für Wissen-
schaft und Technik" ist selbst für einen moderaten utopischen Autor wie Johann
Gottfried Schnabel konstitutiv. Er gründete das Wirtschaftssystem der *Insel Felsenburg* auf drei Säulen: 1. „Alle Winckel zeugten", so heißt es, davon, „daß die
Einwohner keine Müßiggänger sein müssten".[43] Neben der Religion avanciert die
Arbeit zum eigentlichen Lebensinhalt der Felsenburger. 2. Die Produktion von
Gütern ist auf die Befriedigung lebensnotwendiger Bedürfnisse beschränkt. Der
Luxuskonsum als Ursache von Habsucht, Hochmut und Wucher unterliegt einem
strengen Verdikt.[44] 3. Durch Technologietransfer verfügen die Felsenburger über
alle technischen Errungenschaften der europäischen Zivilisation. Systematisch erfolgt die Anwerbung von Wissenschaftlern, Technikern, Mathematikern, Chirur-
gen etc. Man tut alles, um die Dominanz der „zivilisatorischen Rationalität"[45] sicher zu stellen.

Dagegen ist in den anarchistischen Utopieszenarien durchaus Skepsis gegenüber dem wissenschaftlich-technischen Fortschritt erkennbar. Aufgrund der Naturalisierung der materiellen Reproduktion auf ihn nicht angewiesen, warnen sie
vor einer Luxurierung der Bedürfnisse, die das menschliche Glück zerstört.[46]

V. Das politische Muster

Wie bei ihren Vorgängern in der Renaissance und der Reformation spielte auch
im utopischen Diskurs der Aufklärung die Beziehungen zwischen den Geschlech-

---

[39] Vgl. Foigny 1693, S. 108f.; Lahontan 1704, S. 55f., Diderot 1984, S. 227.
[40] Vgl. u.a. Vairasse 1702, Teil II, S. 279.
[41] Vgl. exemplarisch Morelly 1964, S. 114, 202; Mercier 1982, S. 187.
[42] Vgl. Vairasse 1702, Teil I, S. 140; Morelly 1964, S. 170f.; Mercier 1982, S. 48.
[43] Schnabel 1979, S. 108.
[44] Vgl. a.a.O., S. 341
[45] Meid/Springer-Strand 1979, S. 602.
[46] Vgl. Lahontan 1704, S. 73; Diderot 1984, S. 227f.

tern eine entscheidende Rolle für die Stabilität der politischen Verhältnisse. Allerdings drifteten die Meinungen, nach welchem Muster sie zu organisieren seien, weit auseinander: Zwar war man sich über die Freiwilligkeit der Liebesgemeinschaft einig. Doch von wenigen Ausnahmen abgesehen[47], ging man von einer „Wesensdifferenz" zwischen Mann und Frau aus, die auf ihre soziale und politische Entmündigung hinauslief. Das Zusammenleben der Geschlechter reichte von der patriarchalischen monogamen Ehe[48] über polygame Beziehungen[49] bis hin zu geschlechtslosen Verbindungen.[50] Allerdings ist eine Tendenz zur sexuellen Libertinage in den Utopien der Aufklärung nicht zu beobachten. Wenn auch in Diderots *Supplément* die Tahitianer die Europäer ermutigen, mit ihren Frauen und Töchtern zu schlafen, so geschieht dies durchaus zweckrational: Ihr Motiv ist, durch Vermischung der Gene eine Vitalisierung der eigenen Ethnie zu erzielen.

Diese Diversifikation vorausgesetzt, folgten nicht wenige Utopisten der Aufklärung Platon und Campanellas *Città des Sol* (1602, lat. 1623) insoweit, als sie für das Funktionieren ihrer idealen Gemeinwesen auf einen Neuen Menschen nicht verzichten zu können meinten.[51] Neben überdurchschnittlicher Intelligenz und einem solidarischen Verhalten gegenüber jedermann gehört der schöne Körper zur normalen Ausstattung eines jeden Einzelnen. Auch gilt als Greis nicht selten erst, wer das 150. Lebensjahr überschritten hat. Andererseits ist freilich nicht erkennbar, dass der Neue Mensch das gezielte Produkt eugenischer Planung durch den Staat wäre, wie dies bei Platon und Campanella der Fall ist. Zwar erlässt dieser allgemeine Richtlinien, innerhalb derer sich die Sexualität zu bewegen hat. Doch wird deren zweckrationale Funktionalisierung zugunsten der Freiwilligkeit der Liebesgemeinschaft ebenso aufgegeben wie die staatliche Überwachung der Fortpflanzung. Ebenso wichtig aber ist für das Profil des Neuen Menschen im Spiegel der utopischen Diskussion der Aufklärung, dass die Reduktion des Einzelnen auf den Mechanismus einer biologischen Maschine, wie La Mettrie (1709-1751) sie im zeitgenössischen Kontext imaginierte, bei den utopischen Autoren dieser Epoche auf keine erkennbare Sympathie stieß. Auch der Neue Mensch bleibt in seiner biologischen Substanz unberührt. Alle Optimierungsversuche setzen auf Erziehung, ohne den Menschen einseitig zu biologisieren oder zu spiritualisieren.

Das politische System im engeren Sinne lässt im Vergleich zur älteren Utopietradition erkennen, dass die einschlägigen Szenarien nicht mehr auf einen einheitlichen Nenner zu bringen sind. Vereinfacht ausgedrückt, lassen sich drei Richtungen unterscheiden. Zunächst sind die Autoren zu nennen, die bewusst das archistische Erbe des Thomas Morus antreten und es weiter zu entwickeln suchen.

---

[47] Vgl. Diderot 1984, S. 204, 207, 210; Lahontan 1704, S. 98.

[48] Vgl. Morelly 1964, S. 149f., Mercier 1982, S. 26, 125, 173. 181; Fénelon 1984, S. 149.

[49] Vgl. Fontenelle 1982, S. 54; Restif 1979, S. 330f.

[50] Vgl. Foigny 1693, S. 59.

[51] Vgl. Foigny 1693, S. 53; Lahontan 1704, S. 5, 7f.; Vairasse 1702, Teil I, S. 59f.; Restif 1981, S. 498; Fontenelle 1982, S. 52f.

Tatsächlich teilen Vairasse, Fontenelle (1657-1757) und teilweise Morelly uneingeschränkt die Vorliebe Morus' für starke Institutionen im Rahmen einer platonisch interpretierten Mischverfassung.[52] Diese Option ist nicht zufällig. Zwar gehen die genannten Autoren von der ursprünglich soziablen Natur des Menschen aus. Aber diese Soziabilität ist durch äußere Einflüsse gefährdet. Nur eine „strenge Macht" (Morelly), die das Eigentumsdenken und den aus ihm folgenden Primat der Sonderinteressen durch einen starken Staat bändigt, kann das Funktionieren des idealen Gemeinwesens garantieren.

Im schroffen Gegensatz zu den Institutionalisten machen sich aber im utopischen Diskurs der Aufklärung auch anarchistische Positionen geltend, die auf eine radikale Abwertung staatlicher Einrichtungen hinauslaufen.[53] Da sich die soziable Natur ohne institutionelle Zwänge voll entfalten kann, ist mit der Auslöschung aller Konflikte die Etablierung einer staatlichen Zwangsgewalt überflüssig. Ohne zentrale Regierung ist in de Foignys Australien-Utopie selbst die Armee von jeglicher staatlicher Autorität und Befehlshierarchien abgekoppelt. Lahontans Huronen haben die Anarchie ohne Gesetze, ohne Gefängisse und ohne Herrscher eingeführt, unter der angeblich der Geringste über mehr Selbstachtung verfügt als ein Kanzler von Frankreich. Auch die Tahitianer Diderots leben in einer „wohlgeordneten Anarchie", in der sich die Familien locker um einen Häuptling scharen. Zwischen den Extremen der utopischen „Leviathane" einerseits und den Konstruktionen harmonischer Anarchien andererseits gab es freilich eine Reihe von Autoren, die mittlere Positionen vertraten.[54] Sie verzichten in ihren utopischen Entwürfen nicht auf einen Staat. Aber er ist in der Regel „unterinstitutionalisiert" und in der Ausübung seiner Zwangsgewalt eher gehemmt.

Allerdings sind alle drei Varianten nicht frei von repressiven Potenzialen. Dass die etatistischen Ansätze bei Vairasse, Fontenelle und Morelly die Autonomie des Privaten nicht akzeptieren, kann nicht verwundern. Aber auch die anarchistischen Ansätze zeigen durchaus Ansätze in Richtung auf einen „gläsernen" Menschen, wie das Gebot absoluter Transparenz und Homogenität in de Foignys Australien-Utopie zeigt.[55] Und selbst die moderaten mittleren Positionen, wie Mercier sie vertrat, schrecken vor Zensur und Bücherverbrennungen nicht zurück, wenn die kulturelle Einheit des Gemeinwesens gefährdet erscheint.[56] Diese Kontinuitätslinie zur älteren Utopietradition reflektiert sich auch in einer Reihe anderer Institutionen, die wir seit Morus kennen. An erster Stelle ist das Erziehungswesen zu nennen, dem eine überragende Bedeutung beigemessen wird, weil von ihm,

---

[52] Vgl. Vairasse 1702, Teil II, S. 307f.; Morelly 1964, S. 114; Fontenelle 1982, S. 61f., 68f.

[53] Vgl. Foigny 1676, S. 108; Lahontan 1704, S. 41, 62; Morelly 1753, S. 41, 62; Diderot 1984, S. 229; Fénelon 1984, S. 147.

[54] Vgl. Restif 1979, S. 483, 499, 506, 544; Mercier 1982, S. 165, 171; Fénelon 1984, S. 147; Schnabel 1979, S. 373

[55] Vgl. Foigny 1693, S. 59f., 81, 157.

[56] Vgl. Mercier 1982, S. 114.

wie Fontenelle es formulierte, das Glück der Bürger abhängt. Die Ausbildung ist praxisbezogen, betont des Studium der modernen Naturwissenschaft und zeigt deutlich polytechnische Züge.

Auf keine spezifische Religion festgelegt, können die geistlichen Institutionen utopischer Entwürfe vernünftig-deistische[57], naturreligiöse[58], katholische[59], protestantische[60] oder atheistische Inhalte[61] transportieren. Wie in der älteren Tradition ist die Funktion der Justiz minimiert, da die sozialen Konflikte entfallen. Die utopischen Gemeinwesen der Aufklärung kommen daher mit wenigen Grundgesetzen aus, wenn sie nicht – wie in den „wohlgeordneten Anarchien" – ganz entfallen. Das zwischenstaatliche Verhalten der utopischen Gemeinwesen der Aufklärung folgt ebenfalls der Spur, die Morus gelegt hat: Auf Verteidigung festgelegt, sind Kriege im Prinzip perhorresziert. Doch wenn sie durch Druck von außen geführt werden müssen, ist man auf diesen Fall vorbereitet.

VI. Geltungsanspruch, Formwandel und Wirkungsgeschichte

Die frühen Utopien der Aufklärung stehen noch ganz im Bann der von Morus entwickelten *Raumutopie*: Auf das Inselmotiv zurückgreifend, ist das ideale Gemeinwesen bei de Foigny, Vairasse, Fénelon, Fontenelle, Schnabel und selbst noch bei Restif nur dann zu denken, wenn es sich zwar zeitgleich, aber *räumlich* von den kritisierten europäischen Verhältnissen absetzt. In Anlehnung an Platon und Morus ist das Inselmotiv verbunden mit dem Status eines Ideals. Es beschränkt sich darauf, die kritikwürdigen Zustände der Herkunftsgesellschaft im Licht ihrer besseren Möglichkeiten zu reflektieren und die Herrscher zu begrenzten Reformen anzuregen.

In der Mitte des 18. Jh. hingegen beginnt sich eine Wende zur *Zeitutopie* anzubahnen: Nach der Entdeckung der wichtigsten Territorien dieser Welt weicht die utopische Fantasie in die Zukunft aus. Die Idealität der imaginierten Alternative bleibt zwar erhalten, aber sie nimmt einen *zeitgebundenen* prozessualen Charakter an, indem sich die utopische Antizipation mit dem säkularisierten Fortschrittsdenken verbindet. Mit diesem geschichtsphilosophisch fundierten Praxisbezug ist die Möglichkeit sowohl einer evolutionären als auch einer revolutionären Umwälzung der bestehenden sozio-politischen Verhältnisse impliziert. Morelly in *Le code de la nature*[62] und Mercier in *L'an 2440*[63] haben diesen Formwandel der Utopie auf seinen klassischen Begriff gebracht. Die Utopie der Aufklärung tritt aber noch in

---

[57] Vgl. Vairasse 1702, Teil I, S. 272 sowie Teil II, S. 195f.
[58] Vgl. Lahontan 1704, S. 2f.
[59] Vgl. Lesconvel 1706, S. 1-4.
[60] Vgl. Schnabel 1979, S. 102, 104ff, 211.
[61] Vgl. Fontenelle 1982, S. 43.
[62] Vgl. Morelly 1964, S. 154f.
[63] Vgl. Mercier 1982, S. 102.

einer anderen Hinsicht in ihrem Geltungsanspruch aus dem langen Schatten Morus' heraus. In der Utopie der Renaissance und der Reformation hatte das insulare Gemeinwesen bereits seine Vollkommenheit erreicht, ehe die Gestrandeten es als etwas objektiv Vorgegebenes „entdeckten". Im 18. Jh. werden nun die Entdecker der idealen Gegenwelt zu deren Begründern. Der passive Geist der Kontemplation sieht sich ersetzt durch die Perspektive des Akteurs, des „Machers". Diesen Trend zur Subjektivierung der Utopie hat zweifellos Mercier zu Ende gedacht. In dem Maße, wie er das utopische Gemeinwesen als Ausfluss des individuellen Traums des Verfassers darstellt, mutiert das erzählende Subjekt zum „Demiurgen", zum Produzenten der Utopie.

Die Auswirkungen der Transformation des utopischen Musters in der Epoche der Aufklärung auf das utopische Denken im 19. und 20. Jh. sind gar nicht hoch genug einzuschätzen. Nachdem Saint-Simon durch die utopische Visionierung von *Industriegesellschaften* nach der Jahrhundertwende den entscheidenden Paradigmenwechsel vollzogen hatte, lud sich gleichsam das Muster der Zeitutopie materialistisch auf. Was für die Aufklärer noch das Werk der Natur war, glaubte man nun in den materiellen Dimensionen des Industrialisierungsprozesses zu entdecken: Der wissenschaftlich-technische Fortschritt wirkte hinter der Transformation, welche die Realisation des in die Zukunft projizierten idealen Gemeinwesens zu verbürgen schien.

Ein weiteres Erbe der Aufklärungsutopien, das den Diskurs des 19. und 20. Jh. beeinflusste, ist deren Entdeckung der Subjektivität. Vor allem Charles Fourier und Edward Bellamy machten sich für eine stärkere Entfaltung der subjektiven Bedürfnisse stark. Fourier trat für Arbeitskonzepte mit minimalen Entfremdungskosten ein.[64] Bellamy nahm als einer der ersten Utopisten das Streben vieler Menschen nach freier Wahl der Konsumgüter ernst.[65] Und am Anfang des 20. Jh. forderte Herbert George Wells, das Homogenitätsdenken der utopischen Tradition durch einen dezidierten Individualisierungsschub auf ein zeitgenössisches Niveau zu heben.[66] Wie Michel Houellebeqcs dystopisches Szenario in *La possibilité d'une ile* zu Beginn des 21. Jh. zeigt, hat unterdessen die Subjektivierung der Utopie bereits deren Form nachhaltig verändert: Nicht die objektivierende Darstellung eines fiktiven Gesellschaftsbildes ist heute hegemonial, sondern deren subjektiv gebrochene Gestalt im Bewusstsein der in ihm agierenden Subjekte.[67]

Das 20. Jh. knüpfte darüber hinaus vor allem an zwei weitere Trends der Utopien der Aufklärung an: den möglichen (dialektischen) Umschlag der Utopie in das Gegenteil des positiv Intendierten einerseits und die anarchistische Naturalisierung andererseits. Obwohl es bereits Vorläufer 19. Jh. gab, wurde der erste Trend vor allem nach dem Ersten und Zweiten Weltkrieg hegemonial. Die

---

[64] Vgl. Saage 2002a, S. 61-85.
[65] A.a.O., S. 135-155.
[66] Saage 2003, S. 23-49.
[67] Vgl. Houellebecq 2005.

Materialschlachten zwischen 1914 und 1918, den Aufstieg totalitärer Unrechtsstaaten in der Zwischenkriegszeit, das System der Vernichtungslager während des NS-Regimes und der sowjetischen Gulags sowie den Abwurf der Atombomben auf Hiroshima und Nagasaki vor Augen, schien sich die Kluft zwischen den technischen Möglichkeiten der Repression und des Völkermordes auf der einen und die defizitäre individuelle Verantwortungsfähigkeit der politischen und wissenschaftlich-technischen Eliten auf der anderen Seite immer mehr zu öffnen. Was in der Epoche der Aufklärung tentativ im utopischen Diskurs als Ausfluss ihrer eigenen Dialektik angedacht wurde, entpuppte sich nun als ein kollektives Grauen, das aus der Möglichkeit der realen Selbstvernichtung der Menschheit resultierte. Auf sie reagierten Jewgenij Samjatin mit seinem dystopischen Szenario *Wir*, Aldous Huxley mit seiner imaginierten Fiktion einer bio-chemisch und genetisch ruhig gestellten *Brave New World* sowie George Orwell mit seinem totalitären Zwangssystem von *1984*: Kein utopischer Entwurf heute kann Glaubwürdigkeit für sich beanspruchen, der nicht durch das dystopische Filter dieser Szenarien hindurch gegangen ist.

Auf diesem Hintergrund wird auch die Renaissance anarchistischer Szenarien seit den 1970er und 1980er Jahren verständlich. Nachdem die autoritären utopischen Ordnungsbilder durch die realen Totalitarismen diskreditiert zu sein schienen und die rücksichtslose Naturausbeutung sowohl in den realsozialistischen als auch in den kapitalistischen Ländern eine ökologische Katastrophe heraufbeschworen hatte, schien die Stunde des vor allem in der Aufklärung entwickelten anarchistischen *bon sauvage*, freilich den Verhältnissen postindustrieller Gesellschaften angepasst, geschlagen zu haben. Die sich auf ihn berufenden utopischen Gesellschaftsbilder traten ein für ein partnerschaftliches Verhältnis mit der Natur, für dezentralisierte Gemeinwesen, für die Emanzipation der Frau und für basisdemokratische Partizipation an der politischen Willensbildung unter den Bedingungen möglichst flacher sozialer Hierarchien: Forderungen, die heute genau so uneingelöst sind wie in der Epoche der Aufklärung und gerade deswegen ihren utopischen Charakter bewahrt haben.

Kapitel 6

Utopie und Architektur (gemeinsam mit Eva-Maria Seng)

I. Das Verhältnis von Utopie und Architektur

Sowohl das erste utopische Staatsmodell, Thomas Morus' *Utopia*, das 1516 erstmals publiziert wurde, als auch das erste architekturtheoretische Traktat der Nachantike, Leon Battista Albertis *De Re Aedificatoria*, welches 1485 im Druck erschienen ist, lehnen sich bewußt an antike Modelle und Schriften an. So berief sich Morus in seinem Werk explizit auf Platons *Politeia* als Ausgangspunkt seiner Gedanken über den idealen Staat, indem er das, „was Platon in seinem ,Staat' erfindet", mit dem, „was die Utopier in ihrem Staate tun", verglich.[1] Leon Battista Alberti hingegen griff auf Vitruvs *De Architectura Libri Decem*, die einzige aus der Antike erhaltene Schrift über Architektur, zurück, rekurrierte aber auch auf Vorstellungen Platons, Aristoteles', Ciceros, Varros und weiterer antiker Schriftsteller.[2] Morus und Alberti entstammten der Geistesbewegung des Humanismus. Ein weiteres übereinstimmendes Element zwischen der „Denkform" der „Gattung Utopie für die Ausbildung moderner Handlungs- und Denkstrukturen" besteht in ihrem Anspruch auf Veränderung, die nun nicht mehr der menschlichen Aktivität entzogen, sondern dem Menschen aufgegeben ist, diese „in die Hand zu nehmen und neu und erst eigentlich zu formen."[3]

Eine ähnliche Anforderung finden wir auch in den architekturtheoretischen Werken und den Idealstadtplanungen, in denen dem Architekten die Aufgabe zugewiesen wird, die anstehenden Probleme des engen Zusammenlebens rational zu lösen. Der ordnende menschliche Verstand des Architekten hatte die „ideale Existenz des Gemeinwesens für alle Teile zu garantieren, für reich und arm, für Händler und Handwerker, für Stadtbürger und Bauer, für Kranke und Gesunde, für Priester wie Straffällige". Die ordnungsstiftende Kraft der Baukunst, ihre Rationalität und Gesetzmäßigkeit erzwinge – so die Deutung Notker Hammersteins und wohl auch das beabsichtigte Ziel der Planer – „die dementsprechenden politisch-sozialen Verhaltensweisen der Menschen."[4] Wird in der utopischen Literatur nicht mehr die Veränderung auf eine ins Jenseits projizierte heilsgeschichtliche Konzeption des Himmlischen Jerusalem verlagert, sondern der gewollte Traditionsbruch vorgestellt, so wandeln sich auch Architektur und Städtebau unter dem Einfluss humanistischer Vorstellungen von einer hinzunehmenden Seinsgegebenheit

---

[1]   Morus 1996, S. 9-110, v. a. S. 4
[2]   Vgl. zu den gesamten folgenden Überlegungen Seng 2003, hier S. 155-160; S. 265f.; Holl 1990, S. 9-30, v. a. S. 9 u. S. 28, Anm. 1.
[3]   Nipperdey 1962, S. 357-378, hier S. 362ff.
[4]   Seng 2003, S. 158; Hammerstein 1984, S. 37-53, v. a. S. 52.

zu einer aktiven Gestaltungsaufgabe für die städtische oder staatliche Obrigkeit im Sinne eines *bonum commune* des gesamten Gemeinwesens. Insbesondere der Städtebau, städtische Infrastruktur und deren Verwaltung transformieren sich von reaktiven, lediglich schadensbekämpfenden Maßnahmen zu aktiver Planungstätigkeit mit gestalterischen Kompetenzen.

Hintergrund dieser Vorgänge war die allgemeine Ordnungsmentalität des neuzeitlichen Staates mit seinem um Wohlordnung des Gemeinwesens unter der Formel „guter policey" bemühten staatlichen Regiment. Letztendlich haben diese Vorstellungen ihre Fundierung in der aristotelischen Politik und Ethik, die seit dem 12. Jahrhundert in einem ungeheuren Siegeszug zunächst die humanistischen Zentren, die Stadtstaaten Italiens, und mit gewisser Verzögerung auch andere Stadtlandschaften und schließlich die Territorialstaaten beeinflußten. Aristoteles' diesseitig-rationales staatliches Ordnungsmodell mit dem Ziel der Staatskunst und der Gemeinschaft oder Gesellschaft des Gut-Lebens und Sich-Gut-Gehabens, entwickelt am griechischen Stadtstaat, war dabei problemlos auf die italienischen Kommunen zu übertragen, indem die Frühhumanisten ihr eigenes Gemeinwesen mit dem antiken Athen gleichsetzten. Das galt ähnlich für die freien Reichsstädte nördlich der Alpen und schließlich für die frühneuzeitlichen Territorialstaaten.[5] Aber auch das Strukturmerkmal der sozialen Funktion von Architektur und Stadtplanung ist in Morus' *Utopia* präsent. Sie stellen keine „reinen" Formprinzipien dar, sondern sind eingebunden in die Gesamtkonzeption eines „guten Lebens" für einen Neuen Menschen, welches der chaotischen Natur erst durch Arbeit und Ausbeutung ihrer Potenziale abgerungen werden muss. Die Disziplinierung der menschlichen Natur, ohne die eine solche Auseinandersetzung scheitern würde, schlägt sich nicht zuletzt im Sinnbild der geordneten, rational angelegten Städte in den utopischen Konstrukten nieder.

Ihre Wirkung und weitreichende Entsprechung konnten solche Vorstellungen sowohl in den Utopien als auch im frühneuzeitlichen Staat auf einer *tabula rasa* entfalten – also bei Stadtneugründungen, in denen das Ideal der wohlangelegten, geordneten, sauberen steinernen Stadt durch vorhergehende Planung umsetzbar war. Das Tabula-Rasa-Verfahren hat in den Utopien und insbesondere in Morus' *Utopia* gleichfalls paradigmatische Bedeutung. Wenn *Utopia* eine von außen nur schwer zugängliche Insel ist, dann bezeichnet diese Tatsache den Kern der „utopischen Methode" selbst. Sie hat ihr Vorbild in den Bedingungen eines naturwissenschaftlichen Experiments. Nur in einem Raum, der sich nach außen abschottet, kann ein Versuch gelingen, die Lebensbedingungen der Menschen und diesen selbst radikal, d.h. von Grund auf neu zu gestalten und die utopische Stadt gleichsam auf einer *tabula rasa* zu imaginieren. „Ihre Orientierung gewinnt sie nicht aus einem in der Transzendenz verankerten Kosmos hierarchischer Seinsqualitäten, sondern aus der Rationalität geometrischer Basisfiguren wie dem Quadrat,

---

[5] Seng 2003, S. 265.

dem Rechteck oder dem Kreis. Zwar rekurrierten die mittelalterlichen Grundrisse des Himmlischen Jerusalem ebenfalls auf einer geometrischen Ikonographie. Und selbstverständlich war den mittelalterlichen Baumeistern die euklidische Geometrie bestens bekannt. Doch deren Muster symbolisierten die göttliche Weltordnung, welche sich dualistisch abhob vom Chaos des ‚Reichs des Bösen'. Demgegenüber erlangten in der Frühen Neuzeit geometrische Basisfiguren eine ganz andere Bedeutung. Weltimmanent ausgerichtet, stellten sie das technische Medium dar, innerhalb dessen Funktionalität, Homogenität und Transparenz zum Signum einer neuen Stadt avancierten. Auf geometrische Muster bezogene Stadtgestaltung und Architektur verstehen sich nicht länger mehr als Symbol einer göttlichen Weltordnung, der eine Anpassung an aus der Tradition entstandenen oder an natürliche Gegebenheiten entspricht. Vielmehr vollziehen sie sich in berechenbaren Formen, die der Natur von außen aufgezwungen werden".[6]

Allerdings gibt es keine einmal festgelegte architektonische Struktur für literarische Utopien. Wie nämlich die Utopien als Gegenentwurf auf ihre Herkunftsgesellschaft reagieren, so sind die jeweiligen architektonischen Modelle epochenspezifisch gebrochen. Die Architekturkonzeptionen reflektieren das jeweilige Ideal des menschlichen Zusammenlebens und den jeweiligen technologischen Stand, der zu den architektonischen Wunschbildern herangezogen wird. Architektur wie Utopie lassen demnach Rückschlüsse auf die jeweilige gesellschaftliche und wirtschaftliche Umbruchsituation zu. Die literarischen Utopien beziehen ihre Inspirationen für ihre architektonischen Gestaltungsvorstellungen großteils aus den Idealkonzeptionen der jeweiligen Zeit. Teilweise – wie im Falle von Johann Valentin Andreas *Christianopolis* – werden sogar schon im Entstehen begriffene Idealstädte oder wie in Nikolai Tschernyschewskijs *Was tun?* existente avantgardistische Gebäude für ihre Visionen herangezogen. Dennoch hat nicht jedes städtebauliche und architektonische Artefakt eine utopische Dimension, wie jene Varianten zeigen, die nichts weiter sein wollen als eine Fortsetzung von Traditionslinien des Wohnens und des Arbeitens in einem urbanen Kontext, aus denen auch die letzten Reste einer überschießenden Imagination getilgt scheinen. Doch wenn die Architektur und die Stadtplanung, so gesehen, auch ohne eine utopische Stoßrichtung auskommen, gilt der umgekehrte Fall nicht: Das utopische Konstrukt hat, so kann ohne Übertreibung gesagt werden, immer auch eine architektonische und städteplanerische Dimension.

II. Zwei Varianten des utopischen Musters

Die Utopieforschung arbeitet seit langem mit zwei Modellen utopischer Entwürfe: dem Idealtypus der archistischen versus demjenigen der anarchistischen Utopie,

---

[6]   Saage/Seng 1996, S. 677-692, hier S. 680.

die jeweils ihr Verhältnis zur Architektur im weitesten Sinne strukturell beeinflusst haben. Ihr spezifisches Profil folgt aus ihrem unterschiedlichen Verhältnis zur Natur. Sie wird im Kontext der Utopiediskussion als eine subjektbezogene Kategorie verstanden, nämlich als Grundlage der menschlichen Lebensbedingungen im Allgemeinen. In dieser anthropomorphen Ausrichtung hat die Natur eine Innen- und eine Außenseite. Mit der Außenseite sind beispielsweise die klimatischen Verhältnisse, die Beschaffenheit des Bodens, die geographische Lage, Flora und Fauna etc. gemeint. Die Innenseite der Natur umfasst demgegenüber Bewusstsein, Seele, Intelligenz, Erotik, Instinkte, Triebe etc. Für das utopische Muster ist nun von entscheidender Bedeutung, welche Stellung es dem Menschen gegenüber der äußeren Natur einräumt und wie seine innere Natur auf diesen Außenbezug reagiert. Zwei Möglichkeiten zeichnen sich im Utopiediskurs von der Antike bis zur Gegenwart ab. Die eine Variante sieht in der äußeren Natur eine zerstörerische Gewalt, die, um ein zivilisiertes Leben führen zu können, erst gebändigt werden muss, bevor sie sich zum Wohl der Menschheit auswirkt. Für diese Utopievariante steht also die Naturbeherrschung im Vordergrund: Um Utopia denken zu können, muss der Natur erst durch Arbeit mühsam abgerungen werden, was der Mensch in materieller Hinsicht für ein „gutes Leben" benötigt.

Gleichzeitig hat dieses herrschaftsbezogene Verhältnis der Menschen zur äußeren Natur Auswirkungen auf seine innere: Nur ein Höchstmaß an innerer Disziplin, die durch etatistische Strukturen zu garantieren ist, eröffnet die Chance, den Herausforderungen der äußeren Natur gewachsen zu sein. Andreas Voigt hat diesen Sachverhalt für die utopische Denktradition anthropologisiert, wenn er von einem „archistischen" (herrschaftsbezogenen) und einem „anarchistischen" (herrschaftsfreien) Utopietypus ausgeht. Das charakteristische Merkmal archistischer Utopien sah er im Verhältnis der Einzelnen zu Herrschaft und Zwang. Sie „unterwerfen sich gern der Herrschaft anderer, weil sie bei ihnen Schutz, Ruhe, Frieden und Befreiung von den Sorgen um ihre materielle Existenz finden. Es sind die unselbständigen Naturen, die der Fürsorge, der Hilfe, der Beratung bedürfen und sich dort wohl fühlen, wo sie ihrer Natur gemäß leben können".[7] Entsprechend sieht er das archistische Utopieideal in einem Staat mit starker, allumfassender Zwangsgewalt, der die Beziehungen der Einzelnen von der Wiege bis zur Bahre in allen Einzelheiten regelt. Die archistische und anarchistische Utopie korrelieren, so muss man Voigt ergänzen, eng mit den Wurzeln der europäischen Kultur in der europäischen Antike.[8] Zu Recht gilt als antikes Urmuster des archistischen Gesellschaftsentwurfs neben den Konzeptionen des Lykurg und des Euhemeros vor allem Platons *Politeia*.

Die anarchistische Variante verfährt umgekehrt: Ein kooperatives Verhältnis anstrebend, steht sie für ein Leben in Übereinstimmung und Harmonie mit der äu-

---

[7] Voigt 1906, S. 17-20.
[8] Saage 2009, S, 27-48. Dort sind auch die antiken Quellenangaben zu finden, auf die wir uns beziehen.

ßeren Natur. Diese muss nicht unterworfen werden, sondern sie setzt auf einen natürlichen Automatismus, der die Menschen mit allem versorgt, was sie zum guten Leben benötigen. Die Kooperation mit der äußeren Natur entbindet zugleich von dem Zwang der inneren Disziplinierung. Wenn diese entfällt, kommt das utopische Gemeinwesen mit einem Mindestmaß an repressiven Institutionen aus. Institutionelle Zwänge sind die eigentliche Ursache dafür, dass Menschen depravieren und sich in ihrem Verhalten von Aggressionen leiten lassen. Zu Recht bezeichnet Voigt diesen Utopietypus als „anarchistisch". Sein Leitbild ist das der absoluten persönlichen Freiheit. Der höchste Wert ist für die Einzelnen die individuelle Autonomie. „Wirtschaftliche Sicherheit, Frieden sind ihnen Güter, die sie jedenfalls nicht um den Preis der Selbständigkeit, der freien Entfaltung ihrer Eigentümlichkeit, von einer höheren Macht verliehen haben möchten".[9] Jeder Zwang, jede Art von Herrschaft, Regierung, Polizei und Justiz werden verworfen. Die utopische Phantasie, die dem anarchistischen Muster zugrunde liegt, sieht also umfassende Räume vor, die nicht der Regulation der Sozialmechanismen unterworfen sind. Planender Ratio weitgehend entzogen, spielt die Unterordnung der Natur unter das gesellschaftliche Nutzenprinzip nur eine untergeordnete Rolle.

Vorläufer des anarchistischen Utopietyps in der Antike sind jene Mythen bzw. Dichtungen, die von Völkern jenseits der Zivilisation als „edle Barbaren" (Herodot) oder als Hirten (Vergil, Horaz, Ovid) in einem „Goldenen Zeitalter" (Hesiod) leben. Dieses Leitbild stützte sich bis in die römische Zeit hinein auf die Überzeugung, dass der Ort, an dem der Mensch seine partnerschaftlichen Beziehungen zur Natur verwirklicht, nicht die Stadt, sondern das Land ist. Nicht die auf geregelte Strukturen zurückzuführende Stadt ist anzustreben, sondern naturnahe Behausungen aus organischem Material wie Holzhütten und Zelte, deren einzige Funktion darin besteht, sich gegen die Unbilden des Wetters zu schützen. Trotz einiger identischer Optionen, die dieser Utopietypus mit der archistischen Tradition teilt wie das Gemeineigentum am Boden und die Frauen- und Kindergemeinschaft, tritt an die Stelle „harter", das Verhalten der Menschen steuernder Strukturen eines „starken Staates" deren Abschaffung. Die Arbeit verliert ihren repressiven Charakter, weil der „Automaton der Natur" für alle sorgt. Der Selbstgenügsamkeit der Bedürfnisse wird mit der Möglichkeit eines derben Hedonismus in Form von Schlaraffenlandphantasien konfrontiert.

Im Folgenden soll anhand von sechs Aspekten diskutiert werden, wann welche architektonischen Modelle und Aspekte aufgrund der jeweiligen zeitgenössischen Anforderungen an gesellschaftliche Veränderungen aufkamen: Es geht also 1. um die archistische Utopietradition und deren architektonische Vorstellungen, 2. um die anarchistische Utopietradition und deren architektonische Konzepte, 3. um Mischmodelle mit herrschaftsfreier Stoßrichtung unter Beibehaltung eher traditioneller Architekturformen, 4. um Mischmodelle in der Perspektive eines neuen

---

[9] Voigt 1906, S. 18.

stadtplanerischen Modells auf der Basis neuer Wohnformen unter den Vorzeichen der Naturalisierung in Form der Gartenstadt, 5. um die Auswirkung frauenemanzipatorischer Vorstellungen auf architektonische Modelle in Gestalt des Gemeinschaftshauses und 6. um utopische Architekturmodelle unter den Vorzeichen von Ökologie und Nachhaltigkeit. Teil III ist der abschließenden Wertung des Verhältnisses von Utopie und Architektur gewidmet.

1. Die archistische Utopietradition und deren architektonische Vorstellungen

Platon äußerte sich in seinen Schriften nur selten über Stadtideen bei der Entwicklung idealer Gemeinwesen. So ist in seinem Polisentwurf in der *Politeia* keine besondere Stadtkonzeption zu erkennen. In diesem Dialog geht es ihm um die Gerechtigkeit, die er in einem Ständestaat mit drei Ständen, Bürgern (Bauern, Handwerker, Lohnarbeiter), Wächtern und Philosophen als Regenten verwirklicht sah. Dem niedrigsten Stand der Bürger war der ganze Bereich der Produktion, Distribution und Arbeit zugeordnet, den Wächtern Kontrolle und Aufsicht über die Bürger sowie die gesamten militärisch-polizeilichen Aufgaben und den Regenten die politischen Funktionen.

Den Schlüssel zur Erreichung des idealen Staatszwecks sah Platon darin, dass die Verfügung über Privateigentum und die daraus resultierenden Spannungen die Sphäre der Politik nicht beeinflussen dürfen. Dementsprechend sollte in seinem Entwurf die politisch herrschende Klasse eigentumslos bleiben, während die untere produktive Schicht auf der Grundlage von Privateigentum und Privatinteressen wirtschaftete.[10] Doch im *Kritias* verändert sich das Erkenntnisinteresse Platons: Es richtet sich auch auf die architektonischen und städtebaulichen Rahmenbedingungen, in denen sich seine ständestaatliche Konzeption mit Leben erfüllen soll. So beschreibt er in seiner Rekonstruktion der Ur-Verfassung Athens, den athenischen Burgberg und damit erstmals eine ideale Stadtanlage. Dieser Burgberg sei damals noch flacher gewesen und die ganze Stadt so auf einer Hochebene angelegt worden. Ihre äußeren Abhänge waren von Handwerkern bewohnt, während die oberen Teile des Berges den Tempeln und den Priestern und Kriegern zur Wohnung vorbehalten gewesen seien. Diesen Teil sah er dann auch von einer Ringmauer umgeben vor. In der sich anschließenden Beschreibung der Insel Atlantis nimmt er wieder die Vorstellung eines durch Wassergräben und Erdwälle geschützten Burgberges auf.[11]

In den *Nomoi* schließlich gibt er die umfangreichsten Angaben zur Anlage einer Stadt. Diese zwischen den für Platon beiden extremen Staatsformen, der Monarchie und der Demokratie, angesiedelte Stadt bzw. Staat, sollte „achtzig Stadien

---

[10] Platon 1994, S. 194ff; Kersting1999; Saage 1989, S. 9-45; Saage 1991, S. 15ff. Zum gesamten Abschnitt siehe auch Seng 2003, S. 160-167.

[11] Platon 1994a, 111 e-112 e, S. 113f. u. 113 c-114 a, S. 115f

von der See entfernt" angelegt werden, aber im Gegensatz zu den in der *Politeia* geäußerten Vorstellungen nicht vollkommen abgeschnitten, sondern durch die Entfernung von achtzig Stadien zum Meer von den negativen Einflüssen des Handels und der übers Meer eingeführten schlechten Sitten etwas geschützt sein. Wiederum bestand die Stadt im Zentrum aus einem mit einer Ringmauer geschützten Burgberg als Standort der „Heiligtümer" und Wohnsitz der Wächter über die Stadt. Die Stadt selbst und das zu ihrem Gebiet gehörende Umland war in zwölf Bezirke unterteilt. Die angenommene Zahl von Grundbesitzern und Verteidigern der Stadt ging von 5040 Einwohnern aus, die jeweils auf die zwölf Bezirke, zwölf Gottheiten sowie die Wohnstätten und den Grund und Boden durch Los verteilt wurden. Je nach Beschaffenheit und Fruchtbarkeit des Bodens waren diese größer oder kleiner zugeschnitten. Jeder sollte eine Wohnung in der Nähe der Mitte und an der Peripherie der Stadt erhalten.

Für die weitere Bestückung der Stadt sah er neben dem Tempelberg, auf dem auch der Markt sowie Gebäude für die Obrigkeiten und Gerichte, Turnschulen, Schulen und Schauspielhäuser geplant waren, auf allen hochgelegenen Stellen der Stadt weitere Tempel vor. Die Anlage der wichtigsten Gebäude auf Erhebungen begründete er mit der besseren öffentlichen Hygiene, wie überhaupt der Reinlichkeit und Sauberkeit und dem Abfluß des Regenwassers besondere Aufmerksamkeit zukam. Eine Ummauerung dieser Stadt lehnte Platon jedoch aus zweierlei Gründen ab. Einerseits sei dies der Gesundheit der Stadt nicht zuträglich und andererseits verweichliche es die Bewohner und schwäche ihren Verteidigungswillen. Dagegen sollte von Anfang an der „Grundriß der Einzelwohnungen so ... [entworfen werden], daß die ganze Stadt zu einer Mauer werde, indem alle Wohnungen durch ihre Gleichförmigkeit und Ebenmäßigkeit nach der Straße zu Sicherheit erlange[n], und damit die Stadt, indem sie als eine Wohnung erscheint, keinen unangenehmen Anblick darbiete".[12] Wie weitreichend die Wirkung dieses Satzes nicht nur für die literarischen Schilderungen in den utopischen Staatsromanen, sondern auch für die frühneuzeitliche Stadtplanung war, ist mehrfach schon betont worden.[13]

In seiner Kritik der sozialen und politischen Missstände der europäischen Gesellschaft des 16. Jahrhunderts[14], sich dabei wohl auf Idealstadtkonstruktionen stützend, spann Thomas Morus seine städtebaulichen Vorstellungen noch weiter. Ähnlich wie Platon entwickelte er seinen Weltentwurf nicht auf der Grundlage bestehender Verhältnisse – nun einer spätmittelalterlichen Stadt –, sondern brach mit den traditionellen Vorgaben und ließ das Gemeinwesen gleichsam auf einer *tabula rasa* entstehen. Sein alternatives Gesellschaftsmodell basierte dementsprechend auch auf rationaler Planung und bewusster Konstruktion. Ausdruck und

---

[12] Platon 1994b, V,737 c-738 b, S. 295f.; V, 745 c-745e, S. 305f. VI, 778 c-779 d, S. 342ff. u. XII, 968 a-969 c, S. 572ff.

[13] Eimer 1961, S. 48f; Kruft 1989, S. 11.

[14] Saage 1989a, S. 11ff; Elias 1985, S. 101-150, v. a. S. 110.

Sinnbild dieser nicht mehr hierarchischen Seinsqualitäten, sondern vernunftmäßiger säkularer Rationalität verpflichteten Stadtgestaltung, war die Konstruktion der Stadt auf berechenbaren geometrischen Basisfiguren wie Quadrat, Rechteck oder Kreis gegründet. So wurde die Insel *Utopia* von ihrem Gründungsvater Utopos nach seiner Landung und dem Sieg über das dort lebende „rohe und wilde Volk" vom Festland getrennt und isoliert und die erste Stadt Amaurotum von ihm zweckmäßig konzipiert. Die Insel erhielt eine Gestalt, deren Küsten „einen wie mit dem Zirkel gezogenen Kreisbogen von fünfhundert Meilen Umfang [bilden] und (. . .) der ganzen Insel (. . .) [das Aussehen] des zunehmenden Mondes [geben]." Die 54 Städte der Insel wurden dann nach der ersten „im Nabel des Landes" gelegenen Hauptstadt Amaurotum vollkommen übereinstimmend in Sprache, Sitten, Einrichtungen, Gesetzen und, falls es die geographische Situation zuließ, auch in der „Anlage" und im „Aussehen" gebildet, so dass, wie Morus betonte, „wer eine von ihren Städten kennt, kennt alle: so völlig gleichen sie einander (. . .)".

Amaurotum wird als stark befestigte Stadt mit quadratischem Grundriß geschildert, deren Straßen zweckmäßig angelegt seien: „Sowohl günstig für den Verkehr, als auch gegen die Winde geschützt." (. . .) „Die ganze Stadt ist [weiterhin] in vier gleich große Bezirke" unterteilt, denen in ihrer Mitte je ein Markt eingefügt ist, wo in Speichern und Magazinen die Waren gesammelt und nach Bedarf verteilt werden. Nicht nur Anlage, Aussehen und Aufbau der Stadt ist von diesem Höchstmaß von Homogenität und rationalistischer Planung gekennzeichnet, sondern auch die einzelnen Häuser. Es handelt sich, wie in den *Nomoi*, um Typenhäuser, die in langer und blockweise zusammenhängender Reihe angeordnet sind. „Die Fronten der Häuserblocks trennt eine zwanzig Fuß breite Straße." Und an den Rückseiten der Blöcke zieht sich ein von allen Seiten eingeschlossener Garten hin, der abschnittweise den einzelnen Häusern zugeteilt ist. Alle Häuser bestehen aus drei Stockwerken, besitzen ein „Vordertor zur Straße" und „eine Hinterpforte zum Garten". Der Auswechselbarkeit der standardisierten Häuser entspricht auch das turnusmäßige Wechseln der Häuser durch die Bewohner in zehnjährigem Abstand, ebenso das Fehlen jeglichen Privatbereichs und Individualität der Utopier. So lassen sich die Türen ihrer Häuser „durch einen leichten Druck der Hand öffnen" und stehen demnach jedem offen, ihr Tagesablauf ist vollkommen gleich, ihre Kleider haben denselben Schnitt, sie nehmen häuserblockweise gemeinsam die Mahlzeiten in geräumigen Hallen ein, ihre Frauen wie Männer üben gemeinsam den Ackerbau aus und erlernen alle ein besonderes Handwerk.

Zwar seien auch die Häuser der Utopier ursprünglich „eine Art von Hütten und Buden, planlos aus irgendwelchem Holz errichtet, gewesen, die Wände mit Lehm verschmiert, die Dächer steil und strohgedeckt", doch mit weiterem Ausbau und Ausschmückung des Landes und mit der Aneignung technischer Neuerungen durch die Utopier bestünden ihre Häuser nun aus Granit, anderem harten Gestein oder aus Backsteinen, seien innen mit Mörtel verputzt und mit feuerfesten Kunststeinen flach gedeckt. Auch ihre Fenster sind mit der im Hausbau damals aufkommenden Verwendung von Glas gegen den Wind verschlossen. Aufgrund dieses soliden Bauwesens und der „Regelung aller dieser Dinge" würden die Häuser sehr lange halten, so dass die „Bauhandwerker zeitweise kaum etwas zu tun hätten" im Gegensatz zum Bauaufwand bei anderen Völkern. Die Verwirklichung seines Gesellschaftsmodells sah er zwar auch an umfangreiche Ordnungs- und Regelungsmechanismen geknüpft. Doch wurden sie flankiert durch die Veränderung der sozio-politischen Verhältnisse. So betonte Morus als Kern der Verfassung der *Utopia* die Errichtung des Gemeineigentums als Basis des gesamten Wirtschaftslebens. Produktion, Distribution und die Organisation der Arbeit zielten nicht auf individuelle Profitrealisierung, sondern auf die kollektive Bedürfnisbefriedigung des Gemeinwesens. Garanten und Aufsichtspersonen des Staates sind dabei zentrale (lebenslänglich gewählter Staatspräsident, Senat) und lokale Behörden, die wie schon bei Platon aus den Experten, dem Stand der wissenschaftlich Gebildeten rekrutiert werden.[15]

Tommaso Campanellas Sonnenstaat *La Città del Sole*, der erstmals in italienischer Fassung 1602, dann ins Lateinische übertragen, 1623 in Frankfurt publiziert wurde, folgt sowohl in der literarischen Form eines Dialoges als auch in der Konstruktion eines „besten" Staates Platons *Politeia*. In der Tradition des utopischen Denkens der Frühen Neuzeit stehend, verfasste der ehemalige Dominikanermönch Campanella das Werk 1602 zu Beginn einer 27jährigen Kerkerhaft in Neapel im Castel dell'Ovo und in St. Elmo, zu der er als einer der führenden Köpfe des kalabresischen Aufstandes gegen die spanische Herrschaft in Süditalien nach dessen Verrat kurz vor der Ausführung verurteilt worden war.[16] Ähnlich wie zuvor schon Thomas Morus in seiner *Utopia* entwickelte Campanella eine weitgehend säkularisierte Alternative als Kritik an den eigenen sozio-politischen Verhältnissen. Auch für ihn resultierte aus dem Privateigentum die tiefgreifende Polarisierung der Gesellschaft, ebenso – und darin Platon folgend – wie aus der monogamen Ehe, die er durch Frauen- und Kindergemeinschaft ersetzen wollte, erweitert um umfangreiche eugenische Maßnahmen unter staatlicher Kontrolle und ein umfassendes Erziehungs- und Ausbildungsprogramm. Sein planwirtschaftliches Wirtschaftssystem geht (wie in der *Utopia*, d.V.) von einer erwartbaren Überflussproduktion, einer totalen Mobilisierung aller Arbeitsressourcen, aber auch einer Reduktion der täglichen Arbeitszeit auf vier Stunden aus. Erneut zeigt sich eine Aufwertung der Arbeit im allgemeinen und des Handwerks im besonderen. Aufstieg und Einfluss in dem expertokratischen Gemeinwesen sind dementsprechend an Kenntnisse in den Wissenschaften und Handwerken gebunden. Die Spitze des Staates nimmt ein in allen Wissenschaften, Erfindungen, Gebräuchen, Sitten, Gesetzen und Handwerken am besten unterrichteter Mann, der „Sol", ein. Ein Behördensystem und 24 Priester bildeten die weiteren Grundlagen des Über-

---

[15] Alle *Utopia* betreffenden Zitate befinden sich bei Morus 1996, S. 44-63; Saage 1997, S. 134-145, hier S. 135ff.

[16] Campanella 1993, S. 113-169; Saage 1998, S. 15-26; Bruyn 1996, S. 71-84.

wachungsapparates des hierokratischen Staates, durch die sämtliche Lebens- und Tätigkeitsbereiche, bis hin zur Stunde des Beischlafs und der Zeugung der Nachkommen, festgelegt und beaufsichtigt wurden.

Die *Città del Sole* selbst beschrieb Campanella als Stadt auf dem Grundriss von sieben Kreisen, der Idealform der italienischen Renaissance im Gegensatz zum Quadrat nördlich der Alpen. Die sieben – aus Verteidigungsgründen – stets mächtiger werdenden Mauerringe werden durch vier Tore, auf die vier gepflasterte Straßen zuführen, erschlossen. Die Stadt ist überdies auf einem Hügel angelegt, so dass sie mit den aufeinandergeschichteten Terrassen die Form eines Kegels umschreibt. Zwischen den Mauerringen erstrecken sich Straßen, die von Ring zu Ring schmaler dimensioniert sind. In die Mauerringe sind dreigeschossige Paläste eingebaut, die zur Straße hin Kolonnadengänge aufweisen. Bekrönt wird die Stadt auf der obersten Plattform des Bergrückens mit einem überkuppelten Rundtempel, der wie ein Planetarium Modelle der sieben Planeten – in Analogie zu den sieben Mauerringen – und in der Wölbung die Sterne des Firmaments enthalten sollte. Erneut war – wie bei Platon und in Morus' *Utopia* – hier der Wohnort der Priester und Mönche vorgesehen. Im Tempel sollte sich demnach die Verwaltung der Stadt konzentrieren und ihre Ideologie widerspiegeln; er war Abbild des Weltalls, Symbol der pythagoreischen Harmonie der Planetenbewegungen, Endpunkt der sieben freien Künste wie auch der mechanischen, schließlich – im Hinblick auf die Malereien der Mauerringe – auch Symbol für den geschichtlichen Gang der Welt. Denn die Wände der Mauern wiesen in Form eines orbis pictus oder einer riesigen Kunst- und Wunderkammer die Alphabete aller Völker, alle Steine, Mineralien, geographischen Gegenden, Tiere, Pflanzen, sämtliche in der Sonnenstadt betriebenen Künste und Wissenschaften, ihre Handhabung, Werkzeuge, Geräte und Instrumente und die Geschichte und Verfassungen sämtlicher Völker zu spielerischem Unterricht und Erziehung auf.

Die Leitwissenschaft im Priesterstaat war jedoch offensichtlich nicht die Theologie, sondern die Geometrie und die Mathematik, denn nicht unbeabsichtigt sind an der „Innenseite der Mauer des ersten Ringes (. . .) alle mathematischen Figuren, und zwar bei weitem mehr, als Archimedes und Euklid erfanden, im richtigen Verhältnis zur Größe der Wand sauber gezeichnet mit je einer kurzen Erklärung in Versform" abgebildet. Besondere Bedeutung kam – wie bei Platon und Morus – auch im Sonnenstaat den hygienischen Verhältnissen zu. So betonte Campanella die gepflasterten Straßen, das Wechseln, Waschen und Baden der Kleider und Körper der Sonnenstaatler, die vorbildliche Entsorgung der Abwässer und eine durch Pumpwerke betriebene Trinkwasserzufuhr aus Grundwasser, die gesunde Ernährung, die wenigen Krankheiten und das Verbrennen der Leichen zur Vermeidung von Seuchen.[17]

Als dritte und letzte literarische Renaissance-Utopie möchten wir die *Christia-*

---

[17] Campanella 1993, S. 117-133, S. 144, S. 147ff. u. S. 154f.; Holl 1990, S. 22ff.

nopolis des württembergischen lutherischen Theologen Johann Valentin Andreae von 1619 besprechen (Abb. 1). Sie nimmt in Aufbau und Dialogform Bezug auf Platons *Politeia*, Thomas Morus' *Utopia* und v. a. auf Campanellas *Sonnenstaat*, dessen Schrift Andreae vor der Drucklegung in Frankfurt im Manuskript eingesehen hat. Überdies ließ sich Andreae in seinem idealen christlichen Gemeinwesen wohl von Albrecht Dürers Idealstadtentwurf auf quadratischem Grundriss aus dessen Befestigungslehre von 1527 inspirieren (Abb. 2). Nicht zuletzt bezog er sich auf die Entwürfe seines Landsmannes, Verwandten und württembergischen Hofbaumeisters Heinrich Schickhardt zu einer neuen Stadt „Freudenstadt" im Schwarzwald, unweit entfernt von Andreaes damaligem Wohn- und Wirkungsort Calw. Ihr Bau war zu jener Zeit schon weit gediehen.[18]

In 100 Kapiteln stellt Andreae sein ideales christliches Gemeinwesen vor. Die Rahmenhandlung schildert einen Schiffbruch, in dessen Folge der Erzähler wohl als alleiniger Überlebender an die Ufer der Insel „Capharsalama" (Dorf des Friedens) gespült wird. Auf dieser Insel mit dreieckigem Umfang von ungefähr 30 000 Schritt liegt dann die Stadt Christianopolis mit viereckigem Grundriss, „deren jede Seite 700 Schuh beträgt" (ca. 200 m). Vier Bollwerke, ein Wall und weitere acht starke und sechzehn kleinere Türme stellen die Befestigungsanlagen der durch eine äußere Reihe von dreistöckigen Magazinen, zwei Reihen dreistöckiger Wohngebäude und eine weitere Reihe – das „unüberwindliche Schloß" von Kanzleien und Regimentshäusern – mit nun vier Stockwerken gebildeten Stadt dar. Die Mitte nimmt ein Marktplatz mit einem Rundtempel ein. Alle Gebäude sind aus gebrannten Steinen gemauert und zusätzlich durch Feuermauern gegeneinander geschützt. Fließendes Wasser versorgt die Stadt, und gute, frische Luft durchstreicht sie.

Nachts erhellen Laternen die Straßen des durchgängig gleich gestalteten Ortes „nicht zu prächtig, aber auch nicht liederlich und unflätig". Die Stadt ist für 400 Bürger konzipiert, die in drei Bereichen Tätigkeiten ausüben und dementsprechend eingeteilt sind, nämlich nach den Kategorien Ernährung, Ausbildung und Betrachtung. Das übrige Stadtgebiet ist der Landwirtschaft und den Werkstätten gewidmet. Andreae verteilt die Gruppen auf die einzelnen Bezirke der Stadt: Die äußerste Häuserreihe ist vorgesehen für die Bauern und Handwerker, für Vieh, Getreide, Mühlen, Bäckereien, Keltereien, Schlachtereien, Speisehäuser, Waschhäuser, Schmieden, Töpfereien und für Fremde,[19] der zweite und dritte Ring mit jeweils sich gegenüberstehenden doppelten Häuserreihen für die künstlerischen Handwerke wie Tuchmacher, Bildschnitzer, Messer- oder Goldschmiede und ihre

---

[18] Andreae 1982; Topfstedt 1983/84, S. 20-33; Saage/Seng 1996, S. 682ff; Saage 1998, S. 682ff.; Saage 1991, S. 25ff.; Holl 1990, S. 24ff.; Eimer 1961, S. 132f.; Kruft 1989, S. 68-81; Seng 2003, S. 164-167; Seng 2001, S. 59-92, hier S. 61-66.

[19] Andreae 1982, S. 36-55.

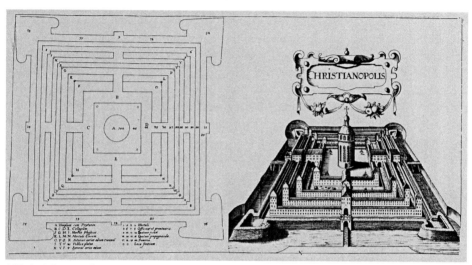

Abb. 1: Johann Valentin Andreae, Christianopolis, 1619

264 Wohnungen.[20] Die Häuserreihen verfügen zur Straße hin über einen Arkadengang und in den beiden oberen Stockwerken über Galerien zur Verbindung der
einzelnen, in der Regel drei Räume (Wohnzimmer, Schlafzimmer, Küche) umfassenden Wohnungen. An der Rückseite der Häuser liegen kleine Gärten.

Die innere Reihe, das Schloss oder Kollegium, ist für die öffentlichen Gebäude reserviert: Regierung, Verwaltung, Bibliothek, Zeughaus, Schatzkammer
und – entsprechend der Bedeutung, die Andreae der Wissenschaft und Bildung
beimaß – die Laboratorien, die Anatomie, die Sammlungen der Natur, die Male-
rei, die mathematischen Instrumente und die Mathematik selbst sowie die Hör-
und Schlafsäle der Schüler. Dieses innere Geviert zur Marktseite hin umzieht wiederum ein Arkadengang von 72 Säulen. Die Rückseite aber zwischen eigentlicher
Stadt und diesem innersten Bezirk wird von einer doppelten Reihe von Gärten umgeben, die die gesamte Flora und Fauna der Welt zu Anschaungs- und Lehrzwe-
cken beherbergt. Der Rundtempel schließlich enthält Kirche und Rathaus. Diese
Bauten – aber auch die Sammlungen und die gesamte Stadt – sind mit Malerei-
en geschmückt, die die „Hauptveränderungen der Welt" zum Gegenstand haben
und ebenfalls zur „Belehrung der Jugend und zum leichteren Begreifen der zu ler-
nenden Dinge" dienen sollen.[21] An der Spitze des Staates steht ein aristokratisches
Triumvirat, das unzweideutig die Philosophen in Platons *Politeia* zum Vorbild hat,
gebildet aus einem Theologen, einem Richter und einem Gelehrten.

Die Homogenität der Architektur, des geometrischen Grundrisses der Stadt,
die utopische Insellage und die Funktionalität der Gestaltung spiegeln die gesellschaftlichen Beziehungen des Gemeinwesens und ihrer Bewohner wider und finden ihre Entsprechung in der Gleichförmigkeit des Tagesablaufs, der Kleidung,
der Kost, der Arbeit und bis zu gewissem Grade auch der Ausbildung. Denn alle
Mädchen wie Jungen durchlaufen das dreistufige Bildungssystem und erlernen ein
Handwerk. In Andreaes *Christianopolis* sind nämlich „die meisten Handwerker
richtige Gelehrte, denn das was sonst nur einigen wenigen als besondere Fähigkeit zugeschrieben werden kann (...), das schickt nach Meinung der Christiano-
politaner für jedermann. Sie sagen, daß keinem die tiefere Erfassung der Wissenschaften noch die Bewältigung der Handwerke und Künste so schwer sei, daß er es
nicht mit der Zeit lerne."[22] Wie Morus und Campanella sah denn auch Andreae die
Abschaffung des Privateigentums als Voraussetzung seiner konfliktfreien idealen
Gesellschaft mit einem universal ausgebildeten Neuen Menschen.

Wie wichtig ihm die Veranschaulichung seiner städtebaulichen Beschreibung
von *Christianopolis* war, zeigt das dem Buch beigebundene Faltblatt, das den
Grundriss und ein Vogelschaubild der Stadt wiedergibt. Im Text verweist Andreae

---

20 A.a.O., S. 45ff. u. 54ff. Im lateinischen Text steht allerdings 244. Jedoch ergibt 88 Gebäude mal
    drei 264 Wohnungen.
21 A.a.O., S. 54f.; S. 72ff., S. 78ff., S. 120f., S. 104-185, S. 210ff. bzw. Andreae 1996, S. 73. Vgl.
    hierzu Baumgart 1989, S. 77.
22 Andreae 1996, S. 32, S. 59f., S. 105f.

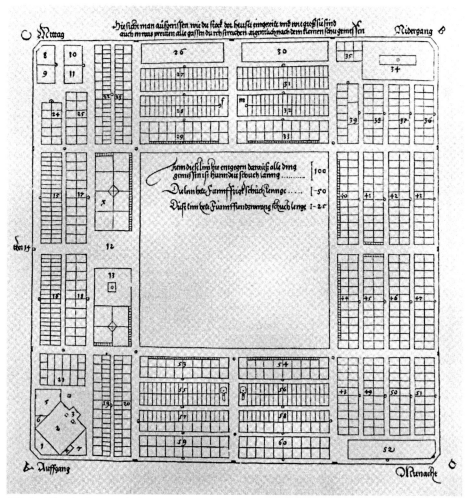

Abb. 2: Albrecht Dürer, Idealstadtentwurf, 1527

auf den beigegebenen Riss.[23] Offensichtlich geht er auf ihn selbst zurück, da einem Exemplar der Bibliothek des evangelischen Stifts in Tübingen von 1619 eine aquarellierte Federzeichnung beigegeben ist, womöglich das Original Andreaes in einem ersten Andruck der Ausgabe. Die eigentliche Ausgabe enthält dann neben dem Kupferstich auch noch eine Liste der Errata, die in dieser Vorausgabe ebenfalls fehlt. Auch in späteren Texten verbildlichte Andreae manchmal seine Konzeptionen. In diesem Punkt ging er sowohl über Morus als auch Campanella hinaus, die ihre Entwürfe nicht visualisierten.[24]

2. Die anarchistische Utopietradition und deren architektonische Konzepte

Seit der zweiten Hälfte des 18. Jh. ist eine deutlich spürbare Tendenz von der Stadt- zur Naturutopie zu verzeichnen. Jörn Garber formulierte dies in einem Aufsatz 1992 folgendermaßen: „Die seit der Antike topische Alternative Natur oder Zivilisation verschärft sich seit Mitte des 18. Jahrhunderts, wobei der Stadt die Attribute der Künstlichkeit, des Repräsentativen, des Höfischen, des Luxus, des Nützlichen, des Objektiven zugesprochen werden, während die Natur mit Ursprünglichkeit, Produktivität, Evidenz, Reinheit und Tugend etc. gleichgesetzt wird."[25]

Die anarchistische Utopie erfuhr in der französischen Literatur des 17. und 18. Jh. vor dem Hintergrund von Entdeckungsreisen und einsetzender Reiseliteratur als Gegenentwurf zur eigenen defizitär empfundenen Gesellschaft eine Neubelebung. Zugleich beschäftigte der Topos vom „Edlen Wilden" insbesondere durch die überseeischen Entdeckungen – einsetzend mit Christoph Kolumbus im 16. Jh. – verstärkt die europäische Vorstellungswelt. Beides verdichtete sich zur Projektionsfigur des Mythos vom „Edlen Wilden" und der mit ihm verbundenen „République Sauvage" als Mittel der Gesellschaftskritik.[26] Damit mutierte der „Wilde" oder „Andere" vom „Fremden" oder „Gegenüber" zum Angehörigen des Goldenen Zeitalters ganz im Sinne Hesiods und so zur Frühform einer zwischenzeitlich von Dekadenz und Verfall gekennzeichneten, ihrer eigenen Natur entfremdeten späteren Stufe der europäischen Zivilisation. Der „Wilde" wird so austauschbar, seine Funktion kann ebenso das Kind, der Bauer oder eben der Indianer oder Polynesier übernehmen. Nicht ethnologisches Wissen über fremde unbekannte Völker und Zivilisationen ist Sinn des Erkenntnisinteresses, sondern

---

23 Andreae 1982, S. 46f.

24 Thomas Morus' Erstausgabe von Utopia war zwar auch ein Titelholzschnitt beigegeben, jedoch offensichtlich nicht von Morus autorisiert, da er noch ganz in der mittelalterlichen Tradition der Bedeutungsanordnung bzw. von Jerusalem- oder Romansichten gestaltet war und der beschriebenen Quadratstadt vollkommen widersprach. Campanella hatte seiner Civitas Solis keine Abbildung beigefügt.

25 Garber 1992, S. 13-30, v. a. S. 21; Seng 1999, 117-150.

26 Funke 1986, S. 36-57, v. a. S. 37ff; Funke 1999, S. 8-27.

der Europäer selbst und die „Identität der Aufklärung".[27] Dementsprechend finden sich Elemente des Goldenen Zeitalters in den Bon-Sauvage-Utopien eines Fénelon, de Lahontan oder Diderot wie der Verzicht auf den Bau von Häusern oder Städten. An deren Stelle tritt das Leben in einfachen Hütten in einer vom Menschen nicht domestizierten Natur, die Reduktion menschlicher Arbeit auf ein unerhebliches Maß aufgrund des Überflusses der durch die Natur hervorgebrachten Güter, eine weitgehend entinstitutionalisierte Gesellschaft und eine frei ausgelebte Sexualität ohne staatliche Kontrolle oder Reglementierung.[28]

Diese Topoi der Bon-Sauvage-Utopien flossen schon frühzeitig in die Reisebeschreibungen ein, wie Karl-Heinz Kohl und Urs Bitterli aufgezeigt haben, und übertrugen sich so auf die Schilderungen der überseeischen Entdeckungen. Christoph Kolumbus projizierte 1492 selbst das Bild vom „Guten Wilden" durch seine Beschreibung der „Insel Hispaniola" auf die Völker der Neuen Welt, das dann nach der Entdeckung Tahitis im 18. Jh. mit dem Mythos Südsee verknüpft wurde. So trugen Reisebeschreibungen sowie auf den Entdeckungsschiffen mitreisende Maler und Zeichner zu der Herausbildung des Mythos Südsee im 18. Jh. ebenso bei wie zu den Assoziationen mit den alten Topoi des Goldenen Zeitalters und des irdischen Paradieses.[29] Louis-Antoine de Bougainville, 1768 der zweite Entdecker Tahitis nach Samuel Wallis, verglich aufgrund der beobachteten „scheinbar freien und ungezwungenen Liebe …, [der] nackten und offene[n] Darbietung der körperlichen Reize und der zum Teil offen vollzogenen Geschlechtsverkehr" Tahiti mit der Insel der Venus Kythera und nannte sie „Neu-Kythera".[30]

Der volle Durchbruch zur anarchistischen Utopie mit entsprechendem architektonischen Paradigmenwechsel lässt sich um die Wende zum 18. Jh. in Fénelons Bildungsroman *Die Abenteuer des Telemach* (1699) beobachten.[31] So leben die Menschen in Fénelons Bätica-Utopie in Harmonie mit der äußeren Natur, die in Gabriel de Foignys Australien-Utopie noch im Dienst des Aufbaus einer Megazivilisation rigoros unterworfen wurde.[32] Tatsächlich treibt Fénelon die Naturalisierung der Utopie in einem Maße voran, wie es vor ihm in der Utopietradition unbekannt war. Deren äußeres Signum war, wie gezeigt, die von geometrischen Formen geprägte Architektur und Stadtplanung der urbanen Räume, die die Rationalität und Planbarkeit des idealen Gemeinwesens symbolisieren sollten. Demgegenüber lehnen die Bäticaner alle „Künste der Architektur" als unnütz ab, „und zwar aus dem einfachen Grund, weil sie keine Häuser bauen. ‚Es bezeugt eine zu große Anhänglichkeit an die Erde', sagen sie, ‚wenn man sich auf ihr Gebäude errichten will, die von längerer Dauer sind als sie selbst; es ist schon genügend, sich

[27] Meißner 1997, S. 177ff., v. a. S. 185; Kohl 1986, S. 12ff.; Kohl 1996, S. 70-86.
[28] Saage/Seng 1998, S. 207-238, hier S. 209ff.
[29] Meißner 1997, S. 124ff., 186ff.; Pochat 1996, S. 69-99, hier S. 76ff.
[30] Meißner 1997, S. 143ff., S. 221 u. S. 234; Kohl 1986, S. 214.
[31] Fénelon 1984.
[32] Vgl. Saage 2002, 35-51.

gegen die Unbill der Witterung zu schützen'".[33] Hielt die anarchistische Utopie Foignys dadurch noch Kontakt zur älteren Tradition, dass er an der Unterwerfung der äußeren Natur im Dienste des Aufbaus einer an geometrischen Mustern orientierten Architektur und Siedlungsplanung festhielt, so sind in Bätica auch die letzten Brücken zur europäischen Zivilisation abgebrochen. „Ohne Häuser leben sie wie die Nomaden der Wüste oder die Indianer der amerikanischen Prärien in Zelten, die sie aus Fellen oder Baumrinden fertigen. Gilbert Chinard hat als einer der ersten auf die Ähnlichkeiten der Lebenswelten der Bäticaner und der Indianer in Brasilien und Kanada hingewiesen, von denen die Missionare den Europäern berichteten".[34]

Die Bätica-Utopie Fénelons ist aber anarchistischer Entwurf auch in dem Sinne, dass vom Staat inaugurierte Repressionsstrukturen, welche durch äußeren Zwang konformes Verhalten erzwingen, ersatzlos entfallen. Die Notwendigkeit der Herausbildung einer abgehobenen staatlichen *potestas* ist überflüssig, da alle Konflikte innerhalb der Großfamilie gelöst werden. Und das Konfliktpotenzial selbst ist nur schwach ausgebildet, weil die Bäticaner die Gesetze der Natur in einem Maße verinnerlicht haben, dass sie im Großen und Ganzen auch ohne staatliche Zwangsmaßnahmen in Frieden und Eintracht leben. Zusammenfassend stellt Hans-Günter Funke fest: Die Bätica-Utopie Fénelons sei eine „Idylle des utopischen Primitivismus, die an den Mythos des goldenen Zeitalters erinnert (. . .). Die agrarkommunistische Hirten- und Bauerngesellschaft Bäticas lebt in Einklang mit der Natur (. . .) und kennt keine staatliche Organisation, nur eine Gliederung in patriarchalische Großfamilien, deren Mitglieder das friedliche und tugendhafte Leben einer glücklichen Anarchie führen – ohne Schiffahrt, Handel, Geld, Krieg, Weinbau und technischen Fortschritt". Funke zählt zu Recht zu den typischen Merkmalen der *République sauvage*, die auch in den anarchistischen Utopien Lahontans, Morellys und Diderots zu erkennen sind, „die schamlose Nacktheit", die Gleichheit, Freiheit, Brüderlichkeit, Gütergemeinschaft, die soziale Harmonie, die Rationalität und die Seelenruhe. „Da die Freiheit des Menschen als naturgegeben gilt, wird die Herrschaft des Menschen über den Menschen als Verstoß gegen die Gesetze der Natur wie gegen die Gesetze der Logik verworfen".[35]

Verzichtet nun aber die Naturalisierung der inneren und äußeren Natur in der vollendeten anarchistischen Utopie der Aufklärung per se auf jeden Gestaltungswillen der Menschen? Intendiert sie tatsächlich die Rückkehr zur wilden, vom Menschen unberührten Natur? Ist der architektonische Eingriff in die natürlichen Lebensbedingungen ein Widerspruch zu den Strukturprinzipien des anarchistischen Utopietypus? Jean-Jacques Rousseau hat in seinem Briefroman *Julie oder die Neue Heloïse* auf diese Frage eine eindeutige Antwort gegeben. Er lässt den Ich-Erzähler eine Landschaft betreten, von der er zunächst glaubte, sie sei der

[33] Fénelon 1984, S. 146.
[34] Saage 2002, S. 91.
[35] Funke 1999, S. 23f.

„einsamste Ort der Natur". Ihm kam es so vor, als sei er „der erste Sterbliche, der jemals in diese Einöde vorgedrungen" ist.[36] Sein Erleben assoziiert er mit zwei menschenleeren Inseln, Tinian und Fernandez, in der Südsee, die durch Admiral Ansons Beschreibung Berühmtheit erlangten. Doch der Ich-Erzähler Clarence wird von seiner Geliebten Julie, der Besitzerin des Gartens, belehrt, dass die vorfindliche Wildnis nur aufgrund geplanter Landschaftsgestaltung entstanden sei, die nichts dem Zufall überlassen habe. Rousseau zielte also nicht auf die Rückkehr in den – für ihn – dumpfen Naturzustand, sondern auf ein „Zurück zur Natur", in welcher Entwicklungsstufe „noch die richtige Balance ... zwischen der Lässigkeit des primitiven Zustandes und der ungestümen Aktivität unserer Eigenliebe" herrschte.[37] Auf dieser Stufe befanden sich für ihn auch die „Wilden" oder Naturvölker.

Dieser Sichtweise auf die Südseeinsulaner läßt sich problemlos auch diejenige auf die alten Griechen und ihre Architektur in jener Zeit zur Seite stellen.[38] Seit der Rückbesinnung auf die Antike in der italienischen Renaissance galt die einzig überlieferte schriftliche Architekturtheorie des römischen Architekten und Ingenieurs Vitruvius aus dem 1. Jh. v. Chr. *De architectura libri decem* als Grundlage für Architekten und Architekturtheoretiker. Zahlreiche Publikationen seit dem 15. Jh. sorgten für eine allgemeine Verbreitung des Werks. Vitruv konstruierte in seinem Lehrgebäude als Ausgangspunkt der Baukunst die Idee der Urhütte, die die Menschen nach der Entstehung von „Zusammenkünfte[n], Umgang und Gesellschaft (...) aus Lehm oder Reisern (...) zu ihrer Wohnung verfertigt[en] (...). Zuerst errichtete man Gabelhölzer – *furcae*, – flocht Reiser – *virgultae* – darzwischen und bekleibete die Wände mit Lehm. Darauf trockneten einige Lehmstücke und erbaueten davon, vermittelst Fachwerks – *jugumentantes* – Wände, welche sie zum Schutz vor Regen und Sonnenhitze mit Schilf – *harudines* – und Laube bedeckten. Als aber nachmals während des Winters dieses flache Dach den Regen nicht abhielt, errichteten sie Giebel – *fastigia* – überzogen diese mit Lehm, und leiteten, indem sie die Dächer schräg machten, die Traufe ab. Daß die ersten Gebäude wirklich den hier angegebenen Ursprung gehabt haben mögen, läßt sich daraus abnehmen, daß noch heutigen Tages bey auswärtigen Nationen die Häuser aus dergleichen Materialien erbauet werden; z. B. in Gallien, Spanien, Lusitanien, Aquitanien (...)".[39] Nach Vitruv verfertigten die Menschen durch Übung später nicht mehr Hütten, sondern Häuser und schließlich Tempel, wobei er die Formen

---

[36] Rousseau 1988, S. 492.
[37] Rousseau 1971, S. 209; Kohl 1996, S. 74ff; Kohl 1986, S. 173-200.
[38] Schon im 16. Jahrhundert standen bei der Abbildung und Darstellung der Indianer antike Statuen im Hintergrund. Z. B. bei John Whites Aquarell des Häuptlings der Secota 1585, in dem das Vorbild des Apoll von Belvedere durchscheint. Vgl. Pochat 1996, S. 69-99, hier S. 79.
[39] Vitruv 1995, II, 1, S. 64f.

des dorischen Tempels auf die seiner Meinung nach zunächst in Holz konstruierten Bauten zurückführte (Abb. 3).[40]

Vitruv vertrat demnach das Evolutionsmodell des harten Primitivismus, indem er seine römisch-antike Gesellschaft mit einer früheren Zivilisationsstufe verglich, auf der sich wilde und primitive Völker Nord- und Westeuropas zu seiner Zeit noch befanden.[41] Zugleich lehrte er, dass die römische Architektur auf der griechischen beruhe bzw. nach ihrem Vorbild entstanden sei. Die Urhütte stand somit nach seinem Verständnis am Anfang sämtlicher Architektur und insbesondere der antiken Säulenarchitektur. Es wurde dann jedoch von Seiten der Literaten und Philosophen Kritik an Vitruv und der sklavischen Nachahmung der Antike laut. Einer der meistgelesenen Traktate war dabei derjenige des Jesuiten- und späteren Benediktinerpaters Abbé Marc-Antoine Laugier *Essai sur l'architecture*, welcher 1753 zunächst anonym, 1755 in zweiter Auflage dann unter dem Namen des Verfassers erschien.[42] 1755 und 1756 wurde der Essay bereits in englischer und deutscher Übersetzung publiziert. Laugier forderte darin, unverkennbar beeinflußt von Rousseauschem Gedankengut, die Architektur nicht willkürlich auf antike Bauten zu gründen und auf den Instinkt, sondern auf feste, auf Vernunft begründete Prinzipien. Als alleinige Instanz verwies er dabei auf die Natur: "Es ist in der Architektur wie in den anderen Künsten: Ihre Prinzipien beruhen auf der einfachen Natur, und in ihren Vorgängen finden wir die Regeln der Architektur vorgezeichnet" (Laugier).

Auch Laugier sah den Anfang der Architektur in der Urhütte, die die Menschen zu ihrem Schutz aus vier Baumstämmen errichteten, die sie im Rechteck in die Erde gerammt, mit Balken bedeckt und mit einem Satteldach aus Zweigen versehen hätten (Abb. 4). Jedoch deutete er sie nicht mehr im Sinne Vitruvs als Keimzelle, sondern als Maßstab und Orientierungspunkt: „Die kleine ländliche Hütte [‚la petite cabane rustique'] (...) ist das Muster, nach welchem man alle Herrlichkeiten der Architektur ersonnen hat. Und indem man sich bei der Ausführung der Einfachheit dieses Urmusters annähert, vermeidet man wesentliche Fehler und erreicht man wirklich Vollkommenes."[43] Das „Zurück zur Natur" oder zur Urhütte führte dann in der zweiten Hälfte des 18. Jh. zum Ideal einer spartanischen Architektur, die auch die sog. französische Revolutionsarchitektur hervorbrachte.[44] Vor diesem Hintergrund – und zugleich als Bindeglied zum oben angeführten Südseemythos – ist die sogar noch vor Laugier entwickelte Architekturtheorie einer „architecture naturelle" (1737-39) des Militäringenieurs Amédée François Frézier zu werten, der diese anhand der Hütten der Eingeborenen auf

---

[40] A.a.O., IV, 2, S. 98f.
[41] Lovejoy/Boas 1965.
[42] Laugier 1979.
[43] Germann 1987, S. 207f.
[44] Forssman 1996, S. 99-115, hier S. 106f; Rykwert 1981.

Abb. 3: Jörg Pencz, Hüttenbau, Holzschnitt aus der deutschen Vitruv-Ausgabe von Walter Rivius, 1548

den karibischen Inseln, die er auf einer Südamerika-Expedition gesehen hatte, vorführte.[45]

Die ursprüngliche Architektur, die lange mit der griechischen Antike gleichgesetzt wurde, erfuhr im 18. Jh. wenigstens zeitweise eine Konkurrenz durch die einfache Hütte der Südseeinsulaner; dementsprechend wurde dem „edlen Griechen" als „Wilder" der „Südseeinsulaner" zur Seite gestellt. Besonders deutlich wird diese Sichtweise im Erfolgsroman des 18. Jh. *Paul et Virginie* (1788) von Jacques Henri Bernardin de Saint-Pierre ablesbar, in dem der Kult der Hütte der Südseeinsulaner sehr weit getrieben wird. Im Roman landen zwei schwangere Französinnen auf der Insel Isle de France, dem heutigen Mauritius, und leben dort in einfachen Hütten unter „Wilden", ihre Kinder erziehend im Einklang mit der Natur. Paul und Virginie, die beiden Kinder, werden durch die Natur unterrichtet und aufgeklärt. Ihre Körper, deren Schönheit, Natürlichkeit und Stellungen werden von Bernardin de Saint-Pierre mehrfach mit antiken Statuen verglichen – wie überhaupt die Insel und das Leben dort mit der antiken Mythologie gleichgesetzt werden. Das Ende der Idylle, in der auch in aller Unschuld sich die Liebe der jungen, schönen Seelen entwickelte, bringt dann der Einbruch der Zivilisation. Virginie fährt nach Frankreich, um dort ihre Erziehung abzurunden. Frankreich wird für sie dann zum Land der „Wilden" in ihrer Einsamkeit und ohne Liebe. Auf ihrer Rückreise sinkt ihr Schiff im Sturm vor Mauritius, und Virginie ertrinkt. Ihrem Tod folgen dann auch Paul und die beiden Mütter. Am Ende bleiben nur die Ruinen der Hütten als Sinnbild der Geborgenheit und des Lebens im Einklang mit der Natur, während die Natur selbst sich ohne die Bewirtschaftung Pauls, analog zu den Vorstellungen Rousseaus, wieder in den „dumpfen Naturzustand" oder, wie Saint-Pierre dies ausführte, in einen „wüsten Boden" verwandelte.[46]

3. Mischmodelle mit einer herrschaftsfreien Stoßrichtung unter Beibehaltung des Ideal- und Planstadtmodells

Die Hegemonie der geometrischen Gestaltung der utopischen Räume ging in der Epoche der Renaissance und der Reformation so weit, dass sich selbst die anarchistische Alternative ihrer Dominanz nicht entziehen konnte.

Tatsächlich hat François Rabelais in seinem Roman *Gargantua und Pantagruel,* der ab 1543 konsekutiv veröffentlicht wird, ein utopisches Modell entwickelt, das auf den ersten Blick der Gegentyp zum vorherrschenden Renaissancemuster zu sein scheint. Das geschilderte soziale Leben einer adligen Elite in der fiktiven *Abtei Thelema* bezieht nämlich seine normative Kraft aus jenem Individualismus, in dem Morus, Campanella und Andreae die Ursache allen gesellschaftlichen Elends sahen: Eine kleine höfische Avantgarde lebt, von den

---

[45] Kruft 1986, S. 158ff.
[46] Saint-Pierre 1981, S. 33f., S. 57, S. 107f., S. 116ff., S. 156ff., S. 249.

Abb. 4: Marc-Antoine Laugier, Urhütte, 1755

Zwängen der materiellen Reproduktion befreit, ihren Individualismus in uneinge-
schränkter Selbstbestimmung voll aus. In der klassischen Utopie der Renaissance
dominierte, wie wir sahen, ein strikter Institutionalismus mit antiindividualisti-
scher Stoßrichtung, der das Leben der Einzelnen bis in die alltäglichen Details
kontrollierte und vorschrieb. In der *Abtei Thelema* reduziert sich die Ordensregel
auf einen einzigen Paragraphen: „Tu, was Dir gefällt!". „Eine bestimmte Lebensweise wird ihnen durch Gesetze, Statuten oder Regeln nicht vorgeschrieben, sie
ordneten sie ganz nach ihrem Willen und Belieben: standen auf, wann sie wollten,
aßen und tranken, wann sie Appetit hatten und arbeiteten und schliefen, je nach
dem sie Lust hatten. Niemals weckte sie jemand, ebenso wenig wie jemand sie
zum Essen oder Trinken oder sonst wozu nötigte". Ein institutionalisiertes Reglement, das begrenzt, abmisst, und nach Stunden unterteilt, existiert nicht. Folgerichtig findet man in Thelema weder Uhr noch Sonnenuhr. Es wird als etwas
außerordentlich Törichtes angesehen, „sich vom Schlag der Glocke, statt vom
Verstand und Überlegung leiten zu lassen." Dementsprechend werden auch die
Beziehungen zwischen den Geschlechtern als völlig herrschaftsfrei und gleichberechtigt geschildert. Die eheliche Bindung der Thelemiten beruht deshalb ausschließlich auf der gegenseitigen Zuneigung der Partner und ist von sozialen und
wirtschaftlichen Zwängen entlastet. Freie Menschen, so wird argumentiert, handeln von sich aus tugendhaft. Erst wenn durch Institutionen vermittelte Gewalt sie
„niederdrücke und knechte", depraviere der freie und edle Hang zur Tugend in die
Begierde, „das Joch der Dienstbarkeit abzuschütteln und zu zerbrechen".

So scheint die *Abtei Thelema* allen Kriterien der anarchistischen Utopie zu
entsprechen: In ihrem Individualismus und Antiinstitutionalismus kann sie in der
Tat als ein Alternativmodell zu den oben beschriebenen utopischen Leviathanen
gelten. Und doch ist unverkennbar, dass Rabelais' Konstrukt das instrumentelle
Naturverhältnis des archistischen Utopietypus teilt. Die Autonomie des Individuums verharrt im Medium der höfischen Gesellschaft, während die große Masse
der Bevölkerung in sozial-ökonomischer Abhängigkeit die durch Arbeit vermittelte Auseinandersetzung mit der Natur zu leisten hat. Vor allem aber wird das
instrumentelle Naturverhältnis deutlich, wenn wir die architektonische Gestaltung des utopischen Raumes näher betrachten, das der *Abtei Thelema* zugunde
liegt: Sie ist ebenso auf geometrische Strukturen festgelegt, wie dies im archistischen Utopietypus der Renaissance und der Aufklärung der Fall ist. So bildete
das Gebäude der *Abtei Thelema* „ein Sechseck, an jeder Ecke befand sich ein
großer runder Turm, sechzig Schritt im Durchmesser, alle diese Türme waren von
gleicher Größe und Gestalt (...). Von einem Turm zum andern betrug die Entfernung dreihundertzwölf Schritt. Das Gebäude bestand aus sechs Stockwerken,
wenn man das Erdgeschoss als erstes rechnet. (...) Das Dach war mit den feins-
ten Schiefern gedeckt und auf dem First mit Blei standen allerhand kleine, schön
vergoldete Figürchen von Menschen und Tieren. Die Dachtraufen, außerhalb der
Mauern zwischen den Fenstern bis zur Erde hinablaufend, waren mit schrägen

goldenen und azurnen Streifen bemalt und mündeten in große Kanäle, durch welche das Wasser unter dem Haus hin zum Fluß geführt wurde". Auch ist von einer symmetrisch gebauten Treppe die Rede.

Im Grunde beschreibt Rabelais ein sehr großes, regelmäßiges Renaissance-schloss, das einen Innenhof umschließt, also die Phase des Schlossbaus, bevor der *Cour d'honneur* zur Umgebung hin geöffnet wird und damit – wie bei barocken Schloßbauten üblich – der vierte Flügel des Schlosses entfällt. Rabelais stehen offenbar die zahlreichen unmittelbar in seiner Heimat, dem Loiretal, damals gerade im Bau befindlichen Schlösser vor Augen. Er entwirft mit der *Abtei Thelema* ein Idealbild eines Loire-Schlosses, schon mit der aus Italien importierten geradarmigen Treppe ausgestattet, wie er selbst betont: Die Abtei sei „hundertmal großartiger als die Schlösser Bonnivet, Chambord oder Chantilly; denn sie bestand aus 9332 Gemächern, jedes einzelne mit dazugehörigen Schlafzimmer, Kabinett und Ankleidezimmer."[47]

Man sieht also: Auch in dem unter soziopolitischen Gesichtspunkten anarchistischen Utopietypus Rabelais' tauchen die architektonischen Elemente der klassischen Renaissance-Utopie erneut auf: der Rekurs auf geometrische Grundrisse, die Verwendung neuartiger Baumaterialien, die symmetrische Anordnung von Türmen und Treppen, die funktionale Entsorgung des Regenwassers zum Schutz der Bausubstanz, die Helligkeit der Wohnräume innerhalb des Schlosses etc. Auch in Rabelais' *Abtei Thelema* hat die architektonische Gestaltung des utopischen Raumes also das Problem zu lösen, wie der äußeren Natur eine Lebenswelt abgerungen werden kann, die ausschließlich der Kontrolle der Menschen unterliegt. Neu ist allerdings, dass die äußere Unterwerfung der Natur nicht mehr – wie in den oben geschilderten gleichzeitigen archistischen Utopien – auch einer inneren Disziplinierung entspricht. Hier ist nun in der Tat bereits in der Renaissance ein Potenzial sichtbar, dessen volle Entfaltung erst das 18. Jh. erleben sollte. Festzuhalten bleibt jedoch, dass die Relation zwischen der archistischen Beherrschung der äußeren Natur nicht notwendig im Sinne einer strikten Kausalität die Sozialdisziplinierung der inneren Natur bewirkt. Vielmehr ist das Verhältnis zwischen beiden Dimensionen variabel.

300 Jahre später zog Charles Fourier 1822 für seinen genossenschaftlich gebildeten Wohnpalast für 900 bis 2000 Personen, den er Phalange nannte, das barocke Schloss mit Haupttrakt und zwei Seitenflügeln, gruppiert um einen Hof, als Vorbild heran. In ihm sollten im Mittelrisalit die Speisesäle, Beratungszimmer, Bibliothek, Studiensaal, Post, Observatorium und Tempel angeordnet sein, während für die Lokalisierung der lärmerzeugenden Werkstätten wie die Lehrwerkstätten für die Kinder in einem Flügel und die Ballsäle und Begegnungsstätten für Fremde im anderen vorgesehen war. Die Wohnungen der Phalangisten plante er ebenfalls im Hauptgebäude als Ein- bis Vierzimmerwohnungen je nach Mietpreis und La-

---

[47] Alle *Abtei Thelema* betreffenden Zitate befinden sich bei Rabelais 1974, S. 170-184.

ge, wobei er die Alten und die Kinder im Erdgeschoss und Mezzanin unterbrachte, während die Erwachsenen die weiteren drei Stockwerke bewohnten. Wichtigstes gestalterisches Mittel der Bauten und Vorraussetzung für die intendierte Kommunikation unter den Bewohnern waren die Galerien, die die Phalanstère durchzogen und die es den Bewohnern erleichtern sollten, geschützt vor Wind und Wetter, in den Gang zu den Unterhaltungs- und Aufenthaltsräumen zu gelangen sowie den Wechsel zwischen ihren Beschäftigungen vorzunehmen. Um so die Arbeiten anziehend und lustvoller zu gestalten, führten die Phalangisten täglich im Rhythmus von anderthalb bis zwei Stunden sieben bis acht befriedigende Beschäftigungen aus. Nicht die ermüdende und abstumpfende Fabrikarbeit oder die gleichförmige Arbeit auf den Feldern war das Ziel des Fourierschen Konzeptes, sondern der turnusmäßige Wechsel und die Unterbrechung und Auflockerung der Arbeit durch wissenschaftliche und künstlerische Beschäftigungen.

Weiterhin waren Hauptgalerien im Mitteltrakt übereinander für die drei Wohngeschosse geplant, so dass die Wohnungen durch innenliegende Laubengänge erreicht werden konnten. Die Seitenflügel zu den hinter der Phalanstère sich anschließenden Gärten hin waren als Wintergärten mit immergrünen Pflanzen für die Bewohner der Großwohneinheit konzipiert. Umgeben war der Bau von Nebengebäuden für Landwirtschaft und Manufakturen, dem agrarwirtschaftlichen Gelände im vorderen und seitlichen Bereich sowie von Gärten, die sich hinter dem Gebäude anschlossen und allmählich in die gestaltete Landschaft übergingen, wie überhaupt der Durchgrünung und Öffnung zur Landschaft eines der Hauptaugenmerke Fouriers galt. Seine Großwohneinheiten waren also eher Landkommunen als verdichtete städtische Wohnblocks und spiegelten hier die Großstadtkritik der Zeit, das „Zurück zur Natur!" im Sinne Rousseaus und der anarchistischen Utopien wider. Der Gegensatz von Stadt und Land sollte aufgehoben werden.[48] Fourier bezog durch diese Naturalisierung der Siedlungen auch damals aktuelle städtebauliche Vorstellungen in seine Sozialutopie mit ein, nämlich die Entgrenzung der Städte zu ihrem Umland durch die Niederlegung und Schleifung der Stadtmauern und Befestigungen, die Auflockerung des Stadtgrundrisses in Anlehnung an gestalterische Prinzipien der Gartenkunst, die Begrünung und Bepflanzung freigewordener Flächen und der Einbezug natürlicher Gegebenheiten wie Fluss, Park und Promenade in die Stadtgestaltung.[49]

Vor allem aber hatte Fouriers Umgestaltung des geometrischen Musters des barocken Schlosses in die kommunikative Architektur der Phalange mit dem Ziel einer nachhaltigen Naturalisierung der Lebenswelt, in der Arbeit und Muße eine spielerischen Synthese eingehen, eine starke Entsprechung in seiner Betonung des Lustprinzips. „Wie in der älteren Utopietradition, so spielt auch bei Fourier die Beziehung zwischen den Geschlechtern als unverzichtbare Integrationsin-

---

[48] Bollerey 1991, S. 107-122.
[49] Seng/Göttmann/Gieser 2012.

stanz des politischen Gemeinwesens eine zentrale Rolle".[50] Doch während in den archistischen Utopien die Sexualität als subversives Potenzial betrachtet wird, der strikten Kontrolle des Staates unterworfen, verfährt Fourier in Übereinstimung mit den anarchistischen Utopien des ,Bon Sauvage' im 18. Jh. umgekehrt: „Erst die uneingeschränkte Befriedigung der sexuellen Bedürfnisse entbindet jenseits von Frustration und emotionaler Depravierung jene integrativen Energien, die das harmonische Funktionieren der sozietären Ordnung erst ermöglichen".[51] Eine entscheidende Konsequenz der Hegemonie des Lustprinzips ist die Emanzipation der Frau im Rahmen einer liberalisierten, aber durch von allen akzeptierten informellen Normen „gehegten" Sexualmoral. Aber das Lustprinzip ersetzt auch in der Produktionssphäre die vom Staat mit repessiven Maßnahmen sanktionierte Arbeitsdisziplin. Es transformiert sich in „Leidenschaften", welche den ökonomischen Prozess vorantreiben. „So werden die beiden wichtigsten ökonomischen ,Leidenschaften' innerhalb der Zivilisation, nämlich Habgier und Konkurrenzverhalten nicht einfach negiert, sondern in einer sozietären Ordnung gleichsam auf eine höhere Stufe gehoben, auf der sie zum Wohle aller wirken".[52]

Überzeugt von seinem kollektivistischen Projekt sah Fourier am Ende der Umbildung der Gesellschaft die Welt überzogen von 2 985 984 Phalangen[53], in denen die zivilisierten Menschen im genossenschaftlichen Staat der Zukunft leben. „Die Zivilisierten (werden) gewisse Gewohnheiten hassen, die ihnen heute gefallen, wie den ehelichen Hausstand, in dem die Kinder brüllen, alles zerbrechen, sich zanken und jede Arbeit verweigern. Dieselben Kinder in eine progressive oder Gruppenserie aufgenommen, sind tätig, wetteifern miteinander, ohne dass man sie anreizt, sie unterrichten sich freiwillig über Landwirtschaft, Handwerk, Künste und Wissenschaften. Sie produzieren und tragen zu den Ertragnissen bei, während sie nur zu spielen glauben. Wenn die Väter diese neue Ordnung sehen werden, werden sie ihre Kinder in den Serien entzückend und im isolierten Hausstand widerwärtig finden. Wenn sie im Wohnsitz einer Phalange (das ist der Name, den ich jeder Vereinigung gebe, die einen Kanton bestellt) sehen werden, wie köstlich man speist und dass man mit einem Drittel der Kosten einer häuslichen Mahlzeit dreimal so gut und reichhaltig essen kann, dass man dort zu einem Drittel des Preises dreimal so gut lebt und sich auch noch die Zubereitung und Vorratswirtschaft erspart, wenn sie außerdem sehen werden, dass man in den Serien nicht betrogen wird und dass das Volk, in der Zivilisation verschlagen und ungehobelt, in den Serien vor Wahrheitsliebe und Höflichkeit glänzt, wenn sie das alles gesehen haben, werden sie diesen ihren Hausstand, diese Städte, diese Zivi-

---

[50] Saage 2002a, S. 61.
[51] Ebd.
[52] A.a.O., S. 75.
[53] Bollerey 1991, S. 108.

lisation nicht mehr mögen, denen sie jetzt zugetan sind. Sie werden sich in einer Phalange der Serien zusammenschließen und in ihrem Gebäude wohnen."[54]

Fouriers Großwohneinheit wird begleitet von einem städtebaulichen Konzept, das die vollkommene Umgestaltung der damaligen Städte wie Paris oder Rouen vorsieht. Dazu unterteilt er die Geschichte in 32 Perioden einer Entwicklung zur Zivilisation und zu deren Überwindung, zur schließlichen gesellschaftlichen Harmonie. Der vierten Periode rechnet er dabei insbesondere den Stadtkern von Paris zu, das „enge Straßen, ineinander geschachtelte Häuser ohne Luft und genügend Tageslicht, ein allgemeines Missverhältnis ohne jede Ordnung" zeige.[55] Der fünften Periode, dem sozialen Chaos der Zivilisation, entsprach die Neuanlage von Städten wie St. Petersburg, London oder in Teilen auch Paris mit neuen Plätzen und Ensemblewirkungen, die jedoch allesamt im äußeren Erscheinungsbild stecken bleiben. Zu den negativen Auswüchsen der Zivilisation zählte Fourier orthogonale Stadtgrundrisse wie das Schachbrettmuster der amerikanischen Städte, wie er überhaupt quadratische Stadtanlagen als perfekte Monotonie vollkommen verwarf.

Dagegen propagierte er die Stadt der sechsten Periode, in der sich gesellschaftsbewußte Architekten für diese Übergangzeit des Garantismus und damit für eine Entwicklung hin zum Neuen sozialen Menschen der Harmonie einsetzten. Das „Heraus aus der Zivilisation" [Sortir de la Civilisation, d.V.] war denn auch Fouriers Motto.[56] Die garantistische Stadt, ob neugeplant oder saniert, stellte er als Anlage aus drei konzentrischen Ringen nach dem Vorbild Campanellas dar (Abb. 5). Der erste Ring war der City vorbehalten, der zweite den Vororten und den Fabriken und der dritte den Alleen und Vorstädten. Konsequent naturalisierte er alle Bereiche dieser Stadt. So sah er für die Innenstadt Häuser mit Hof und Garten entsprechend der Größe des Hausgrundrisses vor, in der zweiten Zone verdoppelte er die Grünflächen und im dritten äußeren Ring verdreifachte er sie. Alle Häuser sollten freistehend errichtet werden. Reihenhäuser und geschlossene Straßenfronten lehnte er als Kennzeichen der „zivilisierten" Städte ab. Um der Monotonie der Anlage zu begegnen, sollten einige Straßen krumm und geschlängelt sein. Dennoch behielt er die barocke Point-de vues-Ausrichtung einer Straße auf einen pittoresken Punkt, ein Denkmal oder eine Brücke bei. Ein Achtel der gesamten Fläche sah er für Plätze vor.

Fourier kann mit seinem konzentrischen, durchgrünten Entwurf als Anreger für die Gartenstadtkonzeption Howards gelten. Die „ville garantiste" sollte jedoch nicht mit kleinen Häusern bestückt werden, sondern mit ca. 100 Großwohneinheiten mit jeweils 100 Haushalten, die nicht nur günstiger sei als kleine Häuser, sondern auch Überzeugungsarbeit für das zukünftige kollektive Leben leisteten.[57]

---

[54] Fourier 1966, hier I, S. 9f. Vgl. Bollerey 1991, S. 110.
[55] Fourier 1966, IV, S. 299. Vgl. Bollerey 1991, S. 100.
[56] Fourier 1966, XII, S. 684.
[57] Bollerey 1991, S. 100-103.

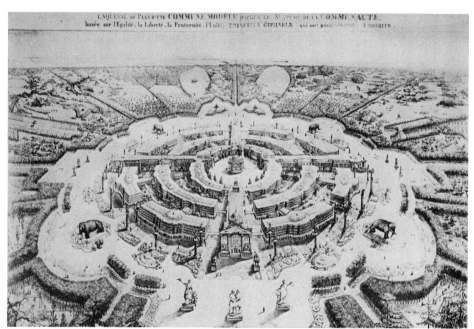

Abb. 5: Stadt des Garantismus nach Charles Fourier

4. Mischmodelle in der Perspektive neuer naturalisierter stadtplanerischer Modelle: die Gartenstadt

Der Parlaments- und Hofstenograph Ebenezer Howard entwickelte sein Modell einer Gartenstadt gegen die aus der Industrialisierung erwachsene zunehmende Landflucht und die damit einhergehende Verslumung Londons. Howards Vorstellungen speisten sich aus zwei Traditionslinien: den Utopien des 19. Jh. und dem Einfamilienhaus im Grünen, einem Produkt der viktorianischen Kultur, um das Familienleben der Enge und Unordnung der Großstadt zu entziehen.[58] Angeregt von Edward Bellamys Roman *Looking Backward: 2000-1887* (1888)[59] und William Morris' *News from Nowhere* (1890),[60] verfasste Howard 1898 seine Schrift *To-Morrow: A Peaceful Path to Real Reform*, der jedoch erst in der zweiten Ausgabe von 1902 unter dem Titel *Garden Cities of Tomorrow* ein durchschlagender Erfolg beschieden war.[61] Bellamy schildert in seinem Buch aus der Sicht eines Bostoners im Jahr 2000 die Vorstellung eines idealen Staates, in dem allgemeine Harmonie, allgemeiner Reichtum und Konfliktlosigkeit herrschen. Er erläutert eine utopische, klassenlose Gesellschaft, in der alle Produktionsmittel Eigentum des Staates sind, und entwirft damit ein Alternativmodell zu damaligen wirtschaftlichen und gesellschaftlichen Missständen, jedoch mit starken archistischen Elementen.

Rückblickend aus der Zukunft des 21. Jh. auf das verslumte London mit seiner durch die Industrie zerstörten Natur und Umwelt des 19. Jh., imaginierte William Morris in seiner ebenfalls von Bellamys Roman angeregten Erzählung *News from Nowhere* in Abkehr von Bellamys etatistischem Modell und der kapitalistischen industriellen Großstadt, wie Menschen in einer Gartenstadt unter kommunistischen Bedingungen in der unversehrten Natur zusammenleben. In Hinblick auf die Stadt des 19. Jh., deren Bild dann Ebenezer Howard beeinflussen sollte, schilderte er zunächst – ähnlich wie Zola – das Krisenszenario seiner Zeit: So hätte der Industrialisierungsprozess in London Slums entstehen lassen: „Orte der Qual für unschuldige Männer und Frauen oder, schlimmer noch, Brutstätten der Unzucht". „In Häusern, die mehr Höhlen gleichen, verbringen Männer und Frauen, in ihrem Unrat wie Heringe in einer Tonne zusammengepfercht, ein Leben, das sie nur deshalb zu ertragen imstande sind, weil ihnen jedes Gefühl von Menschenwürde abhanden gekommen ist." Die traditionellen Dörfer seien dem Industrialisierungsprozess zum Opfer gefallen: „Nur diejenigen überlebten, die sich den Fabrikdistrikten anschlossen oder selbst kleine Industriestandorte wurden."[62]

Howard entwickelte nun, ähnlich wie Morris – ausgehend von der damaligen gesellschaftlichen Situation – sein Modell von den unterschiedlichen „Anzie-

---

58 Zum Folgenden Seng 2006, S. 273-303.
59 Bellamy 1888.
60 Morris 1981.
61 Howard 1968.
62 Morris 1981, S. 101, S. 104.

hungskräften" von Stadt und Land, deren Vor- und Nachteile er in einer dritten Möglichkeit, der „Town-Country"-Konstellation – auf ideale Weise aufgehoben sah. In einem Diagramm mit dem Titel *The Three Magnets* verdeutlicht er die Vor- und Nachteile von Stadt und Land und stellte sie einander gegenüber. Diese vereinigt er dann im dritten Magneten der von ihm entwickelten „Town-Country" miteinander, so dass sich seine Frage: "Wohin werden die Menschen gehen?" für ihn natürlich von selbst beantwortete, nämlich in die Land-Stadt-Kombination. Weder Stadt noch Land erfüllten den von ihm postulierten Zweck eines naturgemäßen Lebens. Der Mensch sollte, nach Howard, Geselligkeit und Naturschönheit als die beiden Hauptvorzüge von Stadt und Land zusammen genießen können. Ausgehend von einer autarken Stadt für nicht mehr als 32 000 Bewohner, entwarf er einen kreisrunden Plan von 2 km Durchmesser.

Sechs breite Boulevards unterteilten und erschließen die sechs Radien oder Bezirke der Stadt. Den Mittelpunkt bildet eine Grünanlage mit Wasserkünsten, umgeben von den öffentlichen Gebäuden wie Rathaus, Konzert- und Vortragshalle, Theater, Bibliothek, Museum, Bildergalerie und Krankenhaus. An dieses Zentrum schließt sich ein öffentlicher Park von 58 Hektar mit weiten Spiel- und Erholungsplätzen an. Rund um diesen Zentralpark sollte eine Glashalle, der „Kristallpalast", nach der Parkseite geöffnet, erstellt werden. Dieser diente bei schlechtem Wetter als Zufluchtstätte der Bewohner und zugleich als Verkaufsraum, Ausstellungsfläche und Wintergarten. Danach folgen in den nächsten konzentrischen Ringen von Howards Gartenstadt die Wohnhäuser, wiederum umgeben von Gärten, eine große Avenue, ein weiterer Grüngürtel mit Schulen, Spielplätzen und Kirchen. Im äußersten Ring waren Fabriken, Lagerhäuser, Meiereien und Märkte vorgesehen. Landwirtschaftliche Flächen um die Stadt sollten schließlich die Expansion nach außen verhindern. Für den Fall, dass die Bevölkerungsobergrenze erreicht wäre, plante Howard die Gründung einer neuen Stadt.

Umgesetzt wurde Howards Konzept lediglich an zwei Beispielen: Letchworth 1903 und Welwyn Garden City 1919. In Letchworth, ungefähr 50 km von London entfernt, entstand nach den Plänen der Architekten Raymond Unwin und Barry Parker eine allerdings beträchtlich von Howards Idealvorstellungen abweichende Anlage. Besondere Probleme bereitete die durch das Gelände führende Bahnlinie. Von ihr ausgehend, projektierte Howard im Rahmen seiner städtebaulichen Konzeption eine Allee, die zur grünen Mitte und zum gesellschaftlichen Mittelpunkt der Stadt mit Rathaus, Kirche, Museum und Schule führte. Auf diesen Platz mündeten die restlichen Straßen der Stadt. Die Anlage finanziert und organisiert eine Gartenstadtgesellschaft, die das Straßennetz und die Betriebseinrichtungen etablierte, Bestimmungen für die Häuser und Gärten erließ und schließlich die 99 Baugrundstücke verpachtete. Die Stadt wuchs allerdings langsamer als geplant und erreichte erst 1950 mehr als 20 000 Einwohner (heute mehr als 30 000). Erfolgreicher war Welwyn Garden City, ungefähr 35 km von London entfernt, mit heute 50 000 Einwohnern. Die Stadt ist um eine 66 Meter breite und 1,2 km lange Parkway angelegt, die in dem in einem Halbrund lokalisierten Civic Center endet.[63]

Wie sehr Architekturkonzeptionen utopische Romane beeinflussten, zeigt die wenig später erfolgte Einbindung von Howards Gartenstadtidee in Émile Zolas (1840-1902) vorletztem Roman *Le Travail*, den er zwischen März des Jahres 1900 und Mai des darauf folgenden Jahres 1901 verfasste. Er wurde nahezu zeitgleich ab Dezember 1900 im Feuilleton der Zeitschrift *L'Aurore* vorabgedruckt, bevor er ab Mai 1901 im Verlag von Georges Charpentier erschien. Wenn auch die Erstpublikation schon eine Auflage von 77 000 Exemplaren erreichte, wurde *Le Travail* danach lediglich innerhalb einiger französischer Gesamtausgaben der Werke Zolas publiziert [1928 109 000 verkaufte Exemplare der französischen Ausgabe, d. V.].[64] Deutsche Übersetzungen gibt es seit Erscheinen des Romans und als überarbeitete Versionen von 1916 und aus den zwanziger Jahren des vorigen Jahrhunderts.[65] Ebenso wurde das Werk 1919 in das neue Medium des Films übertragen.[66]

Heute ist das Spätwerk Zolas weitgehend unbekannt; insbesondere die letzten Romane, die zum Zyklus der *Vier Evangelien (Quatre Evangiles),* zählen, nämlich *Fécondité* 1899 (Fruchtbarkeit), *Travail* 1901 (Arbeit), *Verité* 1903 (Wahrheit) und *Justice* (Gerechtigkeit, lediglich handschriftliche Fragmente)[67] wurden seit 1950 kaum beachtet und, wenn ja, als schwaches idealistisches Spätwerk eines einst kritischen, politischen Schriftstellers abgetan.[68]

Dagegen begriff Zola seine *Quatre Evangiles* nach seinen Arbeitsnotizen als „natürliche Schlussfolgerung" seines gesamten Werkes. Diese Einstellung verdeutlicht nicht zuletzt auch der gewählte Titel für den letzten Zyklus, den er offensichtlich als Heilsbotschaft und damit als Lösungsmodell für das kommende 20. Jh. verstanden hat. Gerade die idealistischen, utopischen Züge des Spätwerks mit seiner ideologischen Botschaft brachten Zola vielfach Kritik und Ablehnung schon von seinen Zeitgenossen und insbesondere von der Forschung ein.

Zolas Thesenroman *Le Travail* schildert den Besuch des jungen Pariser In-

---

[63] Howard 1968, S. 35ff., S. 62; Reinborn 1996, S. 49ff.

[64] Becker/Gourdin-Servenière/Lavielle 1993, S. 424; S. 429-432.

[65] Die deutsche Erstausgabe erschien 1901/1902 in einer Übersetzung von Leopold Rosenzweig (nicht mehr greifbar). 1916 veröffentlichte die Deutsche Verlagsanstalt in Stuttgart das Werk. Vgl. Fourier 1916. Dieselbe Übertragung plublizierte auch der Insel-Verlag in Leipzig. Die Ausgaben halten sich eng an den Originaltext. Eine weitere Übersetzug von Leopold Rosenzweig veröffentlichte der Verlag Th. Knaur Nachf. Berlin o.J. Vgl. hierzu Bernard 1959, S. 170. Im Übrigen sei auf Bd. 28 u. 29 der Werkausgabe verwiesen: Zola 1928.

[66] Buck 2002, S. 6.

[67] Zola starb am 29. September 1902 in seiner Pariser Wohnung an einer Kohlenmonoxydvergiftung aufgrund eines defekten Kaminabzugs. Verschiedentlich wurde vermutet, dass dieser Unfall möglicherweise auf eine (absichtlich) unsachgemäß ausgeführte Reparatur eines nationalistischen Ofensetzers zurückzuführen sei. Zolas Überreste wurden sechs Jahre nach seinem Tode ins Pariser Panthéon überführt.

[68] Becker/Gourdin-Servenière/Lavielle 1993, S. 343.

genieurs Lucas Froment in Beauclair, einer von Stahlwerken dominierten Stadt unterhalb der Hänge der Monts Bleuses. Er reist auf Einladung seines reichen Freundes Martial Jordan an, eines Wissenschaftlers und Erfinders, der zugleich der Besitzer der Hochofenanlage „Crêcherie" ist, sich aber ausschließlich seinen Studien zur Anwendung der Elektrizität bzw. deren Nutzung im Bereich elektrischer Öfen zum Schmelzen von Metallen widmet. Jordans Ingenieur, der verantwortlich den Betrieb geleitet hatte, war plötzlich verstorben, so dass er Lucas' Rat zur Rentabilität der veralteten Hochofenanlage suchte – eigentlich um sich im Plan zum Verkauf der Anlage samt der bereits stillgelegten Mine bestärken zu lassen. Lucas, betroffen von den unmenschlichen Lebensverhältnissen der Arbeiter, überredet seinen Freund Jordan, sowohl den Hochofen als auch die Mine zu behalten und diesen ein neues Stahlwerk mit Arbeitersiedlung als Grundstein für die Stadt der Zukunft hinzuzufügen. Überzeugt, dass die „persönliche Initiative allmächtig" sei[69], übergibt Jordan dem jungen Freund nicht nur die Hochofenanlage, sondern auch das notwendige Kapital zur Umsetzung seiner Ideen. Zwar stoßen Lucas' Umstrukturierungsversuche auf den erbitterten Widerstand der reaktionären Kräfte. Dennoch setzte er sich schließlich mit seiner neuen Fabrik samt Arbeiterstadt durch, übernimmt sogar das Stahlwerk Quirignon, die „Hölle", und überredet die Bauern zu einem genossenschaftlichen Zusammenschluss.

Hintergrund seiner Gesellschaftsveränderung sind die Ideen der utopischen Sozialisten wie Saint-Simon, Charles Fourier, Auguste Comte, Pierre-Joseph Proudhon, Étienne Cabet, Pierre Leroux, die er insbesondere in Form der Schrift des Fourier-Schülers Hippolyte Renaud *Solidarité. Vue synthétique sur la doctrine de Charles Fourier* (1842) in einer schlaflosen Nacht verschlang. Ihnen entnahm er zwei „geniale Gedanken": die Leidenschaften als positive treibende Kräfte des Menschen und die Arbeit, die zum „Gesetz des Lebens werden sollte". Nicht von ungefähr wählte Zola *Arbeit* zum Titel des Romans. Denn es genügt, so Lucas' Erkenntnis, „die Arbeit umzugestalten, um die ganze Gesellschaft umzugestalten". Lucas wie sein Förderer Jordan erweisen sich als Missionare dieser Vorstellungen. So bekennt Jordan: „Die Arbeit, die Arbeit! Ihr danke ich mein ganzes Leben. (...) Es gibt kein Wesen und kein Ding, das in unbeweglicher Trägheit verharren könnte, alles wird mitgerissen, zur Arbeit angehalten, gezwungen, sein Teil am gemeinsamen Werke zu leisten. Wer nicht arbeitet, verschwindet dadurch von selbst, wird als nutzlos und störend abgestoßen, muß dem notwendigen, unentbehrlichen Arbeiter Platz machen". Obwohl die Arbeit in dieser zukünftigen Gesellschaft zur „obersten bürgerlichen Pflicht" (l'obligation civique) zum eigentlichen „Lebensnerv" (la reglé vitale) werden sollte, werde sie – und hier zeigt sich Fouriers und Zolas Unterschied zu den archistischen Utopien – von allen freiwillig akzeptiert, da sie frei wählbar nach Interesse und Neigungen der Individuen verteilt werde. Darüber hinaus sollte die Arbeit nur wenige Stunden des Tages

---

[69] „Sans doute, ..., l'initiative individuelle est toute-puissante" (Zola 1928, S. 185).

umfassen und zur Vermeidung von Abstumpfung fortwährend gewechselt werden können. Ermöglicht werde dies durch eine weitestgehende Arbeitsteilung, die auch das Erlernen zahlreicher Berufe erleichtere.[70] Zwar vermied Zola alle Hinweise auf Fouriers Vorstellungen einer sexuellen Emanzipation und deutete diese ins kleinbürgerlich-sentimentalische Eheglück um.[71] Dennoch diente ihm Fouriers Genossenschaftswesen zur Begründung einer friedlichen Transformation des Gemeinwesens und damit als dritter Weg zwischen revolutionärem Proletariat und reaktionärem Bürgertum.[72]

Sinnbild dieses gesellschaftlichen Transformationsprozesses wird die „Stadt der Zukunft" (la ville future), die Lucas anstelle des alten Beauclair, der Hölle und der Crêcherie errichtet (Abb.6). Drei Jahre nach Übernahme des Werkes hat Lucas nicht nur eine neue Stahlfabrik gegründet, sondern auch eine Arbeiterstadt, bestehend aus fünfzig weißen Häusern inmitten von Gärten und einem zentralen „Gemeinhaus" mit Schule, Bibliothek, Bad, Fest- und Speisesaal (Abb. 7). Die Bewohner dieser neuen Crêcherie waren beim Bau ihrer Häuser nicht an Vorgaben gebunden, sondern konnten nach ihren Vorstellungen und ihrem „Gefallen" bauen. Unaufhörlich breitete sich in den folgenden Jahren diese „ideale Stadt" aus, „Werkstätten und große Arbeitshallen erweiterten sich und bedeckten Hektare; und die hellen und fröhlichen, von Gärten umgebenen Häuschen vermehrten sich in dem Maße, wie sich die Arbeiter" vermehrten, bis auch die in ihrem „bürgerlichen Egoismus erstickende" Neustadt von Beauclair und die durch einen Brand zerstörte Hölle neu „nach dem Muster der Crêcherie" überbaut werden. Der einstige schlossartige Wohnsitz der Quirignons, die Guerdache, wurde zum Erholungsheim für Wöchnerinnen. Die Arbeitszeit reduziert sich schließlich auf täglich auf vier Stunden.

Die Ablösung der schmutzigen und körperlich schweren Arbeit gelingt allerdings erst durch den umfassenden Einsatz der Elektrizität. Maschinen übernehmen die Handarbeit sowohl in den Fabriken der Landwirtschaft wie auch im Haushalt. Der Einsatz moderner Technik und Energie führt zu weitgehender Automatisierung der industriellen Produktion, der Versorgung der öffentlichen und privaten Gebäude mit Wasser, Strom und Wärme und schließlich auch zu elektrisch betriebenen Automobilen.[73] Parallel dazu entwickelt sich das zunächst einfache Gemeindehaus zu einem fayencegeschmückten palastartigen Bau mit Festsälen, Spielhallen, Theater, umgeben von Anbauten für Bibliotheken, Laboratorien, Vorlesungen, Kurse, Experimente, Schwimmhallen und Bädern, die als gemeinschaftsstiftender Mittelpunkt der Stadt fungieren – im Gegensatz zu der von Zola propagierten häuslichen Privatsphäre der Familien. Damit rückte Zola in einem zentralen Punkt von Fouriers Sozialutopie ab, nämlich dem gemeinsamen

---

[70] Zola 1916, S. 212-214, S. 240f.; Zola 1928, S. 158.
[71] Bruyn 1996, S. 189ff.
[72] Saage 2002a, S. 69ff.
[73] Zola 1916, S. 261f., 2. Bd. S. 65, S. 173, S. 166f, S. 260ff., S. 307f., S. 312, S. 364.

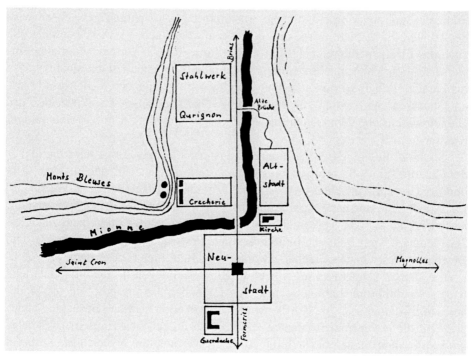

Abb. 6: Die Stadt Beauclair nach Émile Zolas ›Le Travail‹ bei Ankunft von Lucas Froment

Leben in der Phalange.[74] Zola zeigt sich in diesen beiden Punkten wiederum auf der wissenschaftlich-technischen Höhe der Zeit. 1881 war auf der Pariser Weltausstellung der Einsatz von Glühlampen demonstriert worden; zwei Jahre zuvor hatte man auf der Berliner Gewerbeausstellung mit einer elektrischen Eisenbahn fahren können, und 1882 nahm ein New Yorker Elektrizitätswerk seinen Betrieb mit 2300 Lampen in 85 Haushalten auf.[75] Auf das Vorbild des propagierten Modells des Einfamilienhauses mit Garten gibt Zola selbst einen Hinweis, indem er den „Gesamtanblick der neuen Stadt" als den eines „gewaltigen Gartens, in welchem die Häuser einzeln mitten im Grün standen" schildert und damit unzweifelhaft auf Ebenezer Howards Gartenstadtidee verweist, die für viele Zeitgenossen zur Lösung der durch die Industrialisierung verslumten Großstädte geworden war.[76]

Zolas Arbeitsutopie zog dann in der Architektur weite Kreise. Zwischen 1901 und 1904 arbeitete Tony Garnier (1869-1948), der Prix-de-Rome-Stipendiat der Pariser Académie des Beaux-Arts, ein Projekt einer modernen Industriestadt (Abb.8) aus [1904 ausgestellt; 1917 in 164 Tafeln publiziert, d.V.]. Garnier, der sich zuvor in Paris in den sozialistischen Kreisen von Jean Jaurès und Émile Zola bewegt hatte, nahm Zolas Roman *Travail* offensichtlich zum Ausgangspunkt seiner Planungen. Die Vorhalle seines zentralen Versammlungsgebäudes schmücken zwei Texte aus Zolas *Travail*, dem auch Garniers Schlusssätze verpflichtet sind: „Dies ist, in Kürze, das Programm für die Errichtung einer Stadt, in der es jedem bewusst ist, dass das menschliche Gesetz Arbeit heißt, dass jedoch der Kult des Schönen und das gegenseitige Wohlwollen genügen, um das Leben herrlich zu machen."[77] Ähnlich wie Howard in seinem Gartenstadtentwurf geht er von einer Einwohnerzahl von 35 000 Menschen aus, für die er Wohngebiete, ein Stadtzentrum, Industrieanlagen, einen Bahnhof und öffentliche Gebäude wie Versammlungssäle, Verwaltungsbehörden, Archive, Sportstätten und Schulen vorsieht. Hingegen gibt es keine Kasernen, Gefängnisse und Kirchen, die in der neuen sozialistischen Gesellschaft nicht mehr gebraucht würden. Den Kirchturm ersetzt ein Uhrturm mit 24-Stunden-Zifferblatt als neues Symbol der rationalen, zeitlich durchstrukturierten Industriestadt. Auch in *Travail* stürzte die Kirche Beauclairs ein, wurden das alte Stadthaus und die Schule abgebrochen und Unterpräfektur, Gericht und Gefängnis zu Bibliothek, Museum und Badehaus umgebaut.[78]

Ursache für die Gründung der der Arbeit verpflichteten Stadt sind in der Umgebung vorhandene Rohstoffe, die Möglichkeit zur Nutzung natürlicher Energiequellen wie Wasserkraft sowie bequeme Transportmöglichkeiten. Entsprechend

---

[74] Saage 2002a, S. 74ff.

[75] Bruyn 1996, S. 200.

[76] Zola 1916, 2. Bd., S. 313.

[77] „Voici résumé le programme de l'établissement d'une cité, où chacun se rend compte que le travail est la loi humaine et qu'il y a assez d'idéal dans le culte de la beauté et la bienveillance pour rendre la vie splendide." Vgl. Garnier 1989, S. 8.

[78] Zola 1916, 2. Bd., S. 314f.

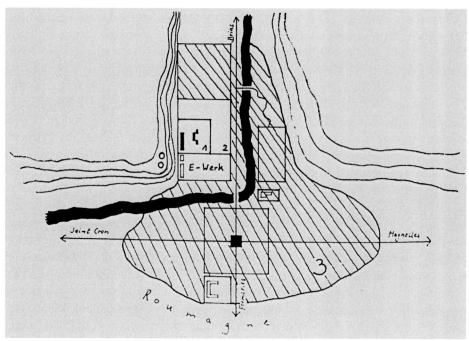

Abb. 7: Die Stadt Beauclair nach Émile Zolas ›Le Travail‹, städtebauliches Wachstum nach 3 Jahren (1), nach 6 Jahren (2) und nach 16 Jahren (3)

Abb. 8: Tony Garnier, Une cité industrielle, Wohngebiet, 1917

plant er die Lage der Stadt an einem wilden Gebirgsbach, der – gestaut – ein Wasserkraftwerk antreibt und damit Strom, Licht und Wärme für die Fabriken und die Stadt erzeugt. Zwar zeigt sich Garnier vielfach von Zolas Werk angeregt, dennoch sind seine Entwürfe nicht Ausdruck eines allmählich, eher zufällig gewachsenen Gemeinwesens, sondern Ergebnis rationaler Entscheidungen. So liegen die Industrieanlagen aus Emissionsgründen in der Ebene, während die Stadt auf einem Plateau angeordnet ist, über dem, noch höher gelegen, sich die Heilstätten und Krankenhäuser befinden. Eine Fernstreckenbahn verbindet die Teile der erstmals streng nach Funktionen wie Wohnen, Arbeiten, Erholung, Verkehr getrennten Stadtanlage, was zu einem stadtplanerischen Prinzip des modernen Städtebaus werden sollte. Wohnstadt wie Industrieareal unterwirft Garnier gleichermaßen einem starren Parzellierungsraster, das die optimale Nutzung und verkehrstechnische Erschließung der Grundstücke erlaubte. Ein regelmäßiges Netz von Straßen führt ihn zu Flächen von 150 x 30 Metern, die er wiederum in Parzellen von 30 x 15 m unterteilt.

Die Wohnhäuser, die eine oder mehrere Parzellen einnehmen können, aber nur höchstens die Hälfte der Fläche überbauen dürfen, sollten in jeder Wohnung über einen Raum mit Südfenster verfügen, jedoch keine Innenhöfe umschließen. Die Restfläche wird öffentliche Grünanlage, die den Fußgängern „die Durchquerung der Stadt in jedweder Richtung, unabhängig von Straßen" ermöglichen sollte. „Der Boden der Stadt", so Garnier in seinen Erläuterungen, „wird somit, insgesamt betrachtet, gleichsam zu einem großen Park, ohne irgendeine Trennungsmauer, um die einzelnen Grundstücke voneinander abzugrenzen. Tony Garnier ging von einer Gesellschaft aus, die die „freie Verfügungsgewalt über den Boden" besitzt, also einer schon ausgebildeten sozialistischen Gesellschaft.[79] Das Häuschen mit Garten bei Émil Zola wurde von Garnier in einen industriefreundlichen Staatssozialismus rückgebunden, wobei die Eigeninitiative der Kleinhausbauer der staatlich-kommunalen Planungspolitik gewichen ist. Dennoch erlaubte Garniers in seiner Serialität konsequent zu Ende gedachtes Projekt das Mittel der Variation. So reichen die Hausvorschläge von reihenhausähnlichen Lösungen bis hin zu Einzel- und Doppelhausprojekten mit in der Regel jedoch nicht mehr als Dreizimmerwohnungen mit Dachterrasse oder Veranda, niemals jedoch Hofraum oder Garten. Zwischen den ersten Plänen von 1904 und der Veröffentlichung 1917 wird auch hier eine bemerkenswerte Veränderung wahrnehmbar, nämlich die Tendenz zu Kollektivbauten mit vier Stockwerken, die offensichtlich seinem Wirken als Stadtbaumeister von Lyon geschuldet war.

Garniers Industriestadt beeinflusste sowohl in der Gesamtanlage als auch in der Entwicklung architektonischer Serien und Typen die Architekten der Moderne. Le Corbusier veröffentlichte Ausschnitte aus der *Cité industrielle* in der Zeitschrift *L'Esprit Nouveau* (1920) und später in seinem Buch *Vers une Architecture*

---

[79] Garnier 1989, S. 14f.

(1922), wobei er Garniers aufgelockerte, durchgrünte Industriestadt mangels Verdichtung mitten im Herz einer Stadt kritisierte.[80]

5. Die Auswirkungen frauenemanzipatorischer Vorstellungen auf architektonische Modelle: das Gemeinschaftshaus

Die Konzeption des Kommune- oder Gemeinschaftshauses ist für das Verhältnis von Utopie und Architektur deswegen von zentraler Bedeutung, weil sie sich insbesondere in den Diskursen über den Neuen Menschen und der seinen antizipierten Bedürfnissen entsprechenden Stadtplanung sowie der architektonischen Gestaltung seiner Lebenswelt exemplarisch in Sowjetrussland bzw. in der Sowjetunion niederschlug. Erneut brach der Gegensatz zwischen dem anarchistischen und archistischen Utopieentwurf auf. Der erste Pol wurde von den feministischen Emanzipationskonzeptionen Alexandra Kollontais (1872-1952) besetzt, wobei diese freilich Elemente der klassischen Utopietradition in ihre Konzeption integriert. So stellt Thomas Möbius in seinem Standardwerk über die russische Utopietradition zusammenfassend fest: „Kollontais Neuer Mensch ist (...) einerseits, ganz in der Tradition der klassischen Utopie auf das Kollektiv verpflichtet: Er wird in allen Lebensbereichen [Arbeit, Freizeit, Wohnen, Familie, d.V.] durch das Kollektiv bestimmt [und kontrolliert]. Auf der anderen Seite befreit sie gerade den Bereich, der in der klassischen Utopie am strengsten reglementiert ist: Für ihren Neuen Menschen wird Liebe zur in jeder Hinsicht autonomen und freien Beziehung".[81]

Alexandra Kollontai legt zwar nicht eine utopische Gesamtkonzeption im Stile des Thomas Morus vor. Doch in ihrer Erzählung *Die Liebe der drei Generationen* (1925) verdeutlicht sie auf dem Hintergrund einer sozio-politischen Emanzipationsentwicklung die Genesis der Emanzipation der Frau von patriarchalischer Vorherrschaft. Direkt an Tschernyschewskis Utopie *Was tun?* anknüpfend, schildert sie modellhaft die Stufen der gesellschaftlichen und der mit ihr verknüpften individuellen Befreiung am Beispiel dreier Frauenschicksale: Die Generation der Großmutter steht für die Zeit der Narodniki, ihre Tochter personifiziert die Epoche der Oktoberrevolution, und die Enkelin ist geprägt von den Imperativen der nachrevolutionären Aufbaugeneration. Ganz im Sinne der Utopien der Aufklärung wird so der Leser Zeuge der Herausbildung und Korrespondenz von gesellschaftlicher und individueller Emanzipation, die auf ihr eigentliches Telos, die Aufhebung der bürgerlichen Kleinfamilie und ihre Ersetzung durch das Kollektiv bestimmt hinausläuft.

Die Radikalität von Kollontais emanzipativem Ansatz besteht darin, dass er die soziale Frage um einen neuen Aspekt erweitert. Ihr Befreiungskonzept sollte

---

[80] Le Corbusier 1969, S. 54ff.
[81] Möbius 2015, S. 381.

nicht nur den Weg der Frau in das Arbeitsleben ermöglichen und damit einher-
gehend das Ende der „Haushaltssklaverei" herbeiführen, sondern auch das Pa-
triarchat durch die sexuelle Selbstbestimmung der Frau ersetzen (Abb. 9). Was
Kollontai unter sexueller Emanzipation versteht, legt sie in ihrer Erzählung der
Enkelin Genia in den Mund: Im Gegensatz zu ihrer Großmutter schließt Genia
eine eindeutige Entscheidung für einen Partner aus, wenn sie sich zur gleichen
Zeit zu einem anderen Mann erotisch hingezogen fühlt. Sie kann diese Option mit
dem Schicksal ihrer Mutter rechtfertigen, die unter dem Druck der Großmutter,
eine Entscheidung zu treffen, litt und sich immerzu quälte, bis die emotionalen
Beziehungen zerbrachen und sich alle drei „in Feindschaft" trennten. „Ich werde mich von keinem in Feindschaft trennen. Es ist zu Ende, er gefällt mir nicht
mehr – und das ist alles. (. . .) Sie sollen es endlich begreifen, dass ich keinem
gehöre".[82]

Möbius weist zu Recht darauf hin, dass die Projektionsfläche für Kollontais Utopie der Neuen Lebensweise das Kommunehaus war. In Übereinstimmung
mit dem von ihr in ihrer Erzählung *Die Liebe der drei Generationen* stufen-
weise sich konkretisierenden individuellen und kollektiven Emanzipationsprojekt
ist zwischen dem Übergangshaus und dem vollendeten Kommunehaus zu unterscheiden. Die erste Kategorie trug der marxistischen These Rechnung, wonach
das Absterben der Familie ein längerfristiger Prozess sei. Daher propagierte man
nicht die vollständige Abschaffung der Einzelhaushalte, sondern ging Kompro-
misse mit den tradierten Wohnverhältnissen ein. So gab es Wohnungen für Familien, „die noch mit Küche etc. ausgestattet waren, und Appartementzimmer
für Alleinstehende ohne eigene Küche. In der Regel bestanden sie aus einem
Trakt mit Einzelwohnungen, einem mit den Appartmentzimmern und dem Trakt
für die Gemeinschaftseinrichtungen".[83] Der Gemeinschaftssektor dieses Misch-
modells sah das Standardprogramm wie Kinderkrippe und –garten, Wäscherei,
Cafeteria, Wannen- und Duschbäder, aber auch Bibliothek, Lesesaal, Klubräu-
me und Veranstaltungssäle vor. Ziel war hierbei die Entlastung der Frau von der
Hausarbeit und die damit mögliche Einbindung der Frauen in das Berufsleben.

Als berühmtes Beispiel für diesen kommunalen Wohnungsbautyp des Über-
gangshauses wird meist das 1928-1930 nach Plänen Moissej Jakowlewitsch Gins-
burgs und Ignati Franzewitsch Milinis errichtete Narkomfin-Haus (Abb. 10): ein
Gebäude mit Wohnungen und kommunalen Dienstleistungs- und Wirtschaftsein-
richtungen, das im Auftrag des Finanzministeriums für dessen Angestellte ausgeführt wurde. Es handelt sich um einen langgestreckten sechsgeschossigen, auf
Stützpfeilern (Pilotis) errichteten Bau. In ihm gab es 23 Kleinstwohnungen (mit
Küchennische, Schlafalkoven und Bad), acht Wohnungen für große Familien und
einen Wohnheimteil mit Zimmer für zwei Personen. Auf dem Flachdach befan-

---

[82] Kollontai 1988, S. 7-40, hier S. 37.
[83] A.a.O., S. 400.

Abb. 9: G. Segal, Küchensklaverei, Plakat, Moskau 1931

den sich ein Solarium und ein Dachgarten mit Blumenbeeten. In Höhe der ersten Etage verband ein gläserner gedeckter Gang den Block mit einem weiteren Gebäude, in dem die zentralen Versorgungseinrichtungen wie Küche, Speisesaal und Kindergarten eingerichtet waren. Bei diesem neuen Typenbau wurden neuartige Materialien und Konstruktionsweisen erprobt – wie vorgefertigte standardisierte Bauteile, eine Stahlbetonskelettbauweise, eine Wärmisolierung der Außenwände sowie Schiebefenster (Abb. 13).[84] Das Narkomfin-Haus nahm damit unverkennbar Elemente und äußere Form von Le Corbusiers *Unité d'habitation* in Marseille vorweg, das zwischen 1947-52 entstehen sollte.

Demgegenüber gab es bei den vollendeten Kommunehäusern wiederum zwei Typen. Weitgehend den Vorstellungen Kollontais entsprechend, sah das erste Modell die Auflösung des Einzelhaushaltes vor. Die Vergemeinschaftung zielte hier insbesondere auf die Entlastung von der Hausarbeit und eine libertinäre individuelle Emanzipation der Frau und weniger auf die endgültige Abschaffung der Familie. Das zweite Modell ging von der sofortigen Abschaffung der Familie aus. In der Konsequenz ersetzten benachbarte, mit Schiebetüren verbundene Schlafkabinen für Ehepaare den individuellen Wohnraum. Die Kinder bewohnten eigene Trakte. Alle anderen Funktionen des Wohnens und Lebens sollten vergemeinschaftet sein und im Kollektiv stattfinden. Dem entsprach auch eine vollständige Rationalisierung des Lebens. Nach ersten experimentellen Entwürfen für Kommunehäuser zu Beginn der 1920er Jahre, die allesamt unausgeführt blieben, nahmen sich die Stadtverwaltungen seit Mitte der 1920er Jahre der Aufgabe an und lobten Wettbewerbe in den großen Städten aus. So schrieb 1925/26 der Moskauer Sowjet einen Wettbewerb für ein Arbeiterkommunehaus für 800 Personen mit Zwei- und Drei-Zimmerwohnungen für Familien ohne Küche und mit einem Wohnteil für Ledige sowie Gemeinschaftsküche, Speisesaal, Tageskrippe, Kindergarten, Wäscherei, Klub, Bibliothek und Lesesaal aus. Den zweiten Preis erhielt der Entwurf der Architekten Georgi Jakowlewitsch Wolfenson, Samuel Jakowlewitsch Aisikowitsch und J. Wolkow mit einem an die Phalanstère Fouriers erinnernden Entwurf, der auch mit leichten Veränderungen an der Chawsko-Schablowski-Sraße ausgeführt wurde (Abb. 14). Um einen Ehrenhof gruppierten sie in den Seitenflügeln aneinandergereiht an langen innenliegenden Korridoren die Einzimmerwohnungen und, durch Treppenhäuser erschlossen, die Mehrzimmerwohnungen, während die Gemeinschaftseinrichtungen im Mitteltrakt angeordnet waren.[85]

Ein weiteres Beispiel stellt das Kommunehaus der Gesellschaft der ehemaligen politischen Zwangsarbeiter und Zwangsumsiedler in Leningrad dar, das 1930 bis 1932 nach Plänen Grigori A. Simonows errichtet wurde. Neben 140 größeren Wohnungen mit Bad und weiteren Kleinwohnungen mit Gemeinschaftsbä-

---

[84] Chan-Magomedow 1983, S. 389f.
[85] A.a.O., S. 345; Gradow 1971, S. 50ff.

Abb. 10: Moisei Ginsburg und Ignati Milinis, Entwurf für das Narkomfin-Kommunehaus in Moskau, 1928-1929

Abb. 11: Walentin Popow, Kommunehaus in einer neuen Stadt (WChUTEIN, Atelier N. Ladowski), Modell, 1928

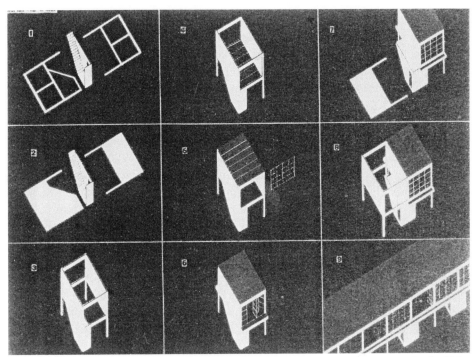

Abb. 12: Michail Barstsch und Moisei Ginsburg, Wettbewerbsentwurf für eine ›Grüne Stadt‹ (Seljony Gorod), Wohneinheit aus vorgefertigten Bauteilen für eine Siedlungsreihe, Schema der Montage, 1930

dern verfügte die Anlage über einen Speisesaal, eine Cafeteria, eine Wäscherei, einen Friseur, einen Schumacher sowie über Geschäfte, ein Kino, ein Revolutionsmuseum, eine Bibliothek, einen großen Veranstaltungssaal für 400 Personen, Clubräume sowie eine Ambulanz und auch über eine Dachterrasse.[86] Die radikalste und konsequenteste Umsetzung erfuhr das Kommunehaus in Nikolai Sergejewitsch Kusmins Kommunehaus für die Bergarbeiter im Steinkohlerevier Anshero-Sudshensker aus den Jahren 1928 bis 1929. Es spiegelt zugleich seine *Thesen über die Wohnung* (1929) wider, wie sie auch von der „Vereinigung moderner Architekten" (OSA) auf ihrem ersten Kongress 1929 angenommen wurden. Man verabschiedete sich von der Familie und propagierte stattdessen eine vollkommene Gleichberechtigung von Mann und Frau: „Das Proletariat muß unverzüglich mit der Vernichtung der Familie als eines Organs der Unterdrückung und Ausbeutung beginnen. Im Kommunehaus wird die Familie nach meiner Auffassung eine rein kameradschaftliche, physiologisch notwendige und historisch unvermeidliche Verbindung zwischen dem arbeitenden Mann und der arbeitenden Frau sein."[87] Dementsprechend sah das Kommunehaus für 1000 Personen innerhalb eines Wohnkombinats für 5140 Personen eine Gruppe von Gebäuden vor. In den Gebäuden wohnten die Bewohner nach Altersgruppen separat: Kinder, Arbeiter und alte Menschen. Männer und Frauen waren dabei nach Geschlechtern getrennt und schliefen in Sälen zu je sechs Personen, Ehepaare erhielten eine gemeinsame Schlafkabine, ebenso sah er für Schwangere eigene Schlafsäle vor. Die Kinder wurden nach Altersgruppen und in von den Eltern getrennten Trakten untergebracht. Die Eltern besuchten die Kinder lediglich zu genau festgelegten Zeiten. Alle Bewohner lieferten ihr Gehalt in eine Gemeinschaftskasse ab, das somit zum Gemeineigentum wurde. Die Verpflegung erfolgte gemeinschaftlich, und auch die Organisierung des Lebens vollzog sich nach einem strengen, jede Minute erfassenden Reglement.[88]

Zusammenfassend stellt Thomas Möbius fest: „Die Radikalität des Entwurfs liegt (...) vor allem in der minutiösen Taylorisierung des Alltagslebens. Analog der Arbeit am Fließband zerlegte Kusmin den Tagesablauf der Einzelprozesse (Schlafen, Aufstehen, Gymnastik, Duschen, Ankleiden, Frühstück etc.) und legte bis auf die Minute fest, wann und wie lange sie erfolgen. Die Einhaltung des Plans wurde mit Radio und Funk organisiert, zum Wecken ertönte beispielsweise ein Signal aus dem Radio. Diese Taylorisierung des Alltags schließt an Alexei Kapitonowitsch Gastews tayloristische Zeit- und Bewegungsstudien an. Mit einer Vergemeinschaftung zur Emanzipation der Frau aus der ‚Haushaltssklaverei' hatte sie nicht mehr viel gemein, ebensowenig mit Alexander Bogdanows proletarischem Kollektivismus einer ‚kameradschaftlichen Kooperation'. Was hier sichtbar wird, ist eine rationalistische Ordnungsphantasie, die das geometrisierende

---

[86] Chan-Magomedow 1983, S. 393.
[87] Kusmin 1928. Vgl. Gradow 1971, S. 55.
[88] Chan-Magomedow 1983, S. 334f. u. S. 390f.

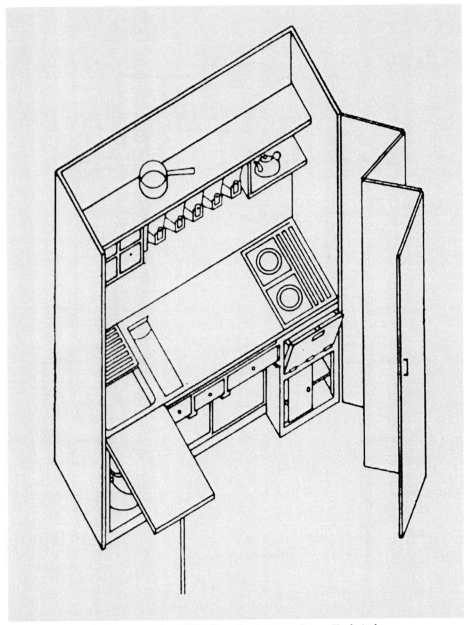

Abb. 13: Komitee für Bauwesen der RSFSR (Stroikom), Entwurf einer Kochnische

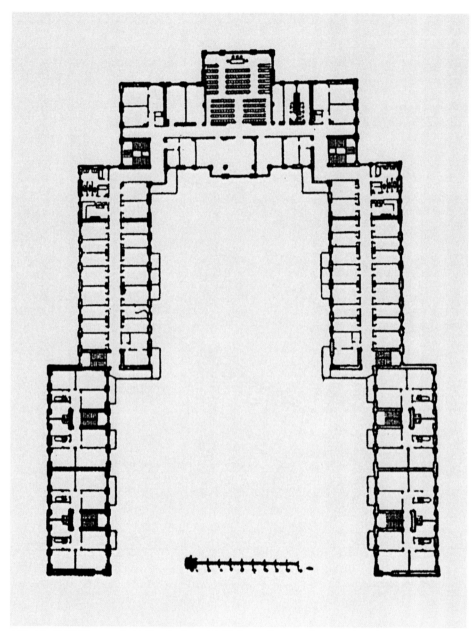

Abb. 14: G. Wolfenson, S. Aisikowitsch und J. Wolkow, Kommunehaus an der Chawsko-Schablowski-Gasse in Moskau, 1926-1928

Harmonie- und Ordnungsideal der archistischen Utopie – etwa Campanellas – fortschreibt. Unter dem Motto der ‚wissenschaftlichen Organisation der Lebensweise' sollte das Leben im gleichsam mathematisch exakten Kollektiv durchgeführt werden. Das hatte schon Jewgnij Samjatin in *Wir* als dystopisch entlarvt."[89] Ex post erwies sich, dass im Gefolge der bolschewistischen Revolution die archistische Linie erfolgreicher war, die – ab Ende der 1920er Jahre zunehmend ihres utopischen Überschusses beraubt – in ihren herrschaftsbezogenen Elementen der stalinistischen Diktatur den Weg ebnete. Die entscheidende Pointe des archistischen Pols ist die Ersetzung der utopischen Perspektiven eines „guten" Lebens bei Fourier und Tschernyschewki durch den Taylorismus. Exemplarisch für diesen Trend steht der Entwurf Nikolaj S. Kusmins.

Auf städtebaulicher Seite wurden wiederum drei Modelle für die neuen Lebensformen diskutiert. Ausgehend von der Gartenstadt, basierte ein erstes auf kleinen Einzelhäusern, die mit Gesellschaftshäusern kombiniert wurden und offensichtlich dem Vorbild Zolas und Garniers folgten. Es herrschte in den ersten Nachkriegsjahren in der Sowjetunion mit dem Bau von Industriekomplexen außerhalb der Städte und damit zusammenhängenden Arbeitersiedlungen vor (Abb. 15). Bei einem zweiten Modell sollten komplexe Hauskommunen mit vergesellschafteter Lebensweise zur Ausführung kommen, während ein drittes Modell einen Übergangstyp darstellt. Bei diesen Kollektivhäusern war zur allmählichen Umwandlung der Lebensformen eine Kombination aus Einzelwohnungen für Familien sowie Gemeinschaftseinrichtungen vorgesehen (Abb. 11). Beide zuletzt genannten Typen wurden sowohl an verdichteten Wohnkomplexen oder anhand der Neugründung von Industriestädten mit 40 000 bis 100 000 Einwohnern seit der zweiten Hälfte der 1920er Jahre propagiert. Ein zentrales Element dieser neuen sozialistischen Städte mit Wohnkomplexen und vollendeten Kommunehäusern (Szogorodkonzeption) waren, wie z.B. in der 1929/1930 für 35 000 Einwohner von Alexander Alexandrowitsch Wesnin und Leonid Alexandrowitsch Wesnin errichteten Stadt Kusnezk, verglaste Übergänge oder Brücken zwischen den vier Baublöcken der Wohnkombinate, die aus jeweils vier Wohngebäuden (zwei für Familien, zwei für Alleinstehende), Gesellschaftsbau, Kindereinrichtungen und Schule bestanden. Jedes Wohngebiet hatte zudem eine Grünanlage im Bereich der Schule und der Kindereinrichtungen.

Dennoch blieb mit der Konzeption der „neuen Siedlungsweise" des Soziologen Michail A. Ochitowitsch die Desurbanisation oder „Grüne Stadt" und damit das Gartenstadtkonzept nach wie vor präsent. Der akute Mangel an Baumaterialien Ende der 1920er Jahre führte zu zahlreichen Experimenten mit standardisierten neuen Holzelementen oder Abfallmaterialien aus der Industrie, die zum Wohnhausbau aus präfabrizierten Teilen herangezogen wurden. Holzhäuser mit einer niedrigen Geschosszahl entstanden, etwa 1930 nach Entwürfen eines Ar-

---

[89] Möbius 2012, S. 404. Zu Samjatin und dessen Architekturvisionen vgl. Seng 2001a, S. 236-263.

Abb. 15: N. Markownikow, Wohnhaus der Genossenschaftssiedlung ›Sokol‹ in Moskau, 1923

chitektenkollektivs um Ginsburg (Abb. 12). Anläßlich eines Wettbewerbsprojekts zur „Grünen Stadt" von 1930 entwickelte Nikolai A. Ladowski zwei Typen von voll ausgerüsteten Wohnzellen (Kabinen), die industriell vorgefertigt waren und auf dem Bauplatz zu den unterschiedlichsten Wohnhaustypen mit unterschiedlichen Geschosszahlen montiert werden konnten. Dabei sollten zunächst die Versorgungsleitungen verlegt, dann ein vorgefertigtes Skelett errichtet werden, in das die vormontierten Kabinen eingesetzt wurden. Die Gemeinschaftsräume konnten dabei überall im Skelett platziert werden, obwohl sie größer dimensioniert waren als die Wohnkabinen. Ladowski ließ seine Erfindung 1931 patentieren.[90]

6. Utopische Architekturmodelle unter den Vorzeichen von Ökologie und Nachhaltigkeit

Es ist davon auszugehen, dass auch nach dem Zweiten Weltkrieg der Spannungsbezug zwischen archistischem und anarchistischem Utopietypus fortlebte. Letzterer nutzte seit den 1960er Jahren offensiv seine Chancen zu einer nicht vorsehbaren Renaissance, bedingt durch die aufbrechende Ökologiekrise, die Emanzipation der Frauen und die Erfahrung der totalitären Regime des 20. Jh. Vor allem das instrumentelle Verhältnis der Utopie zur äußeren Natur, das im archistischen Ansatz im Extremfall die Auslöschung der Subjektivität des Ich mit umfasste, wurde in der neuen Grundorientierung radikal umgestaltet – und zwar durchaus im Sinne der älteren anarchistischen Linie. Ursula K. Le Guin (*1929) hat diesen Tendenzen in ihrem Roman *Planet der Habenichtse* (1974) exemplarisch Ausdruck verliehen. Wohin die Instrumentalisierung der Natur und ihre rücksichtslose Ausbeutung führen kann, zeigt sie am Beispiel des Planeten Terra: „Meine Welt, die Erde, ist eine Ruine. Wir haben uns vermehrt, haben geprasst und gekämpft, bis nichts mehr übrig geblieben war, und dann sind wir gestorben. Wir haben weder unserem Appetit noch unserer Gewalttätigkeit Zügel angelegt; wir haben uns nicht angepasst. Wir haben uns selbst vernichtet. Aber zuerst haben wir unsere Welt zerstört. Auf der Erde gibt es keine Wälder mehr. Die Luft ist grau, der Himmel ist grau, es ist immer heiß. Sie ist noch bewohnbar – aber nicht wie diese Welt [d.h. wie die anarchistische Utopie Anarres, d.V.]. Dies ist eine lebendige Welt, eine Harmonie. Meine Welt ist eine Disharmonie. Ihr Odonier (nach der Gründungsmutter Odo genannt) wähltet die Wüste; wir Terraner schufen die Wüste".

Ihrem kooperativen Verhältnis zur Natur kommen die natürlichen Lebensbedingungen auf dem anarchistischen Planeten Anarres entgegen. Es handelt sich um ein wüstenähnliches Land mit einer fragilen Geographie, deren Kargheit den Rückgriff auf den antiken „Automaton der Natur" als Alimentierungsquelle der Menschen verbietet. Aber die Utopier setzen nicht auf Ausbeutung der Natur, sondern auf das evolutionäre Postulat der Adaption an ihr prekäres Gleichgewicht.

---

[90] Chan-Magomedow 1983, S. 273-343, S. 398f.

Das Überleben der Anarresti erscheint nur möglich, wenn sie sich mit dem Beziehungsnetz der Lebewesen zu ihrer Umwelt auf einem unfruchtbaren Planeten mit Vorsicht und Sorgfalt anpassen. Aus diesem Grund werden als Energiequellen Windturbinen eingesetzt, mit denen man Generatoren zur Stromerzeugung betreibt. Darüber hinaus nutzt man die Erdtemperatur, um die Wohnungen zu heizen. Vor allem aber tragen die Utopier den restriktiven Bedingungen einer eng begrenzten Ökologie dadurch Rechnung, dass man nur in Maßen fischt und den Boden unter Verwendung von organischem Dünger beackert. Doch die Möglichkeiten der Tierhaltung sind begrenzt. „Für Pflanzenfresser gab es kein Gras, für Fleischfresser keine Pflanzenfresser. Es gab keine Insekten, die blühende Pflanzen befruchteten; die importierten Obstbäume wurden mit der Hand befruchtet. Man verzichtete darauf, von Urras [einem benachbarten Planeten, d.V.] Tiere herüber zu holen, um das labile Gleichgewicht des Lebens nicht zu gefährden. Die Siedler waren die einzigen, die kamen, und zwar innerlich und äußerlich so gründlich gereinigt, daß sie nur ein Minimum an ihrer persönlichen Fauna und Flora mitbrachten. Nicht einmal der Floh hatte Einzug auf Anarres gehalten".

Selbstverständlich ist dieses „natürliche Gleichgewicht" zwischen den Erfordernissen der menschlichen Bedürfnisbefriedigung und den von der Natur bereitgestellten Lebensbedingungen auch der oberste Maßstab für Architektur und Stadtplanung auf „Anarres". Die utopischen Siedlungen haben sich von den Vorstellungen des Städtebaus des 20. Jh. mit ihren Forderungen nach Entflechtung und Ordnung der Funktionen Wohnen, Arbeiten, Freizeit und Verkehr verabschiedet. Die neu gegründeten Siedlungen sind zwar miteinander verkehrstechnisch verbunden, stehen jedoch nicht in einem gegenseitigen Abhängigkeitsverhältnis. Es gibt kein „Kontrollzentrum", keine „Hauptstadt", „keine Einrichtung für die sich selbst in ständiger Bewegung haltende Maschinerie der Bürokratie und die Herrschsucht einzelner, die Führer, Boss, Staatschef werden wollten". Dennoch erzwangen funktionale Koordinationsnotwendigkeiten wie die „Arbeitseinteilung und die Warenausgabe" oder die föderativen Arbeitssyndikate ein Mindestmaß an Zentralisierung, die alle in Abbenay zusammengeführt wurden. Bei der Anlage der Städte verfuhren die Anarresti ähnlich wie die Erbauer der klassischen Idealstädte: „zuerst bauten sie Straßen, dann erst Häuser".

Die Siedlungsstruktur ist zwar homogen zu nennen. Aber alle Kommunen streben eine neue Urbanität an, indem sie Werkstätten, Fabriken, Wohnheime, Dormitorien, Lernzentren, Versammlungssäle, Verteilungsstellen, Depots und Refektorien zu einem interdependenten Ganzen zusammenfassen. Bei den Wohnhäusern überwiegt das Prinzip der Austauschbarkeit ihrer Elemente; daher ähneln sie sich, schlicht, solide, aus festem Stein oder gegossenem Schaumstein gebaut. Zugleich ist ihr oberstes Prinzip die Anpassung an die Bedingungen der Natur. Wegen der häufigen Erdbeben sind sie zwar unterschiedlich groß, aber alle lediglich einstöckig. „Aus demselben Grund waren die Fenster nur klein und aus einem widerstandsfähigen Silikon-Plastikmaterial, das bei Erschütterung nicht zersprang.

Sie waren klein, aber es gab eine ganze Menge von ihnen, denn von einer Stunde vor Sonnenaufgang bis eine Stunde vor Sonnenuntergang wurde kein künstliches Licht geliefert". Dies geschah, um Energie zu sparen. Aus diesem Grund wurden auch die Häuser nicht beheizt, wenn die Außentemperatur zwölf Grad überstieg.

Die Siedlungsstruktur ist so angelegt, dass die öffentlichen Gebäude, Wohnungen und Produktionsstätten einen gemeinsamen Lebensraum bilden. „Die größeren Gebäude gruppierten sich häufig um freie Plätze und gaben damit der Stadt eine zellulare Grundstruktur: eine Teilkommune oder Nachbarschaft reiht sich an die andere. Schwerindustrie und Lebensmittelverarbeitungsbetriebe konzentrierten sich auf die Außenbezirke der Stadt, und die Zellularstruktur wiederholte sich insofern, daß verwandte Industriebetriebe in einer Straße oder an einem Platz nebeneinander lagen". Der Mittelpunkt jedes Platzes wird durch eine Reihe von Fahnenstangen, die mit zahlreichen bunten Wimpeln und Fähnchen bestückt sind, geschmückt. Offenbar handelt es sich um das einzige kollektive Symbol der Anarresti. Auch ist von Plätzen die Rede, wo sechs Straßen „sternförmig auf einen dreieckigen Park mit Gras und Bäumen zuliefen. Die meisten Parks auf Anarres waren Spielplätze, beschüttet mit Erde und Sand sowie einer Anpflanzung von Kriech– und Baumholum". Diese „völlig giftfreie" Stadt ist zwar nackt, grell mit hellen und harten Farben, aber ihre Luft ist rein. Das Verdikt der Energieverschwendung verbietet jegliche Art von Werbung sowie öffentlichen und persönlichen Luxus. Orientiert am ökologischen Gleichgewicht, wird ein urbaner Lebensraum imaginiert, der sich sowohl von der verschmutzten Industriestadt der Vergangenheit als auch von Siedlungen verabschiedet, die auf der strengen Trennung von Arbeits- und privater Lebenswelt beruhen. „Die Plätze, die strengen Straßen, die niedrigen Gebäude, die offenen Arbeitshöfe waren voller Vitalität". Von Menschen ist die Rede, „die gingen, arbeiteten, redeten, von vorübereilenden Gesichtern, von rufenden, schwatzenden, singenden Stimmen, von lebendigen Menschen, von Menschen, die etwas taten, von Menschen, die unterwegs waren. Werkstätten und Fabriken begrenzten die Plätze und die offenen Höfe, und überall standen die Türen offen".

Wenn sich so eine utopische Architektur und Stadtplanung an der Schmittstelle des „natürlichen Gleichgewichts" zwischen der Bewahrung der Natur und der Bedürfnisbefriedigung der Menschen entwickelt hat, sind zwei Feststellungen angebracht: 1. Wie schon in William Morris' Utopie einer naturalisierten postindustriellen Gesellschaft ist die Technik zwar ökologisch gebändigt, aber sie ist in Anlehnung an die klassische Utopietradition als Grundlage dieser neuen Zivilisation ebenso überall präsent wie das Solidaritätsprinzip. Auch in der utopischen Stadt Le Guins hat der Konsumverzicht zugunsten einer intakten Natur seine Grenzen, „die sie nicht unterschreiten wollten; sie wollten nicht zur vorurbanen, vor-technologischen Stammeskultur zurückkehren. Sie wussten, dass ihr Anarchismus das Ergebnis einer hochentwickelten Zivilisation, einer komplexen vielgestaltigen Kultur, einer stabilen Ökonomie und einer hochentwickelten, industriellen Technologie war, die für hohe Produktionszahlen und schnellen Transport der Waren sorgen konnte". Zwar wird auf privaten Individualverkehr verzichtet. Dennoch sichert ein öffentlicher Nah- und Fernverkehr die weitgehende Mobilität der Bevölkerung. 2. Anarres erreicht das natürliche Gleichgewicht zwischen Mensch und Natur nicht durch den archistischen Ansatz einer Ökodiktatur, wie Wolfgang Harich sie einst forderte.[91] Vielmehr geht sie von der anarchistischen Prämisse aus, dass erst autoritäre Institutionen im Menschen Aggressionen auslösen, welche dann ihrerseits den Einsatz repressiver Mittel rechtfertigen und so einen Teufelskreis bilden. Um diesem Dilemma zu entgehen, verzichten sie auf politische Herrschaft überhaupt.

Tatsächlich folgt Le Guins Anarres-Utopie in den Grundzügen der Konzeption Peter Kropotkins, wie er sie in seinem Buch *Mutual Aid* (1902) beschrieben hat.[92] „Wir haben keine Gesetze als das eine und einzige Prinzip der gegenseitigen Hilfe. Wir haben keine Regierung als das eine und einzige Prinzip der freien Gesellschaftsbildung. Wir haben keine Staaten, keine Nationen, keine Präsidenten, keine Premiers, keine Häuptlinge, keine Generäle, keine Bosse, keine Bankiers, keine Hausbesitzer, keine Löhne, keine Wohlfahrt, keine Polizei, keine Soldaten, keine Kriege. Und auch sonst haben wir nicht viel. Wir sind Teiler, nicht Besitzer. Wir sind nicht wohlhabend. Keiner von uns ist reich, keiner ist mächtig". Der höchste Wert der utopischen Anarresti ist also die individuelle Freiheit, verstanden als Autonomie und Selbstbestimmung. Le Guin artikuliert das Gegenprogramm zu der von Samjatin kritisierten archistischen Megazivilisation. „Wenn alle einer Meinung sind, alle nur in der Gemeinschaft gut funktionieren müssen, sind wir nicht besser als eine Maschine. Wenn der einzelne nicht in Solidarität mit seinen Brüdern arbeiten kann, ist es seine Pflicht, allein zu arbeiten. Seine Pflicht und sein Recht. (. . .). Jede Herrschaft aber ist Tyrannei. Die Pflicht der einzelnen besteht darin, keine Herrschaft zu akzeptieren, der Initiator seines eigenen Handelns zu sein. Verantwortung auf sich zu nehmen. Nur wenn jeder das tut, kann die Gesellschaft leben, sich verändern, sich anpassen und überleben. Wir sind nicht Untertanen in einem auf Gesetze gegründeten Staat, sondern Mitglieder einer auf Revolution geformten Gesellschaft".[93]

Bleibt abschließend zu klären, welchen Geltungsanspruch die Anarres-Utopie Le Guins erhebt. Wie alle positiven Utopien nach Samjatins *Wir*, Aldous Huxleys *Schöne neue Welt* und George Orwells *1984* zeigt Le Guin zwar Alternativen zu den in ihrer Herkunftsgesellschaft zu beobachtenden Fehlentwicklungen auf, die durchaus verwirklicht werden könnten, wenn bestimmte Voraussetzungen erfüllt wären. Aber sie ist sich darüber im Klaren, dass ein solches Projekt auch scheitern könnte. So zeigt sie sehr deutlich auf, dass ihr fiktives anarchistisches Gemeinwe-

---

[91] Vgl. Harich 1975.
[92] Vgl. Kropotkin 1902.
[93] Le Guin 1976, S. 90-94. Die Belegstellen der vorher aufgeführten Zitate sind: S. 172, S. 274, S. 316, S. 326.

sen aufgrund fehlender Institutionen offen ist für informelle Machtzusammenballungen, welche einen Konformitätsdruck auf die Gesamtgesellschaft ausüben und das anarchistische Ideal der individuellen Autonomie konterkarieren.

Ebenfalls im Kontext der ersten Hälfte der 1970er Jahre ist der utopische Roman von Ernest Callenbach *Ökotopia. Notizen und Reportagen von William Weston aus dem Jahr 1999* (1975) erschienen. Nach der Abspaltung der ehemaligen Bundesstaaten Washington, Oregon und Nordkalifornien von den USA 1980 und der Behauptung ihrer Selbständigkeit ergibt sich für diese Gebiete die Möglichkeit einer weitgehenden ökologischen, sozio-politischen und wirtschaftlichen Umgestaltung. Der Vollzug dieses Emanzipationsprojekts erfolgte in drei Schritten. Zunächst wurde der demografische Bevölkerungsrückgang von *Ökotopia* zum Hauptziel erklärt. Der Grund ist evident: Ein gewisser Rückgang sei erforderlich, „um die Belastung der natürlichen Rohstoffquellen und den Druck auf Flora und Fauna zu mindern und die allgemeine Lebensqualität zu erhöhen". In der ersten Stufe bis 1982 fand eine Aufklärungskampagne statt, die alle Frauen mit den verschiedenen empfängnisverhütenden Methoden vertraut macht und die Abtreibung legalisiert. In der zweiten Phase 1983/84 erfolgt die radikale Dezentralisierung des Wirtschaftslebens im ganzen Land. In diesem Zusammenhang werden die nationalen Steuern weitgehend abgeschafft und die Gemeinden mit der Kompetenz „über alle grundlegenden Lebenssysteme" ausgestattet. Auf diese Weise erfasst die Dezentralisierung alle Lebensbereiche wie medizinische Versorgung, Schulen, Landwirtschaft, Forstwirtschaft, Fischereiwesen. Für die dritte Phase nach 1984 ist zielführend, dass der Bevölkerungsrückgang um etwa 65 000 Einwohner pro Jahr eingesetzt hat.

Callenbach schildert nun im Folgenden, welche Auswirkungen diese Maßnahmen auf die Stadt- und Architekturentwicklung, die zwischenmenschlichen Beziehungen, das politische System und die Wirtschaftsorganisation haben. Die ehemals großen Städte wie San Francisco, Oakland, Portland oder Seattle schrumpfen. Stattdessen entstehen neue Kleinstädte mit einer maximalen Größe von 40 000 bis 50 000 Einwohnern mit eigenen Transitverbindungsnetzen. Die aufgegebenen und abgerissenen alten Wohnviertel bieten freiwerdende Gelände für Parks und Wälder. Gleichzeitig setzt eine nachhaltige Naturalisierung der Großstädte ein. So wurde die ehemalige Hauptgeschäftsstraße San Franciscos, die Market Street, zu einer Promenade mit Tausenden von Bäumen umgestaltet. Zudem verengte man ihre Fahrbahn auf zwei Spuren, da der Individualverkehr abgeschafft wurde. Lediglich elektrische Taxis, Kleinbusse und Lieferwagen waren erlaubt sowie Batterie betriebene fahrerlose Straßenbahnen. „Den verbleibenden riesigen Raum [der ehemaligen Straße, d.V.] nehmen Radfahrwege, Brunnen, Skulpturen, Kioske und kuriose, mit Bänken umstellte Gärtchen ein".[94] Die

---

[94] Callenbach 1978, S. 18. Die folgenden sind folgenden Belegstellen entnommen: S. 21,, S. 35f., S. 42, S. 54, S. 84f., S. 88, S. 104, S. 164, S. 168, S. 179.

Wolkenkratzer der Innenstadt, die früheren Konzernzentralen, wandelte man in Wohnbauten um. Zwischen ihnen werden Fußgängerbrücken in der Höhe des 15. oder 20. Stockwerks erbaut. In den Großwohneinheiten der Innenstadt entstehen neben Wohnungen auch Läden, Büros, Lebensmittelgeschäfte, Kindertagesstätten und Restaurants. Die alten dreistöckigen Häuser der Vororte waren dem Erdbeben 1982 zum Opfer gefallen und werden verlassen. „In den neueren Vierteln wurden Tausende von billigen Reihenhäusern [die sogenannten ‚Kreditkisten‘, d.V.] ausgeschlachtet und nach Entfernung der elektrischen Leitungen sowie der Glas- und Metallteile von Bulldozern niedergewalzt".

Die neuen Kleinstädte, die „Nachbarschaften", bestanden aus drei- bis vierstöckigen, einen Innenhof umschließenden Holzhäusern mit bepflanzten Dachgärten und Veranden. Sie enthielten sehr große Wohnungen mit 10 bis 15 Räumen für Wohngemeinschaften. Die Straßen des Gemeinwesens waren schmal und gewunden „wie in mittelalterlichen Städten", da nur Fußgänger und Radfahrer sie benutzten. In diese Nachbarschaften bildete den Mittelpunkt nicht das Rathaus, sondern eine Fabrik, die umweltverträgliche Geräte produziert. „Rund um die Fabrik, wo bei uns ein riesiger Parkplatz angelegt wäre, stehen in Alviso [einer der Nachbarschaften, d.V.] in dichtgedrängter Gruppe Gebäude und dazwischen überall Bäume". Die neuen Gemeinwesen waren demnach keine Schlafstädte, sondern „es gibt dort Restaurants, eine Bücherei, Bäckereien, einen ‚Grundbedarfsladen‘ für Lebensmittel und Kleidung, kleine Geschäfte, ja sogar Fabriken und Betriebe – im bunten Wechsel mit Wohnhäusern". Schulen und Erholungsstätten befinden sich am Stadtrand.

Zwar bestehen die meisten ökotopianischen Gebäude aus dem Lieblingsmaterial des Landes, nämlich aus Holz. Holzhäuser sind jedoch schwer zu konstruieren und das Material ist kostspielig. Aus diesem Grund gewinnt das sogenannte Presshaus zunehmend an Bedeutung. Dabei handelt es sich um industriell gefertigte Kunststoff-Pressplatten oder Röhren, die als geschlossener Hohlraum oder mit ausgestanzten Fenstern „mit gerade[n] oder schräg geschnittenen Enden" zu kaufen sind. Sie lassen sich zu höchst unterschiedlichen Hausformen auf rechteckigen, sechs- oder achteckigen Grundrissen zusammenfügen. Sie sind sogar mit hölzernen- oder steinernen Zentralgebäuden kombinierbar. Zudem sind sie billig und lassen sich von jedermann handhaben. Unter Verzicht auf Star-Architekten entwerfen und bauen die Ökotopianer ihre Häuser nämlich selbst, „und zwar mit einem erstaunlichen Sachverstand und viel Phantasie, wobei sie sich häufig auf standardisierte Entwürfe und Baumaterialien stützen, die inzwischen praktisch den Charakter einer Volksarchitektur angenommen haben". Die Wohnungsgröße ist zugeschnitten auf Wohngemeinschaften von 5 bis 20 Mitgliedern, da die gesellschaftliche Transformation zur Auflösung der Kleinfamilie führt.

An ihre Stelle ist die Patchwork-Familie getreten, in der sich alle an der Kindererziehung beteiligen. Aber es gibt auch kinderlose „Familien", die sich meist aufgrund gemeinsamer Berufszugehörigkeit zusammenfinden. Sie sind mit bis zu

40 Mitgliedern deutlich größer und leben in Kommunehäusern mit gemeinsamer Küche, Arbeitszimmer, Turnhalle und Wohnbibliothek. Entsprechend ist eine Modularisierung bei den Presshäusern möglich, die den unterschiedlichen Raumbedürfnissen Rechnung trägt. „Wenn ein Familienmitglied stirbt oder auszieht, wird man den betreffenden Raum vielleicht abtrennen und rückschleusen. Wenn ein Kind geboren wird oder ein neues Mitglied in die Gruppe eintritt, kann ein neuer Raum an das bestehende Wohngebilde angefügt werden". Die Emanzipation der Frau ist weit vorangeschritten. „Keine ökotopianische Frau bekommt jemals ein Kind von einem Mann, den sie nicht frei gewählt hat". Dieser Tatsache entspricht die in Ökotopia herrschende freie Sexualität. Dem emanzipatorischen Lebensentwurf entspricht die Regierungschefin, die einen kommunikativen Regierungsstil praktiziert. Zwar ähnelt das politische System mit seinen zwei Volksparteien und seiner präsidialen Spitze der amerikanischen Verfassung. Doch im Gegensatz zu dieser sieht es basisdemokratische Korrektive vor, wie die Option der Ökotopianer für eine Verlagerung politischer Kompetenzen auf die Kommunen und die aktive, durch das interaktive Fernsehen ermöglichte Teilnahme der Bürger an den Sitzungen der Regierung zeigt.

Nachhaltigkeit, Ressourcenschonung, der endlose Kreislauf biologisch abbaubarer Materialien – so sind auch die Kunststoffe aus pflanzlichen Extrakten und nicht aus fossilen Energieträgern generiert – bilden die normativen Postulate, gegen die kein Ökotopianer verstoßen darf. Unter diesem Dach haben sich auch Stadtentwicklung und Architektur und die ihnen zuzuordnenden Lebenswelten zu entfalten.

III. Abschließende Wertung des heutigen Verhältnisses von Utopie und Architektur

Neben den weit auseinanderliegenden Extremen architektonischer Modelle in archistischen und anarchistischen Utopien – die verdichtete steinerne Stadt mit geraden Straßen und gleichförmiger Reihenhaus- oder Gebäudeblock-Bebauung hier und einfacher Hütte aus naturnahem Material dort – kennen die utopischen Romane Mischmodelle. Entweder sie behalten das architektonische Muster der Plan- und Idealstädte bei und tendieren lediglich hinsichtlich der soziopolitischen Verhältnisse zu einer herrschaftsfreien Organisation der Gemeinwesen. Oder – in umgekehrter Richtung – nimmt die vorgestellte Architektur unter Beibehaltung eher traditioneller Gesellschaftsformen anarchistische Naturalisierungstendenzen auf. Insbesondere in diesen Mischmodellen kündigen sich die gesellschaftlichen und städtebaulichen Neuerungen der jeweiligen Zeit an bzw. werden die Anforderungen an die Architektur und das Wohnen angesichts der gesellschaftlichen Änderungen sichtbar. So thematisiert Rabelais in seiner *Abtei Thelema* die Gleichberechtigung der Geschlechter und die Emanzipation der Frau – zwar zunächst nur für eine kleine adelige Gruppe –, die dann seit dem 18. Jh. zu zentralen Momenten der literarischen Utopien und dann auch für deren Gesamtgesellschaft werden sollten. Die Architektur reagierte darauf einerseits mit noch am Schlossbau orientierten Großwohneinheiten, bis schließlich als architektonische Antwort des 20. Jh. das Kommunehaus entwickelt wurde, mit der die endgültige Zerschlagung der Kleinfamilie einherging.

Ausgehend von der architektonischen anarchistischen Tradition der einfachen Hütte und dem Naturalisierungsparadigma des 18. Jh. wird das Ideal des einfachen kleinen Häuschens im Grünen entwickelt, das als Antwort sowohl auf die Industrialisierung, die zunehmende Landflucht und die damit zusammenhängende Verslumung wie auch auf die Umweltverschmutzung, den Lärm und Verkehr in den Städten und als Schutz der Kleinfamilie gewertet werden kann. Weiterhin thematisieren die Naturalisierungsmodelle frühzeitig ökologische Probleme, die dann wiederum in der zweiten Hälfte des 20. Jh. in den Vordergrund treten. Architektonisch antworten diese Utopien auf die ökologische Herausforderung mit einer Abkehr vom Städtebau der Moderne und seiner Funktionentrennung und der damit einhergehenden Suburbanisierung, also mit dem „Zurück in die Stadt".

Dies geschieht sowohl in Form einfacher Häuser wie am Beispiel von Ursula K. Le Guins spartanischen einstöckigen Einfachbauten als auch der Variationsbreite von Callenbachs Ökotopia-Utopie mit Wohnmaschine Le Corbusierscher Prägung, Kommunehaus, Wolkenkratzer mit hochgelegenen Fußgängerbrücken in den Städten und mehrstöckiger hölzerner Blockrandbebauung in den Kleinstädten für Wohngemeinschaften und Plastik-Preßhäusern höchst unterschiedlicher Form und Größe für die Großfamilie. Als zentrales neues Element kamen hier Ressourcenschonung, Nachhaltigkeit, biologischer Abbau der Materialien und ihr Recycling als Anforderungen an die Architektur hinzu. Konstitutives Element aller Utopien ist jedoch die Arbeit oder entsprechend die Nichtarbeit aufgrund des antiken „Automaton der Natur", wobei ein Wandel vom Zwangssystem über die Zuschreibung als Ersatzreligion bis hin zum Lustprinzip zu beobachten ist.

Kapitel 7

Utopische Ökonomien als Vorläufer sozialistischer Planwirtschaften?

I. Utopische Ökonomien in ihrem Verhältnis zum Modell der realsozialistischen Planwirtschaft

In der Forschung ist oft eine zentrale Eigenart des utopischen Paradigmas zu wenig oder gar nicht beachtet worden: die Tatsache nämlich, dass seine Konstrukteure den ökonomischen Voraussetzungen ihrer idealen Gesellschaftsfiktionen einen überragenden Stellenwert beimaßen. Ihre mit großer Vehemenz und mit durchdachten Argumenten vorgetragene Kritik der sozio-ökonomischen Fehlentwicklungen ihrer Herkunftssozietäten musste verblassen, wenn es ihnen nicht gelang, ihre Modelle so zu begründen, dass deren Ziel, die Abschaffung von Hunger und Elend und die Sicherung eines die Klassenstruktur aufhebenden materiellen Reichtums, unter bestimmten, genau zu definierenden Konditionen auch tatsächlich zu erreichen sei. In gewisser Weise ist die Verwirklichung dieses Zieles zumindest auf einer strukturellen und logischen Ebene die Messlatte, von der die Validität utopischer Gesellschaftskonstruktionen abhängt.

Nun muss gleich zu Anfang auf ein Problem hingewiesen werden, das unmittelbar aus der Fragestellung meines Themas folgt, ob die utopischen Ökonomien in der Zeit von der Entstehung des utopischen Genres mit dem Erscheinen der *Utopia* des Thomas Morus[1] im Jahr 1516 bis zur Geburtsstunde der realsozialistischen Planwirtschaft in den 1920er Jahren im Gefolge der bolschewistischen Oktoberrevolution als deren Vorläufer gelten können. Zwar sind alle Ökonomiemodelle der utopischen Tradition dem Gedanken der Solidargemeinschaft strukturell verpflichtet. Aber ebenso klar ist, dass sie sich spätestens seit dem 18. und 19. Jh. durchaus an unterschiedlichen wirtschaftlichen Modellannahmen orientierten, um das a priori vorgegebene Ziel der sozialen Gerechtigkeit zu erreichen. Ich möchte daher zu Beginn meines Vortrages die Ansätze kurz skizzieren, welche nur, wenn überhaupt, eine minimale Übereinstimmung mit den realsozialistischen Planwirtschaften des 20. Jh. erkennen lassen, um mich dann auf die klassische utopische Tradition zu konzentrieren, die am deutlichsten mit jenen zu konvergieren scheint.

Zunächst sind die ökonomischen Grundlagen der anarchistischen Utopien des Edlen Wilden zu nennen, wie sie im Zeitalter des Absolutismus von der Mitte des 17. Jahrhunderts bis zum Ausbruch der Großen Französischen Revolution vor allem durch die Dialoge des Baron de Lahontan[2] und Denis Diderots[3] in Mode

---

[1] Vgl. Morus 1996, S. 7-110.
[2] Lahontan 1981.
[3] Diderot 1984, S. 195-237.

kamen. Zwar gehen auch sie in der Regel vom Gemeineigentum und einer den Markt umgehenden Produktion für die Bedürfnisbefriedigung aus. Doch spielen drei zentrale Faktoren der sozialistischen Planwirtschaften keine Rolle: der alles, auch das Wirtschaftsleben regulierende Staat, die strikte von diesem erzwungene Arbeitsdisziplin und die Hochschätzung von Wissenschaft und Technik. Statt dessen setzten sie nach dem Vorbild der damals von den Europäern entdeckten indigenen Kulturen der Neuen Welt auf die Annahme eines „Automaton der Natur", welcher nach antikem Vorbild die Einzelnen naturwüchsig versorgt, ohne ihnen allzu große Anstrengungen abzuverlangen: Die Natur alimentiert sie fürsorglich; einem instrumentellen Verhältnis zu ihr ist damit die Basis entzogen.

Die zweite utopische Ökonomievariante, die nur sehr bedingt auf die späteren Planwirtschaften des realsozialistischen Typs verweist, sind jene von Mercier[4] im 18. und von Claude-Henri de Saint-Simon[5] und Theodor Hertzka[6] im 19. Jh. vertretenen Modelle, die sowohl Privateigentum und Geld als auch den Markt als Verteilungsmechanismus zulassen. Aber auch sie sind dem Typus einer „gebremsten Ökonomie" zuzuordnen, und zwar in deutlicher Distanz zu einem dynamischen kapitalistischen System. Die Gemeinwohlgarantie bei der Verwertung des Privateigentums wird bei Francis Bacon[7] im 17. Jh. erzwungen durch eine zünftlerische Wirtschaftsverfassung oder bei Saint-Simon und Hertzka 200 Jahre später durch einen starken Sozialstaat. Aber die Faktoren Privateigentum, Geld als Medium des Tausches und Markt als Verteilungsinstanz stehen doch in einem unübersehbaren Gegensatz zu einer zentralisierten etatischen Steuerung der Ökonomie von oben, wie sie von den Planwirtschaften des sowjetischen Typs intendiert war.

Diese Vorbehalte treffen auch auf die dritte Ökonomievariante des utopischen Diskurses zu, wie sie insbesondere von Robert Owen[8] vertreten wurde: die genossenschaftlichen Ansätze. Sie fallen – im Gegensatz zu den realsozialistischen Planwirtschaften – in dem Maße durch eine deutliche Deregulierung auf, wie sie vor allem die wirtschaftliche Selbstverwaltung, also die weitgehende Autonomie der Produzenten selbst, anstreben, auch wenn sie für das kommunistische Gemeineigentum und die Abschaffung der Marktproduktion eintraten. Die Differenz zu einer Planwirtschaft, die von einer zentralen staatlichen Behörde aus das gesamte Wirtschaftleben kontrolliert und steuert, ist der entscheidende Hiatus, der diese utopische Ökonomievariante für unser Thema uninteressant macht.

Nun gibt es einen vierten Ansatz, der alle Bedingungen zu erfüllen scheint, welche ihn historisch als Vorläufer der sozialistischen Planwirtschaft prädestinieren: die klassische archistische, d.h. herrschaftsbezogene Utopietradition, die

---

[4] Mercier 1982.
[5] Saint-Simon 1977.
[6] Hertzka 1890.
[7] Bacon 1996, S. 171-215.
[8] Owen 1970.

in ihren Ursprüngen mit der *Utopia* des Thomas Morus in Verbindung gebracht werden muss und von Autoren wie Tommaso Campanella,[9] Johann Valentin Andreae[10] und Denis Vairasse[11] im 17., von Morelly[12] und Bernard de Fontenelle[13] im 18. und von Étienne Cabet[14] und Edward Bellamy[15] im 19. sowie von Alexander Bogdanow[16] zu Beginn des 20. Jh. weiter entwickelt wurde: Dieses Ökonomiemodell setzt eine zentrale staatliche Steuerung auf statistischer Basis, das gesamtgesellschaftliche Gemeineigentum, die Ersetzung des Marktes durch Magazine, die Abschaffung des Geldes, die etatistische Reglementierung und vollständige Mobilisierung der Arbeitsressourcen, die Kontrolle über die Bedürfnisstruktur der Einzelnen sowie die Förderung von Wissenschaft und Technik als zentralen Produktionsfaktor voraus.

Es könnte der Einwand erhoben werden, die Entwicklung der ersten planwirtschaftlichen Ökonomie in der *Utopia* des Thomas Morus 1516 und in den bolschewistischen Experimenten Ende der 1920er Jahre trennten über 400 Jahre; infolgedessen sei eine Komparatistik zwischen beiden Ansätzen historisch viel zu disparat, um überzeugen zu können. Doch man sollte nicht vergessen, dass beide Ereignisse durchaus in vergleichbaren Konstellationen stattfanden. Morus war zu Beginn des 16. Jh. immer noch mit der Ökonomie des Mittelalters, der Oikos-Wirtschaft, einerseits und dem sich allmählich durchsetzenden wirtschaftlichen Individualismus andererseits konfrontiert. Von beiden Ansätzen übernahm er Elemente. Aber gleichzeitig ging er auch über sie hinaus. Dass er die Kompetenz zu einer solchen ökonomischen Innovation hatte, geht aus der Tatsache hervor, dass ihm die Handels- und Finanzoligarchie der City of London genügend wirtschaftlichen Sachverstand auf der Höhe seiner Zeit zutraute, um ihn zu ihrem Sprecher im Parlament zu machen.

Die Differenz zum mittelalterlichen Wirtschaftsleben sah Morus dann auch darin, dass er mit der Ökonomie des geschlossenen Gutsbezirks brach. Zwar sah auch er das Motiv des Produzierens in der Bedürfnisbefriedigung unter Umgehung des Marktes und des individuellen Profits. Aber das Wirtschaftsleben spielte sich jetzt als Nationalökonomie nach rationalen Kriterien der Planwirtschaft ab, die mit statistischen Methoden die Nachfrage der Bürger ermittelte. Dem Frühkapitalismus trat die utopische Wirtschaft zwar als Alternative gegenüber, indem sie das Privateigentum durch das Gemeineigentum und die Verteilung der Güter durch den Markt mit Hilfe eines von einer staatlichen Bürokratie verwalteten

---

9   Campanella 1996, S. 11-169.
10   Andrea 1996.
11   Vairasse 1702.
12   Morelly 1964.
13   Fontenelle 1982.
14   Cabet 1979.
15   Bellamy 1983.
16   Bogdanow 1989.

Systems von Magazinen ersetzte. Gleichzeitig verstand sie sich aber auch als Erbe des frühkapitalistischen Wirtschaftssystem: Sie wertete wie dieses die Arbeit als die entscheidende Wertschöpfungsquelle der Gesellschaft auf und schaffte die Ständegesellschaft zugunsten eines homogenen nationalen Wirtschaftsraums mit einheitlicher Rechtsstruktur ab.

In einer ähnlichen Situation befanden sich die Bolschewiki. Auch sie agierten im Spannungsfeld einer immer noch traditional gebundenen Agrarwirtschaft, in der die Bauernbefreiung nur mühsam vorankam, und Ansätzen einer kapitalistischen Industrialisierung, die freilich nur punktuell und unter starkem westlichen Einfluss erfolgte. Diese Spannung, so die These meines Aufsatzes, versuchten sie durch eine Annäherung an die Modelle der utopischen Planwirtschaften zu überwinden. Gewiss haben die Bolschewiki die *Utopia* des Thomas Morus nicht als Rezeptbuch für ihre Planwirtschaft benutzt, obwohl sie nachweisbar über umfassende Kenntnisse der Utopietradition verfügten.[17] Eine solche direkte Ein-zu-Eins-Umsetzung utopischer Konzepte hat, obwohl immer wieder versucht, noch nie funktioniert. Der utopische Wirkungsmechanismus greift eher indirekt. Nachdem die SU mit dem Ende des Kriegskommunismus und dessen Ablösung durch die Neuen Ökonomische Politik (NEP) die kurze Phase des marktwirtschaftlichen Experiments beendet hatte und eine genossenschaftliche Wirtschaftsform als Alternative in den Reihen der Bolschewiki nicht mehrheitsfähig war, kam nur noch das Konzept einer etatistischen Planwirtschaft in Frage. Ein solches Konzept ist aber zum ersten Mal von Morus im zweiten Teil der *Utopia* wenigstens in den Grundzügen vorgestellt worden. Wenn beide Konzepte auch nicht in einem kausalen Abhängigkeitsverhältnis zueinander stehen, so verweisen sie doch strukturell aufeinander.

Doch reichen diese historischen Bezüge aus, um im Detail eine Vorläuferrolle der klassischen Utopietradition für den Realsozialismus zu begründen? Die Antwort soll hier nicht auf der Basis ökonomischer Kriterien versucht werden. Vielmehr versuche ich herauszufinden, wie auf einer mehr normativen Ebene die renommierten Sozialwissenschaftler Beatrice und Sidney Webb in den 1930er Jahren das sozio-politische und wirtschaftliche System der SU kommentierten.[18]

---

[17] So schrieb auf Anregung Lenins Alexander Bogdanow 1912 seinen utopischen Roman *Ingenieur Menni*. Vgl. Rollberg 1989, S. 294. Auch spielte während des bolschewistischen Experiments der utopische Neue Mensch eine wichtige Rolle. 1924 charakterisierte ihn Leo Trotzki wie folgt: „Der Mensch wird sich zum Ziel setzen, seiner eigenen Gefühle Herr zu werden, seine Instinkte auf die Höhe des Bewusstseins zu heben, sie durchsichtig klar zu machen, mit seinem Willen bis in die letzten Tiefen seines Unbewussten vorzudringen und sich so auf eine Stufe zu erheben, und wenn man will – den Übermenschen zu schaffen. (...) Der durchschnittliche Menschentyp wird sich bis zum Niveau des Aristoteles, Goethe und Marx erheben. Und über dieser Bergkette werden neue Gipfel aufragen" (Trotzki 1968, S. 215).

[18] Entscheidende Anregungen zu diesem Versuch verdanke ich Robert Conquest, der einer der besten Kenner des großen Terrors der Jahre 1934-1938 in der SU ist, Er schreibt über das bereits genannte Buch der Webbs: „Als Beatrice und Sidney Webb sich mit den sowjetischen Ver-

Meine Wahl fiel auf sie, weil sie als führende Mitglieder der berühmten *Fabian Society* in England vor dem Ersten Weltkrieg und in der Zwischenkriegszeit großen Einfluss auf die empirische Sozialforschung in der westlichen Welt ausübten. Nicht zuletzt gründeten sie die bekannte *London School of Economics and Political Science* sowie die Zeitschrift *New Statesman and Societcy*. Sodann stelle ich abschließend die Frage stellen, ob ihre Befunde der Analyse der sozioökonomischen Verhältnisse im Russland der 1930er Jahre in ihrem Buch *Soviet Communism: A New Civilisation*[19] ausreichen, um eine Kontinuität zwischen der klassischen Utopietradition und den Planwirtschaften des Realsozialismus zu stützen.[20]

---

hältnissen beschäftigten und ihre Schlussfolgerungen in dem unfangreichen Band *Soviet Communism: A New Civilisation* veröffentlichten, zeigten sie sich besonders beeindruckt von der Verfassung. Die gleiche Haltung zeigten sie gegenüber den Satzungen und Statuten der Partei, der Gewerkschaften, der Konsumgenossenschaften und der Kolchosen. Und in der Tat, wären diese Dokumente jemals praktisch umgesetzt worden, dann hätten sie vielleicht zu einer Gesellschaft geführt, welche die Webbs zu erkennen glaubten. Zweifellos kamen die Webbs, die in Großbritannien aufgewachsen waren, nie auf den Gedanken, daß diese offiziellen Dokumente nicht unbedingt der Realität entsprechen mussten. Daher sollte man ihr Buch weniger als einen Bericht über ein wirkliches Land betrachten, sondern eher als ein Werk in der Tradition von Sir Thomas More, Campanella, Plato, Harrington und William Morris. Es ist bedauerlich – und dies gilt durchaus nicht nur für die Webbs – daß das völlig natürliche menschliche Streben, ein Utopia aufzubauen, durch verschiedene Irrtümer auf eine tatsächlich existierende Gemeinschaft projiziert worden ist, die so wenig Anspruch darauf hat" (Conquest 2001, S. 532).

[19] Webb/Webb 1944.

[20] So ist charakteristisch, dass 1935 die kommunistische Zeitschrift „Internationale Literatur" einen literarischen Text in Form einer „utopischen Reportage" veröffentlichte. Sie trug den Titel *Geschichte eines goldenen Buches*: gemeint war die 1516 erschienene *Utopia* des Thomas Morus. Der Autor entwickelte ein Szenario, in dessen Zentrum Verfasser dieser berühmten Schrift steht: Thomas Morus selbst, der nach einer desaströsen Inhaftierung in einem deutschen Konzentrationslager Zuflucht in der Sowjetunion fand. Vor der sowjetischen Presse äußerte der fiktive Morus folgendes: „Als ich das Buch über Utopia und ihre harmonischen Einrichtungen schrieb, erzählte ich gleichsam einen künstlichen Traum und war voll Traurigkeit in meinem Herzen, wenn ich nachdachte, ob er zu verwirklichen wäre. Als ich aber in Euer Land kam, da sah ich bald, daß ihr nicht nur mit unsterblicher Kühnheit Utopia, das Land, das nirgends ist, zur Realität, zu einem einfachen Bestandteil der Geographie gemacht, sondern die meisten meiner Ideen in der Ausführung verbessert und übertroffen habt. Und zwar, obwohl ihr noch nicht in die vollständig ausgebildete kommunistische Gesellschaft eingetreten seid. Ich gestehe, daß ich beim Anblick Eurer Menschen, Eurer Werke und Einrichtungen mir immer noch wie ein Träumender vorkomme (. . .)" (Schmückle 1935, S. 41-48). Und noch wenige Jahre später hat der spätere Kultusminister der DDR, Johannes R. Becher, diesem scheinbaren Immediatverhältnis der SU zur klassischen Utopietradition 1942 emphatisch Ausdruck verliehen, als er 1942 in Moskau schrieb: „Der Sowjetunion verdanke ich das (. . .), was ich dem Leben verdanke, das Andere oder das Neue Leben, von dem die Dichter aller Zeiten geträumt haben, die Ankunft des ‚Reiches der Menschen', Grundriß und Baustätte eines anbrechenden Menschenzeitalters nach Jahrtausenden Götterherrschaft und Götterdämmerung, die zeitgemäße Verwirklichung des Vernunftstaates Platons, des Sonnenstaates eines Campanellas, des Traums vom ‚Vollendeten Menschen' oder der ‚Utopia' des Thomas Morus" (Zit. n. Lukács/Becher/Wolf 1991, S. 25).

II. Die sowjetische Planwirtschaft als utopische Projektionsfläche

Es ist in der Tat überraschend, in welchem Ausmaß das Muster der utopischen Gesellschaft, das die klassische Tradition entwickelte, kompatibel ist mit dem Gesellschaftsbild, das die Webbs Mitte der 1930er Jahre von der angeblich „neuen Zivilisation" der Sowjetunion entwarfen.[21] Seit dem Erscheinen der *Utopia* ist die Ausgangssituation eines jeden genuinen utopischen Konstrukts die Kritik an den sozio-politischen Fehlentwicklungen der Herkunftsgesellschaft des utopischen Autors: Es ist insbesondere das von den agrarischen Grundbesitzern betriebene System der Ausbeutung, das für die Verelendung und den niederen Zivilisationsstand der großen Masse der Bevölkerung verantwortlich gemacht wird. Daneben treibt die Bildung von Marktmonopolen künstlich die Preise hoch: ein Vorgang, der die Entwurzelungsprozesse der arbeitenden Bevölkerung intensiviert. Dieser Vorgang der Ausplünderung erfolgt im engen Zusammenspiel mit der absolutistischen Monarchie: Die klassische Utopietradition geht in diesem Zusammenhang von einer Art Verschwörung der Reichen aus, die im Namen und unter dem Rechtstitel des Staates für ihren eigenen Vorteil sorgen.

Ein durchaus analoges Bild zeichnen die Webbs von den sozio-ökonomischen Verhältnissen während der Zarenherrschaft bis zur Revolution von 1917: Die russischen Bolschewiki hätten vor ihrem Machtantritt ein Land vorgefunden, das von korrupten Eliten, zumeist ausländischen Ursprungs, rücksichtslos ausgebeutet worden sei, während die analphabetischen Massen, von Seuchen und Krankheiten heimgesucht, im Zustand des finstersten Aberglaubens verharrten. Insbesondere die Masse der russischen Bauern sei unter diesem System auf niedrigstem zivilisatorischem Niveau dazu verurteilt gewesen, in elenden Hütten zu leben, die schmutziger seien als ein Schweinestall und ungesunder als eine Phosphor verarbeitende Streichholzfabrik. Der russische Bauer sehe sich im Winter gezwungen, um sechs oder sogar schon um fünf zu Bett zu gehen, weil ihm das Geld fehle, um Petroleum für künstliches Licht zu kaufen. Ihm fehlten Grundnahrungsmittel wie Fleisch, Eier, Butter, Milch und oft sogar Kohl. Er ernähre sich von Schwarzbrot und Kartoffeln. Doch da er zu wenig davon habe, müsse er hungern.[22]

Die Vertreter der klassischen Utopietradition ließen keinen Zweifel daran, dass die Ursache dieses Elends in der privaten Verfügung über Privateigentum liege. Wer auf bloße Reformen setze, ohne die Eigentümergesellschaft selbst in Frage zu stellen, kuriere an Symptomen, aber bekämpfe das Übel nicht an der Wurzel. Der Kern der Verfassung von *Utopia* könne daher nur das kommunistische Gemeineigentum sein. Denn nur dort, wo allen alles gehöre, sei jeder sicher, dass keiner etwas für seine persönlichen Bedürfnisse vermisse. Mit dem Wegfall

---

[21] Vgl. Webb/Webb 1944. Die in Teil II erfolgte Analogisierung zwischen der Planwirtschaft der SU und der klassischen Utopietradition basiert auf Überlegungen, die im folgenden Text angestellt wurden: Saage 2008, S. 147-157.
[22] Webb/Webb 1941, S. 656.

der privaten Güterteilung entfielen auch die Voraussetzung für Armut und Bettlerei, weil in dem Maße, wie niemand über etwas verfüge, doch alle in gleicher Weise reich seien. Eine durchaus analoge Konstellation glaubten die Webbs in der Regelung der Eigentumsverfassung der Sowjetunion zu sehen, wie sie in der sog. Stalin-Verfassung von 1936 fixiert worden ist (Art. 36-38). Auch sie gehe von der Prämisse aus, dass die amerikanische und die französische Erklärung der Menschenrechte in der zweiten Hälfte des 18. Jh. ein eitler Traum bleibe, wenn es nicht zu einer Überflussgesellschaft komme, an der nicht nur die Oberschichten, sondern jedes Mitglied der Gesellschaft partizipiere.

So lege der Artikel 4 fest, dass die ökonomische Grundlage der UdSSR „das sozialistische Wirtschaftssystem und das sozialistische Eigentum an den Produktionsinstrumenten und -mitteln" sei, „gewachsen und erstarkt im Ergebnis der Beseitigung des kapitalistischen Wirtschaftssystems, der Aufhebung des Privateigentums an den Produktionsinstrumenten und -mitteln und der Abschaffung der Ausbeutung des Menschen durch den Menschen" (Art. 36). Wie schon hervorgehoben, ist in der klassischen Utopietradition der Markt durch eine Planwirtschaft ersetzt, die nach Gleichheitsgesichtspunkten die Produktion und Distribution der gesellschaftlich produzierten Güter regelt. Ermöglicht durch die Ausschaltung der angeblichen Anarchie des Marktes und der Vermeidung von Überproduktionskrisen sollen nicht nur die materiellen Grundbedürfnisse für alle befriedigt, sondern sogar ein Überschuss an Gütern produziert werden. Ganz in diesem Sinne, so die Webbs, bestehe der Artikel 11 der sowjetischen Verfassung von 1936 darauf, dass „das Wirtschaftsleben der UdSSR (...) durch den staatlichen Volkswirtschaftsplan im Interesse der stetigen Mehrung des gesellschaftlichen Reichtums, der stetigen Hebung des materiellen und kulturellen Niveaus der Werktätigen (...) bestimmt und gelenkt" (Art. 36) wird.

Es ist klar, dass diese kollektivistische Auslegung der Eigentumsverhältnisse tief in das normative Gefüge der Stellung des Individuums zur Gemeinschaft eingreift. So fehlt in der klassischen Utopietradition eine juristisch einklagbare Kodifikation individueller Grund- und Menschenrechte, die dem utopischen Staat vorgegeben sind. Vielmehr ist das Gegenteil der Fall: Die Rechte der Einzelnen sind lediglich Derivate der in dem utopischen Staat zu idealen Institutionen geronnenen höheren Vernunft des Ganzen, die, dem individuellen Bewusstsein vor- und übergeordnet, der individuellen Existenz erst einen Sinn verleihen. Ganz dieser Interpretation folgend, heben die Webbs hervor, dass im Unterschied zur liberalen Demokratie des Westens die sowjetische Verfassung von 1936 das individuelle Recht auf Leben, Freiheit und Glück nicht als abstraktes Recht propagiert, sondern konkret durch das Kollektiv auf der Basis des Gemeineigentums garantiert. Was für jeden Einzelnen der sowjetischen Gesellschaft gelte, sei für die Mitglieder der Kommunistischen Partei im besonderen Maße verbindlich: die absolute Unterordnung unter das von der Partei repräsentierte Allgemeinwohl. Diese Unterwerfung finde in zwei Formen statt. Einerseits seien die Mitglieder zur Armut verpflichtet, und zwar in dem Sinne, dass sie kein höheres Einkommen beziehen dürfen als es das von der Partei festgesetzte Maximum vorsieht. Andererseits erwartet die Partei von ihren Mitgliedern absoluten Gehorsam gegenüber ihren Entscheidungen und Befehlen. Wer sich dieser Pflicht entziehe, müsse mit Disziplinarstrafen und Degradierung rechnen, im äußersten Fall sogar mit Parteiausschluss.[23]

Aber die kollektivistische Eigentumsstruktur ist nicht nur korreliert mit einer eindeutigen normativen Verankerung des Einzelnen in den übergeordneten Interessen des sozialistischen Ganzen. Ebenso wichtig erscheint eine andere gemeinsame Schnittmenge, die der klassische utopische Diskurs mit der Interpretation des sowjetischen Wirtschaftssystems in der Sicht der Webbs teilt: Es ist das Ziel einer kollektivistischen Überflussgesellschaft, die Klassenstruktur des Ancien Régime aufzuheben. Denn in dem Maße, wie die auf die Distribution des disponiblen Teils des Bruttosozialprodukts bezogenen Konflikte entfallen, hat jeder Einzelne an der gerechten Verteilung des gesellschaftlichen Reichtums teil. Sowohl in der klassischen Utopietradition als auch in der Interpretation des sowjetischen Wirtschaftsmodells, wie die Webbs sie entwickelten, bedeutet der Wegfall des Antagonismus zwischen Kapital und Arbeit das Ende der Klassengesellschaft. Die noch vorhandenen Konfliktpotenziale verlieren ihren gesellschaftlichen Charakter und sind mit juristischen und erzieherischen Mitteln in den Griff zu bekommen. Doch wie kann der kollektiv erarbeitete wirtschaftliche Überfluss bei gleichzeitiger Kürzung der Arbeitszeit und extensiver kultureller Gestaltung der Freizeit erhalten bleiben? Tatsächlich ist die utopische Triade von *Arbeit, Bedürfnissen* und *Wissenschaft/Technik* konstitutiv für das utopische Wirtschaftssystem, in dem von den Webbs entworfenen Szenario der SU wieder zu erkennen.

Für die klassische Utopietradition war das angestrebte Ziel der Schaffung des gesellschaftlichen Reichtums nur dann erreichbar, wenn es zu einer vollständigen Mobilisierung der Arbeitsressourcen kommt: Diese Option schloss ausdrücklich die Ausschaltung jener feudalen Stände mit ein, die – wie der Adel und der höhere Klerus – von physischer Arbeit befreit waren. Ganz in diesem Sinn können die Webbs auf den Art. 12 der Stalin-Verfassung verweisen, dass „die Arbeit in der UdSSR Pflicht und eine Sache der Ehre eines jeden arbeitsfähigen Bürgers nach dem Grundsatz (ist): ‚Wer nicht arbeitet, soll auch nicht essen‘“ (Art. 28). Damit ist also allen Gesellschaften mit einer etablierten Freizeitklasse eine Absage erteilt: Wie in der klassischen Utopietradition sehen sich ihre Mitglieder als „Parasiten" stigmatisiert. Andererseits ist die Arbeit zeitlich strikt limitiert, um dem Einzelnen genügend Freizeit zu seiner individuellen Entfaltung zu ermöglichen: Die staatliche Organisation der Erholung umfasst sportliche Betätigung und kulturelle Aktivitäten ebenso wie Besuche von Museen und Bildergalerien, Theater- und Ballettaufführungen sowie Ferien- und Unterhaltungsveranstaltungen.

Hand in Hand mit der vollständigen und egalitären Mobilisierung der Ar-

---

[23] A.a.O., S. 856.

beitsressourcen ging in der klassischen Utopietradition die Perhorreszierung des Luxus und libertärer Lebensstile. Legitim war lediglich die Befriedigung sog. „natürlicher" Bedürfnisse: Jeder sollte sich der Jahreszeit gemäß angemessen kleiden und ernähren können. Dagegen waren bloßer Geltungskonsum und Völlerei, Prostitution, sexuelle Libertinage und exzessiver Alkoholkonsum einem strikten Verdikt unterworfen. Insbesondere die monogame Ehe stellte Morus unter den besonderen Schutz des Staates. Nach einem ähnlichen Muster interpretierten die Webbs die „puritanische Ethik" der Bolschewiki, deren restringierter Code eher einer religiösen Ordensgemeinschaft als einer westlichen Berufsorganisation gleiche. Die Kommunistische Partei und deren Jugendorganisation [Komsomolzen, R.S.] mit ihren fünf Millionen Mitgliedern hätten sich einer ethischen Doktrin zu beugen, die sexuelle Promiskuität und alle Formen der Selbstbefriedigung stigmatisiert. Die Gründe seien von Lenin kanonisiert worden: Sinnliche Ausschweifungen dieser Art führten häufig zu Erkrankungen: Sie minderten die Produktivität der Arbeit und das Urteilsvermögen sowie die wissenschaftliche und intellektuelle Leistungsfähigkeit.[24] In diesem Sinne zählte Bucharin 1924 folgende Verbote und Gebote für die Mitglieder der Kommunistischen Partei auf: Sie müssten sich verpflichten, nicht zu rauchen, nicht zu trinken und gewisse Regeln im sexuellen Umgang zu beachten. Ferner waren sie gehalten, das Klassenbewusstsein und die kommunistische Erziehung zu fördern sowie bei der Ausbildung kommunistischer Spezialisten, Sportler, Sozialarbeiter usw. mitzuwirken. Verstöße gegen diese Normen konnten zum unehrenhaften Ausschluss aus der Partei führen.[25]

Die dritte Säule der Garantie einer Überflussgesellschaft auf der Grundlage des kommunistischen Gemeineigentums lag für die klassische Utopietradition in der Förderung der modernen Naturwissenschaften und ihre Umsetzung in Technik zur Steigerung der materiellen Produktion begründet. Dieser Trend erreichte dann bei Bacon im 17. und bei den Utopisten des 19. Jh., die Industrialisierung vor Augen, seinen Höhepunkt. Die Entfaltung der Produktivkräfte auf industrieller Grundlage avancierte im utopischen Denken zur *conditio sine qua non* utopischer Emanzipation auf kollektiver und egalitärer Basis. Eine analoge Einstellung konstatieren die Webbs bei den bolschewistischen Sozialingenieuren der neuen sowjetischen Zivilisation. In gewisser Weise war es das Ziel der Bolschewiki, Bacons Diktum der Unterwerfung der Natur mit modernen naturwissenschaftlichen Mitteln umzusetzen. Sie sahen darin den entscheidenden Schlüssel zur industriellen Produktion des gesellschaftlichen Reichtums der neuen kommunistischen Zivilisation. Diesen Imperativ vor Augen, fördere die Kommunistische Partei und die sowjetische Regierung die moderne Naturwissenschaft und Technik mit höchster Priorität.[26] Zugleich ist den Webbs zufolge für die Bolschewiki die Trennung zwischen reiner und angewandter Wissenschaft obsolet. Wie bereits in der klas-

---

24 A.a.O., S. xl.
25 A.a.O., S. 857, FN 1.
26 A.a.O., S. 704.

sischen Utopietradition angelegt, ist jede gesellschaftsrelevante Wissenschaft per se auf Technik, d.h. auf Anwendung mit dem Ziel der Steigerung des Reichtums der Gesellschaft angelegt.[27]

Wer nun die Frage aufwirft, von welchem politischen Überbau die hier in den Grundzügen geschilderte ökonomische Basis überwölbt wird, kommt um das Menschenbild nicht herum, von dem die utopischen Autoren bei der Lösung dieses Problems ausgegangen sind. Es dürfte bereits deutlich geworden sein, dass für sie die christliche Vorstellung eines per se durch den Sündenfall verdorbenen Menschen kein Thema war: Für sie war der Mensch vielmehr formbar. Entsprechende Rahmenbedingungen vorausgesetzt, die der utopische Staat zu garantieren hatte, konnte er optimiert werden. Allerdings war für sie klar, dass letztlich die gesellschaftlichen Rahmenbedingungen für die Entstehung des Neuen Menschen in seiner biologischen und kulturellen Dimension entscheidend seien. Einen ähnlichen Ausgangspunkt bei seiner Schaffung glaubten die Webbs in der SU beobachten zu können. Zwar erkannten die Bolschewiki den Einfluss der Vererbung auf die Evolution des Menschen an. Aber sie gingen im Sinne Lamarcks davon aus, dass die genetisch von den Eltern und deren Vorfahren vererbten Eigenschaften ebenfalls das Resultat vorhergegangener Umwelten gewesen sind, denen sie unterworfen waren. So gesehen, stelle der Mensch die gemeinsame Schnittmenge seines sozialen und physischen Erbes dar, wobei dem ersteren die Priorität zukomme. Diese Einsicht steigerte in ihrer Sicht die Bedeutung günstiger Umweltbedingungen bei der Optimierung des Menschen. Nicht ohne Grund, schreiben die Webbs, glaubten die Bolschewiki, dass unter allen Umweltbedingungen die sozialen Institutionen den größten Einfluss auf die Formierung des Neuen Menschen hätten.[28]

Die Instrumentarien, die die Bolschewiki in der SU den Webbs zufolge zur Schaffung des Neuen Menschen zur Anwendung brachten, gehen kaum über das hinaus, was in der klassischen utopischen Diskussion zur Sprache kam: Sie reichen von der polytechnischen Ausbildung über die spielerische Aneignung kulturellen Wissens in der Freizeit und sportliches Training, eine optimale Krankenversorgung und hygienisches Wohnen bis hin zur modernen Stadtplanung und eine musikalische und literarische Bildung für alle. Wie in der utopischen Tradition war in der Interpretation der Webbs das Vorbild der allseitig gebildete Mensch mit solidarischen und altruistischen Eigenschaften, der sich reibungslos dem Kollektiv eingliedert und sich in den Institutionen entfaltet, die unter der Leitung der herrschenden Elite der Bolschewiki, ihrer Partei und der aus ihnen hervorgegangenen Leitungs- und Führungsgremien stehen. Deren Mitgliedschaft sei strikt limitiert. Sie dürfe nicht mehr als 2 % der Wählerschaft und nicht mehr als 3 % der durch die Volkszählung registrierten Einwohner umfassen. Sie rekrutieren sich nicht durch

---

[27] A.a.O., S. 768.
[28] A.a.O., S. 653.

Wahlen, sondern durch Kooptation, der eine längere Bewährungszeit vorausgehe. Kriterien der Elitenrekrutierung seien Kompetenz, Prinzipientreue, Einsatzwille und vorbehaltlose Ineinssetzung mit der kommunistischen Gesellschaft.[29] Dass dieses Modell der Elitenrekrutierung eine deutliche formale Analogie zu Platons Philosophen aufweist, denen die politische Führungskaste in den klassischen Utopien der Neuzeit nachgebildet ist, muss nicht eigens betont werden.

III. Das selbstkritische Potenzial des utopischen Ansatzes als Differenz zu den Herrschaftsordnungen des sowjetischen Typs

Obwohl sich die Webbs an keiner Stelle explizit auf die führenden Repräsentanten der klassischen Utopietradition beziehen, verdichtet sich das Szenario, das sie von der stalinistischen Sowjetunion entwerfen, zu einem idealen Gemeinwesen, das nur punktuell aus dem Schatten der klassischen Utopietradition heraustritt.[30] Andererseits fällt das utopische Szenario, das die Webbs von der Sowjetunion entwerfen, hinter das klassische Muster zurück. Die Webbs folgten der Lesart Stalins, dass die Utopie der kommunistischen klassenlosen Gesellschaft in der SU bereits mehr oder weniger verwirklicht sei. Demgegenüber definiert sich die Utopie der klassischen Tradition vor allem dadurch, dass die bessere Alternative zum gegebenen Status quo eine *fiktive Denkmöglichkeit* darstelle: Erst diese Differenz konstituierte ihren Anspruch als regulatives Prinzip politischer Praxis, als

---

[29] A.a.O., S. 907.

[30] „Sowohl die Gesellschaftsordnungen des sowjetischen Typs als auch die klassische Utopietradition gingen von der Annahme aus, daß das ideale Gemeinwesen nur dann zu verwirklichen ist, wenn die Politik gegenüber der Wirtschaft, die bürokratische Bevormundung und die Parteidisziplin gegenüber persönlicher Spontanietät und Kreativität, die Überwachung und Bevormundung der einzelnen gegenüber den individuellen Bürger- und Menschenrechten, die kollektive Planbarkeit gegenüber persönlicher Spontanität und Kreativität, die Überwachung (...) der einzelnen gegenüber ihrem Recht auf Selbstbestimmung und das Prinzip der Abschottung nach außen, eindrucksvoll symbolisiert durch den ,Eisernen Vorhang', gegenüber der ungehinderten Bewegungsfreiheit eindeutig dominieren. Andere übereinstimmende Strukturmerkmale kommen hinzu. Die kommunistische Partei, die das Wahrheits- und Politikmonopol für sich beansprucht, hat ihr utopisches Vorbild in den Philosophen der platonischen ,Politeia' und den diesen nachgebildeten Eliten der frühneuzeitlichen Utopien. Diese selbst ernannte ,Avantgarde der Arbeiterklasse' – als der eigentliche Träger des historischen Fortschritts – begründet ihren Herrschaftsanspruch nicht demokratisch, sondern wie die Utopisten seit der Mitte des 18. Jahrhunderts geschichtsphilosophisch" (Saage 1992, S. 155). Zumindest auf der Ebene dessen, was die Bolschewiki zum Zweck ihrer Legitimation idealiter vorgaben zu verwirklichen, orientierten sie sich also an einem gesellschaftlichen Leitbild, dessen utopische Züge im Sinne der klassischen Tradition unübersehbar erscheinen. So sind marxistische Kategorien zur Analyse der normativen Vorgaben der stalinistischen Phase der SU von nachgeordneter Bedeutung. Schon der sozialdemokratische Marxist Karl Kautsky wies bereits 1919 zu Beginn des bolschewistischen Experiments darauf hin, dass sich dieses mehr auf den Voluntarismus eines Blanqui als auf Marx berufen konnte. Vgl. Kautsky 1919, S. 60f.

Quelle handlungsrelevanten Orientierungswissens. Tatsächlich werden die Webbs nicht müde, die Utopie der neuen Zivilisation in Gestalt der SU immer wieder gegen das Profitsystem der westlichen Welt auszuspielen. Doch diese apologetische Intention verstellte ihnen den Blick für den Kernbestand der klassischen Utopietradition: die Selbstreflexion. Bereits Thomas Morus warf die Frage auf, ob die Verdichtung des intendierten „guten Lebens" in *Utopia* nicht das Gegenteil des Beabsichtigten hervorrufen könnte: Das Gemeineigentum fördere die Indolenz, weil es von der Notwendigkeit eigener Anstrengung, seinen Lebensunterhalt zu erarbeiten, entlaste.[31] Ferner entschärfe die Abschaffung des Privateigentums die klare Trennung zwischen „Mein" und „Dein" und begünstige dadurch „Mord und Aufruhr".[32] Und schließlich entziehe die kommunistische Organisation der Gesellschaft der öffentlichen Anerkennung individueller Leistung den Boden, so dass „alles, was nach allgemeiner Ansicht den wahren Schmuck und die wahren Zierde eines Staatswesens ausmacht, vollständig"[33] ausgeschaltet werde.

Geht diese Dimension der permanenten Selbstüberprüfung des utopischen Anspruchs verloren, so sind die Folgen fatal, wie der Zusammenbruch der Sowjetunion zu Beginn der 1990er Jahre zeigt: Sie kumulieren in einer hochgradigen Lernpathologie des Gesamtsystems. Es treten in einer freilich aktualisierten, auf die Bedingungen des 20. Jh. bezogenen Lesart genau die Konsequenzen ein, die eine gemeinsame Schnittmenge mit Morus' Kritik an einem verwirklichten *Utopia* erkennen lassen: „1. Ein System, das einer kleinen Elite das Wahrheits- und Politikmonopol zugesteht, ist unfähig, auf neue Herausforderungen innovativ zu reagieren, weil neue Lehren und Einsichten oft von Minoritäten außerhalb des herrschenden Machtapparates artikuliert werden. 2. Wenn die individuellen Menschen- und Bürgerrechte unterdrückt werden, müssen die Talente von Millionen verkümmern. Die Folge ist kulturelle, wissenschaftliche und vor allem wirtschaftliche Stagnation, die exemplarisch in der ehemaligen Sowjetunion beobachtet werden konnte. 3. Eine Gesellschaft, die auf der Bevormundung der großen Masse der Bevölkerung beruht und die individuelle Freiheit durch einen gigantischen Überwachungsapparat zerstört, delegitimiert ihre politische Herrschaft. In dem Augenblick, in dem er durch Massenaktionen auch nur vorübergehend überrollt wird, bricht das Gesamtsystem zusammen, wie die Umstürze der Jahre 1989 und 1993 gezeigt haben."[34]

Zwar weist Morus' *Utopia* für viele Verfasser utopischer Texte in die Richtung eines kollektivistischen Wegs in die Moderne. Doch wenn es zutrifft, dass *Utopia* zugleich auch eine radikale Infragestellung des kommunistischen Gemeineigentums impliziert, kann z.B. Karl Kautskys instrumentalisierender Zugriff auf diesen Text im Sinne einer umstandslosen und einseitigen Subsumtion unter den

---

[31] Morus 1996, S. 145.
[32] Ebd.
[33] A.a.O., S. 109.
[34] Saage 1992, S. 156.

Titel „Sozialismus" in seinem Buch *Thomas More und die Utopie*[35] nicht überzeugen. So vertritt Kautsky die These, Morus habe nichts mehr gewünscht als die Verwirklichung *Utopias*. Auch das Argument, dessen kritische Einwände gegen *Utopia* seien der Zensur geschuldet, greift zu kurz. Hatte Morus sein angeblich ideales Gemeinwesen nicht selbst als *Utopia*, als Nicht-Ort, charakterisiert? Wie konnte er zum Lordkanzler eines der mächtigsten Nationalstaaten Europas aufsteigen, wenn er dessen sozio-politische Strukturen radikal umwälzen wollte? War er es nicht selbst, der vor der Illusion warnte, die Einrichtungen Utopias könnten Eins-zu-Eins auf Europa übertragen werden? Und schließlich: Warum begnügte er sich im Blick auf *Utopia* mit dem Geltungsanspruch eines Ideals, das eine konkrete Transformationsstrategie ausschloss, wenn er es wirklich Ernst mit einer revolutionären Option gemeint hätte?

Zwar ist *Utopia* ein scharfes Plädoyer gegen einen rigiden Wirtschaftsliberalismus, der im Interesse weniger Kapitaleigner die soziale Polarisierung der Gesellschaft in Kauf nimmt. Aber die Kritik Morus' an der kommunistischen Alternative hält seine Lösungsperspektive offen: Ohne es programmatisch zu artikulieren, lässt sie Raum für einen Dritten Weg, der eine Konvergenz zwischen den unverzichtbaren Rechten des Einzelnen und den berechtigten kollektiven Ansprüchen der Solidargemeinschaft anstrebt. Wie diese Synthese operationalisierbar ist, lässt Morus offen: Es ist das Problem, mit dem sich der Leser des Textes in Kenntnis des individualistischen und des kollektivistischen Extrems im jeweiligen historischen Kontext selber auseinander zu setzen hat.

---

[35] Kautsky 1947.

Kapitel 8

Der Neue Mensch in utopischer und transhumanistischer Perspektive

I. Wird die klassische Utopie durch den modernen Transhumanismus ersetzt?

Der Titel meiner Ausführungen unterstellt, dass zwischen einer polititischen Utopie und einer transhumanistischen Techno-Vision zu unterscheiden sei. Doch folgt man neueren Publikationen, die eine Renaissance der Utopie verheißen, so sind die transhumanistischen *Zukunftsfiguren des 21. Jahrhunderts*[1] nicht eine eigenständige Parallelentwicklung zum klassischen Utopiediskurs seit Platon[2] und Thomas Morus[3], sondern dessen Konsumenten; sie haben sich gleichsam das ursprüngliche utopische Potenzial einverleibt und dadurch bis zur Unkenntlichkeit verändert. Die neuen Träger der Neuen Utopie sind nicht mehr Philosophen wie Platon, Humanisten wie Morus oder Romanautoren wie Aldous Huxley[4] und Ursula K. Le Guin[5], sondern transhumanistische Ingenieure und Technikwissenschaftler wie Eric Drexler[6], Hans Moravec[7], Ray Kurzweil[8], Marvin Minsky[9] etc. Deren Visionen wurden herunter gebrochen auf die Ebene konkreter Forschungspolitik von Wissenschaftspublizisten wie William S. Bainbridge und Mihail Roco.[10]

Man könnte diese „feindliche Übernahme" des utopischen Terrains durch den Transhumanismus als eine Modeströmung auf sich beruhen lassen, stünde nicht mehr und nicht weniger als ein Stück europäischer Identität auf dem Spiel. Denn transhumanistische Technikvisionen schöpfen aus der amerikanischen Popularkultur der *Science Fiction*, während das utopische Denken seit der Antike zutiefst das europäische Menschenbild mit geprägt hat: insbesondere in seiner Fähigkeit, in Alternativen zu denken. Eben diese Kompetenz begründet dessen Dynamik, die von seiner Lernfähigkeit herrührt, die Vision der Machbarkeit der Welt im Fokus des *homo faber* durch die Selbstreflexivität des *homo sapiens* zu korrigieren. Wer also nicht bereit ist, widerstandslos eine zweitausendjährige Denktradition

---

[1] Maresch/Rötz 2004.
[2] Platon 1994.
[3] Morus 1996.
[4] Huxley 1985.
[5] Le Guin 1988.
[6] Drexler 1994.
[7] Moravec 1990.
[8] Kurzweil 2000.
[9] Minsky 1990.
[10] Roco/Bainbridge 2002.

der Dominanz der *Science Fiction* preiszugeben, ist gut beraten, deren Herausforderung ernst zu nehmen. Wie aber kann dies sinnvoll anders geschehen als durch einen systematischen Vergleich beider Diskurse?

Wenn freilich eine solche Komparatistik von „Denktraditionen" in utopischer und transhumanistischer Absicht ausgeht, ist zugleich über ihre analytische Stoßrichtung entschieden: Sie hat sich auf das Gebiet der politischen Theorie und der Ideengeschichte zu begeben. Bei der Rekonstruktion ihrer Forschungsgegenstände ist nun zu beachten, dass sie in der Regel anthropologische Voraussetzungen haben. Sie stecken ihrerseits den Rahmen ab, innerhalb dessen politische Theoretiker Institutionen und Normen entwickeln, die menschliches Handeln steuern, Grenzüberschreitungen im Sinne eines Neuen Menschen ermöglichen sowie Herrschaft konstituieren und legitimieren. Wir haben es also mit zwei Ebenen zu tun, die analytisch zu trennen sind und die dennoch aufeinander verweisen: die anthropologische Dimension und die phänomenologische Struktur menschlicher Lebenswelten.

Dies vorausgesetzt, stehen drei Fragen im Vordergrund meines Aufsatzes: Wie sind die anthropologischen Mechanismen zu charakterisieren, von denen der utopische und der transhumanistische Ansatz ausgehen? Welche phänomenologisch fassbaren Strukturen des Weltverständnisses resultieren aus ihnen, die sie für das Optimum eines gelungenen Lebens halten? Welche Differenzen ergeben sich aus den Antworten auf diese Fragen für die Struktur beider Imaginationstypen?

II. Die anthropologische Differenz zwischen dem chiliastischen, utopischen und transhumanistischen Ansatz

Die These, dass das utopische Denken zu den wenigen Monopolen des Menschen gehört, die ihn vom Tierreich unterscheiden, dürfte auf allgemeine Zustimmung stoßen. Strittig ist jedoch, wie der Konnex zwischen der anthropologischen Grundverfassung und der Fähigkeit, fiktive Alternativen zum gegebenen soziopolitischen Status quo zu entwerfen, begrifflich zu fassen ist. Zur Konstante der menschlichen Natur gehört, dass sie in die Evolution ihrer eigenen Naturgeschichte eingebunden ist. Aber sie kann die Fesseln, die sie an ihre animalische Existenz binden, so weit lockern, dass sie im Interesse ihres Überlebens im Kampf ums Dasein über die Möglichkeit verfügt, sich artifizielle Umwelten zu schaffen, die sie in ihrer Weltoffenheit stützen und orientieren. Diese Fähigkeit hat Helmuth Plessner mit seinem Begriff der „exzentrischen Positionalität"[11] umschrieben. Für das Verständnis der anthropologischen Grundverfassung des Menschen hat diese Kategorie insofern eine Schlüsselstellung inne, als sie einen folgenschweren Mechanismus bezeichnet. Die evolutiven Impulse seiner animalischen Natur steuern das Entwurfsverhalten des Menschen nicht direkt und monokausal, sondern

---

[11]   Plessner 1965, S. 288f, S. 291ff, S. 309ff.

gebrochen durch das Filter seiner zweiten sekundären, also soziokulturellen Natur hindurch. Diese Prämisse könnte ein analytischer Schlüssel für die Erklärung der Tatsache sein, dass menschliches Verhalten durch so hochgradig verschiedene Fiktionen in seinen Ursprungs- bzw. Ausgangssituationen beeinflussbar erscheint, wie die des chiliastischen, des utopischen und des transhumanistischen Denkens.

Das chiliastische Denken[12] in seiner ursprünglichen Gestalt im frühen Christentum, im Mittelalter und in der Frühen Neuzeit hat die anthropologische Prämisse zur Voraussetzung, dass der evolutive Impuls zur Selbsterhaltung durch einen sozio-kulturellen Kontext „sublimiert" wird, der nur marginal von wissenschaftlich-technischen Strukturen imprägniert erscheint. Entsprechend ist der Entwurf unmittelbar auf eine spirituelle Transzendenz bezogen. Die Stabilisierung des Menschen erfolgt durch die Überzeugung, man sei von der Sünde erlöst und der Zugang zum Gottesreich stehe ihm offen. Insofern lehnt die chiliastische Praxis in manchen ihrer Varianten die staatlichen Gesetze ebenso ab wie Institutionen des Privateigentums und der Familie. Eine bestimmte Ferne zur wissenschaftlich-technischen Zivilisation vorausgesetzt, ist der Chiliasmus nicht nur in den monotheistischen Religionen, sondern selbst in den Naturgottheiten der Indianer wie die der Guarini im brasilianischen Urwald gegeben. Im chiliastischen Denken bricht sich der evolutive Impetus zwar auch an den artifiziellen Realitäten der zweiten Natur des Menschen. Aber diese ist noch kaum von der Dynamik der wissenschaftlich-technischen Entwicklung geprägt.

Das utopische Denken ist gleichfalls durch den evolutiven Impuls der Selbsterhaltung charakterisiert. Aber dessen Sublimierung erfolgt in einer Welt der Artefakten, in der Wissenschaft und Technik bereits tief verankert sind. Die Aneignung der Welt durch Technik ist in der Frühen Neuzeit zum Zeitpunkt des Erscheinens der *Utopia*[13] des Thomas Morus im Jahr 1516 und erst recht der *Neu-Atlantis*[14] des Francis Bacon, wahrscheinlich um 1624 englisch geschrieben und 1627 in lateinischer Übersetzung publiziert, bereits weit fortgeschritten: Die Alternative zum Leiden sucht das utopische Denken in dieser Welt, weil es in ihr auch die Ursachen erkennt, welche die Sehnsucht nach einer besseren Zukunft bewirken. Sie zu erreichen, kommt es zu einer modernisierenden Antikenrezeption. Gleichzeitig wird der entstehende Geist des Machens gestärkt durch die Entdeckung neuer Welten mit Kulturen, wie sie die europäische Welt bisher nicht kannte. Das utopische Konstrukt nimmt rationale Formen an. Es schafft Räume, die der Kontrolle der Ratio unterliegen. In seiner ursprünglichen Form ist also das utopische Denken eine westeuropäische Erfindung, die es so in anderen Kulturen zum gleichen Zeitpunkt nicht gegeben hat. Der evolutive Impetus wird dabei bereits entscheidend vom Geist des konstruktiven Machens geprägt, ohne dabei allerdings die naturgeschichtliche Basis des Menschen zu überschreiten.

---

[12] Saage 2011, S. 157-168.
[13] Morus 1996. S. 7-110.
[14] Bacon 1996, S. 171-215

Das transhumanistische Denken in seinen linksdarwinistischen Versionen seit des 1920er Jahren geht mit dem evolutiven Impetus der Selbsterhaltung im Kampf ums Dasein in anderer Weise um, als dies im utopischen Ansatz der Fall ist. Dieser hielt an der Annahme fest, dass sowohl die animalische als auch die soziokulturelle Natur im Menschen präsent ist. Die eine ist sozio-kulturell überwölbt, die andere hat biologische Grundlagen. Demgegenüber extrapoliert der transhumanistische Ansatz einen Stand der Beherrschung der inneren und äußeren Natur des Menschen, der ihm den Zugriff auf seine eigene naturgeschichtliche Basis zu ermöglichen scheint. Der utopische Ansatz stellte der Sache nach die Mechanismen der natürlichen Evolution im Sinne Darwins nicht in Frage, sofern es die erste Natur des Menschen betrifft. Dem von ihm propagierten Neuen Menschen liegt nicht die Zielsetzung zugrunde, die eigene Evolution dadurch zu beschleunigen, dass man sie mit wissenschaftlich-technischen Mitteln in die eigene Hand nimmt. Das aber ist beim modernen Transhumanismus der Fall. Die Möglichkeit der evolutiven Selbststeuerung des Menschen erlangt ihre scheinbare Plausibilität in einer wissenschaftlich-technischen Hyperzivilisation, wie wir sie zu Beginn des 21. Jh. zumindest ansatzweise glauben wahrnehmen zu können.

III. Naturdinge und Artefakte im utopischen Denken und im Transhumanismus

In dem Maße, wie das utopische Denken die ursprüngliche Evolution der ersten Natur des Menschen nicht in Frage stellte, folgt es seit der Antike der Unterscheidung zwischen Naturding und Artefakt. Deren Bedeutung hatte der italienische Aufklärer Giambattista Vico (1688-1744) als erster in seiner ganzen Tragweite erkannt.[15] Aus seinem gegen Descartes gerichteten erkenntnistheoretischen Prinzip des *verum ipsum factum* folgt die Spaltung des Terminus „Tatsache" in zwei Kategorien: die Fakten der organischen und der anorganischen Natur, welche dem Menschen vorgegeben sind. Fakten der belebten Natur sind Tiere und Pflanzen, der unbelebten Natur Himmelskörper, Steine, geologische Formationen, Vulkanismus, Wetterkonstellationen etc. Von diesen Naturtatsachen heben sich die Artefakte ab. Sie sind von Menschen geschaffen und umfassen kulturelle, historische, gesellschaftliche, technische und wissenschaftliche Phänomene. Bezogen auf den Menschen bedeutet dies, dass er als biologische Emergenz der Evolution Naturtatsache ist, aber als Erschaffer seiner eigenen künstlichen Welt, in der sein eigentliches Leben stattfindet, ist er zugleich auch Artefakt. Auch wenn beide Dimensionen nichtdualistisch ineinander verzahnt sind, folgen sie eigenen Gesetzlichkeiten vor allem in der Informationsweitergabe. Wie der Biologe Heinz Penzlin hervorgehoben hat, funktioniert diese bei organischen Naturfakten auf *biogenetischem* Weg, bei sozio-kulturellen Artefakten in *tradigentischer* Weise.[16]

---

[15] Vico 1966.
[16] Penzlin 1996, S. 3-33.

Das utopische Denken, so kann zusammenfassend festgestellt werden, lässt sich also mit der Einsicht vereinbaren, dass in der biogentischen Evolution die DNS Träger der Information ist, welche durch identische Replikation vermehrt, durch Mutation verändert und von Generation zu Generation vererbt werden. In der sozio-kulturellen Natur des Menschen dagegen erfolgt der Prozess des Lernens individuell. Ihm liegen, wie Heinz Penzlin zu Recht hervorhebt, erworbene, gespeicherte und durch weitere Erfahrungen modifizierte Informationen zugrunde, „die auf nichtgenetischem Wege durch Beobachtung und Nachahmung, durch Lehren und Lernen von Individuum zu Individuum weitergegeben werden können. Man spricht dann von einer Traditionsbildung".[17] Mit dieser Kompatibilität der doppelten Informationsweitergabe der beiden ineinander greifenden Dimensionen der menschlichen Natur, welche das utopische Denken auszeichnet, bricht der Transhumanismus. Ziel ist für ihn „die Veränderung der ‚ersten Natur' mit den avanciertesten Methoden der Gen-, Computer- und Robotertechnik. Was daraus für die soziale und kulturelle Welt folgt, ist selten Gegenstand vertiefter Reflexionen, es genügt die Meliorisierungserwartung für Gesundheit und Intelligenz. Ob die Veränderungen von Physis und Psyche sich gemäß den Gesetzen des Darwinismus vollziehen oder durch technische Eingriffe, ist gleichgültig – es handelt sich jedesmal um Evolution".[18]

Mit dem Wegfall der Unterscheidung zwischen der biologischen und der sozio-kulturellen Natur des Menschen ist im transhumanistischen Denken auch der Differenz zwischen Naturding und Artefakt der Boden entzogen.[19] Sie spielte aber für das utopische Denken von Anfang an eine entscheidende Rolle: Wie gerade die archistische, d.h. herrschaftsbezogene Utopietradition zeigt, ging es ihr insbesondere in ihren Architekturvorstellungen vor allem darum, durch den Rekurs auf geometrische Basisfiguren der als „Feind" empfundenen äußeren Natur einen artifiziellen Rahmen zu oktroyieren, der in Gestalt der Idealstadt ausschließlich menschlicher Kontrolle unterliegt. Wenn umgekehrt im Transhumanismus die Grenzen zwischen Natur und Technik sich auflösen, weil angeblich beide von denselben Elementarteilen und mechanischen Kräften gesteuert werden, dann sind auch die Grenzen zwischen Mensch und Maschine fließend. Spätestens an diesem Punkt wird der Hiatus zwischen den beiden Varianten der *conditio humana* sichtbar. Das utopische Denken ist durch seine anthropologischen Prämissen gezwungen, aus den kulturellen Ressourcen seiner tradigentischen Vergangenheit zu schöpfen. Nur so kann es eine Welt imaginieren, in der ein gutes Leben gelingt. Der transhumanistische Ansatz dagegen lebt von der Auflösung der Differenz zwischen Naturding und Artefakt: In dem Maße, wie er den Menschen mit der Maschine verschmelzen lässt, liefert er sich einer einzigen Ressource aus: der

---

[17] A.a.O., S. 22.
[18] Euchner 2008, S. 182.
[19] Schummer 2009.

modernen Technik und ihrem Imaginationspotenzial in Gestalt der *Science Fiction*.

Zu dieser Konsequenz kann nur gelangen, wer – wie die Transhumanisten – die Unterscheidung zwischen der tradigenetischen und der biogenetischen Evolution ignoriert. An der Akzeptanz dieser Differenz scheiden sich die Geister. Deswegen kommt ihrer Begründung eine entscheidende Bedeutung zu. Die tradigenetische Informationsweitergabe läuft in weitaus höherem Tempo ab als ihre biogenetische Variante. Sie ist nicht nur einmal auf die Geburt beschränkt, sondern erstreckt sich auf die gesamte Lebensdauer. Außerdem sind die Einzelschritte der tradigenetischen Evolution in der Regel größer als die recht kleinen Veränderungen, welche die Mutation bewirkt. Auch vollziehen sich die tradigenetischen Lernprozesse im Gegensatz zur Mutation unabhängig von den Selektionsbedingungen, weil sie diese reflektieren können. Insofern ist die „tradigentische Evolution im Gegensatz zur biogenetischen schließlich auch umkehrbar".[20]

Wenn also der utopische und der transhumanistische Ansatz aufgrund unterschiedlicher anthropologischer Prämissen in der Produktion ihrer Visionen aus sehr verschiedenen Potenzialen schöpfen, stellt sich die Frage, welche Auswirkung diese Differenz in der Phänomenologie ihrer Imaginationen des Neuen Menschen hat. Die Qualität der utopischen Konstruktion haben Platon in seiner *Politeia*[21] und dann, in modernisierter Form, Thomas Morus in seiner *Utopia* vorgegeben. In der klassischen Utopietradition geht es im Kern um fiktive gesellschaftliche Modelle, die als institutionelle, sozio-ökonomische, wissenschaftlich-technische und moralische Alternativen auf die krisenhaften Fehlentwicklungen ihrer Herkunftsgesellschaft reagieren.[22] In ihnen spielen zwar Wissenschaft und Technik eine zentrale Rolle; aber sie sind dem „guten Leben" untergeordnet, weil sie zu dessen Ermöglichung beitragen. Auf ein kurzes Diktum gebracht, dient also die Technik in den positiven utopischen Szenarien dem Menschen und nicht umgekehrt.

Ganz anders die Stoßrichtung des ursprünglichen Musters der *Science Fiction*, das die eigentliche Inspirationsquelle der transhumanistischen Visionen ist. Ihm geht es seit Jules Verne nicht um Modelle des „guten Lebens" in einer dieses Ziel garantierenden gesellschaftlichen Ordnung. Ihr Hauptzweck ist vielmehr die Extrapolation wissenschaftlich-technischer Entwicklungen. Deren Stoßrichtung zielt nicht primär auf die moralische und materielle Verbesserung der Menschen, sondern auf deren Perfektion, sofern sie selbst als Maschinen rekonstruierbar sind. „Gesellschaft" spielt nur insofern eine marginale Rolle, als sie den Stoff für die Rahmenhandlung des innovativen Ingenieurs bietet, der den technischen Fortschritt in einer bestimmten gesellschaftlichen Situation gegen mögliche Restriktionen vorantreibt. Während demgegenüber das utopische Konstrukt der kri-

---

[20] Penzlin 1996, S. 22.
[21] Platon 1994, S. 67-310.
[22] Saage 2009, S. 9f.

senhaften Entwicklung der Herkunftsgesellschaft des jeweiligen Autors wesentliche Impulse verdankt, lebt *Science Fiction* von der Aura technischer Potenzialitäten, die zwar noch nicht verwirklicht sind, aber den hypothetischen Schein für sich reklamieren, in nicht allzu ferner Zukunft tatsächlich realisiert zu werden.

IV. Die inhaltlichen Unterschiede von klassischer Utopie und Transhumanismus auf der phänomenologischen Ebene

Wenn nicht alles täuscht, gehen aus dieser unterschiedlichen Ausgangslage der Konstruktion imaginärer Welten in Verbindung mit den aufgezeigten divergierenden anthropologischen Prämissen eine Reihe struktureller Differenzen auf der phänomenologischen Ebene zwischen dem utopischen und dem transhumanistischen Ansatz hervor, die hier nur angedeutet werden können[23]:

Erstens. Die klassische Utopietradition lebt von der Aufwertung der menschlichen Arbeit, die bei ihrem Vorläufer, nämlich Platons *Politeia*, in der Hierarchie der Werte noch einen untergeordneten Platz einnahm. Erst wenn es zur vollständigen Mobilisierung dieser Ressource kommt, ist in ihrer Sicht eine zentrale Voraussetzung Utopias erfüllt: nämlich die materielle Reproduktion der Gesellschaft, die sich nicht dem *ora!*, sondern dem *labora!* verdankt und sich damit als reines Artefakt des Menschen selbst versteht. Der transhumanistische Neue Mensch dagegen hat sich längst von den Zwängen der durch Arbeit vermittelten Auseinandersetzung mit der Natur emanzipiert. Schule machend ist für ihn das bekannte Buch Eric Drexlers *Engines of Creation. The Coming Era of Nanotechnology* (1986)[24] geworden, in dem er, inspiriert von Science-Fiction-Szenarien, eine neue Technologie entwickelt: die Nano-Technologie. Selbstreplizierende nanoskalige Maschinen und Roboter, so genannte „Assembler", bewirken auf der Erde, so Drexler, ein goldenes Zeitalter. Durch gezielte Manipulation der Atome auf Nano-Ebene produzieren sie unvorstellbaren Reichtum; sie machen die menschliche Arbeit überflüssig und leiten das Ende aller Krankheiten und die Lösung der Umweltprobleme ein. Man könnte auch sagen: Die fortgeschrittene Nano-Technik macht möglich, wovon nicht wenige Menschen seit je träumten und träumen: die Wiederkehr des Paradieses jenseits der als Fluch empfundenen, weil durch Arbeit vermittelten Auseinandersetzung mit der Natur.

Zweitens. Die klassischen Utopisten verstanden sich als Avantgarde der ersten und zweiten industriellen Revolution. Doch sie gewannen ihr spezifisches Profil dadurch, dass sie zugleich das im Industrialisierungsprozess verursachte materielle Elend ablehnten. Die dunklen Seiten der industriellen Entwicklung glaubten sie dadurch eliminieren zu können, dass sie diese aus ihrem kapitalistischen Verwertungskontext lösten und ihn zugleich in einen sozio-ökonomischen Kontext

---

[23] Saage 2006a, S. 179-194.
[24] Drexler 1994.

einbanden, der strukturell nicht den individuellen, sondern den kollektiven Nutzen förderte. Die transhumanistischen Visionäre verstehen sich zwar auch als entschiedene Propagandisten und Förderer der führenden Leittechnologien zu Beginn des 21. Jahrhunderts. Aber sie verändern die sozio-politischen Rahmenbedingungen nicht, innerhalb derer sie entstanden sind. Im Gegenteil: Die „neue" Gesellschaft wird als Ausfluss transhumanistischer Innovation z.B. in Kategorien der „Informationsgesellschaft" gedeutet, und zwar auf der unveränderten Grundlage ihrer kapitalistischen und nationalen Herkunftsgesellschaft, deren marktkonformen Interessen sie ausdrücklich dient.

Drittens. Im klassischen Utopiediskurs gingen in den positiven Szenarien technologische Innovationen Hand in Hand mit der moralischen Höherentwicklung des Menschen und der Steigerung seiner Verantwortungsfähigkeit. Dass nach dem Ersten Weltkrieg dieser Konnex zwischen Verantwortungsfähigkeit und wissenschaftlich-technischem Fortschritt brüchig wurde, ist eine wichtige Bedingung der Möglichkeit klassischer Dystopien, wie Samjatins *Wir* (1919)[25], Huxleys *Schöne neue Welt* (1932)[26] oder Orwells *1984* (1949)[27] zeigen.[28] In dem transhumanistischen Diskurs spielt demgegenüber die Erwartung einer moralischen Höherentwicklung keine Rolle. Der Grund ist der Glaube, dass die von den Neuen Technologien hervorgetriebenen Sachzwänge ohnehin genau die Normen durchsetzen, die sie zu ihrer gesellschaftlichen Akzeptanz benötigen. Da kritische Korrektive fehlen, regrediert Ethik zu einem bloßen Medium der Akzeptanzbeschaffung. Übrig bleibt ein technizistischer Determinismus: Wer sich gegen ihn stellt, ist nicht nur auf der Verliererseite. Darüber hinaus ist er mitschuldig an der Verlangsamung des konvergenztechnologischen Fortschritts, von der die Kräfte des vermeintlich Bösen profitieren: eine Gefahr, auf die Eric Drexler bereits in seinem Buch *Engines of Creation* glaubte, nachdrücklich hinweisen zu müssen.

Viertens. Der Stellenwert der Freiheit im klassischen utopischen Diskurs ist ambivalent. Seine anarchistische, d.h. herrschaftsfreie Linie erhob sie zum entscheidenden Imperativ. Der archistische, d.h. herrschaftsbezogene Ansatz dagegen ersetzt ihn durch den Zielwert der sozialen Sicherheit. Beide Varianten traten aber für eine materielle Gleichheit aller Individuen ein, sofern diese nicht in Gleichmacherei ausartete. Diese Option schloss, zumal bei den klassischen Utopien, eine funktionale Elite durchaus ein, die ihr Vorbild in Platons Philosophen-Kaste hatte. Eugenische Maßnahmen sollten z.B. nicht Einzelne, sondern das utopische Gemeinwesen insgesamt auf ein höheres Niveau bringen. Dieser Erwartungshorizont ist im transhumanistischen Diskurs nicht zu erkennen. Da der Einsatz der neuen Leittechnologien von vornherein unter kommerziellen Gesichtspunkten erfolgt, ist absehbar, dass aufgrund der hohen Kosten nur die Reichen

---

[25] Samjatin 1984.
[26] Huxley 1985.
[27] Orwell 1984.
[28] Saage 2006, S. 97-159.

von ihm profitieren, weil riesige monetäre Ressourcen von dem allgemeinen Gesundheitssystem abfließen werden, um die gigantischen Entwicklungskosten der synthetischen Biologie finanzieren zu können. Die Folgen sind unausweichlich. „Wenn wir uns zum Beispiel mit Hilfe der Gentechnik in mehrere, nicht als gleich geltende Arten aufspalteten, wäre die Idee der Gleichheit gefährdet, auf der das ganze demokratische System aufbaut".[29]

Fünftens. Das klassische utopische Denken lebte vor seiner geschichtsphilosophischen Wende um die Mitte des 18. Jh. und dann wieder nach dem Zweiten Weltkrieg von der Erwartung, dass die Zukunft offen ist und die gesellschaftlichen Prozesse steuerbar sind. Nur so ist das utopische Credo sinnvoll, sich von einem Regulativ leiten zu lassen, welches zumindest annäherungsweise die Realisierung einer Welt anstrebt, in der wir gerne leben wollen. Demgegenüber geht der transhumanistische Ansatz von einem postdarwinistischen Evolutionsmodell aus. „Danach verläuft auch die nanotechnologische Entwicklung eigengesetzlich auf ein vorbestimmtes Ziel hin, ohne daß diese Entwicklung von außen durch soziale oder politische Einflüsse umgelenkt, verändert oder gar gestoppt werden könnte".[30] An diese Teleologie binden ausdrücklich oder stillschweigend die Protagonisten der dritten industriellen Revolution die Entwicklungsdynamik des transhumanististischen Ansatzes. Allerdings modifizieren sie den sozialdarwinistischen Ansatz in einer entscheidenden Hinsicht: Die Ergebnisse der naturwüchsig verlaufenden Evolution, die z.B. Erbkrankheiten nicht ausschließen, sind ihnen zufolge verbesserungsfähig. Die konstruktive Leistung besteht also nicht – wie im utopischen Denken – im Entwurf alternativer Gesellschaften, um durch Einführung des Gemeineigentums und zentrale Wirtschaftslenkung soziale Gerechtigkeit zu ermöglichen. Entscheidend sind vielmehr die auf den Menschen angewandten Synergieeffekte der Konvergenztechnolgien und die daraus resultierende artifizielle Verbesserung der evolutionären Resultate, und zwar im Rahmen einer auf einen visionären Endzustand bezogenen Teleologie.

Sechstens. Der Geltungsanspruch des klassischen Utopieprojekts war der eines platonischen Ideals, das ohne eine teleologische Realisierungsverbürgung auskommen musste. Nach einer temporären Konvergenz mit der Geschichtsphilosophie seit Mitte des 18. Jh. ist nach dem Zweiten Weltkrieg dieser nichtteleologische Geltungsanspruch erneuert worden: Utopien verstehen sich nicht als das Ziel der Geschichte; sie sind vielmehr fiktive Alternativen zu den Fehlentwicklungen ihrer Herkunftsgesellschaften und sich der Tatsache bewusst, dass sie scheitern können, weil sie möglicherweise das Gegenteil des von ihnen positiv Intendierten bewirken. Ganz anders der Geltungsanspruch des transhumanistischen Projekts. Er geht von der fixen Endzeitbestimmung eines Zustandes der Menschheit ohne Arbeit, ohne Elend, ohne Umweltprobleme, ohne Krankheiten und der virtuellen

---

[29] Joy 2001, S. 47.
[30] Schummer 2009, S. 92.

Unsterblichkeit eines jeden Einzelnen aus. Die Triebkraft der Transformationstrategie zur Erreichung dieses Zieles ist die selbstläufige, aus dem interdisziplinären Verbund der Nano-, Bio-, Neuro- und Informationstechnologien resultierende Dynamik, welche die technisch aufgerüsteten Menschen einer zweiten, von ihnen selbst gesteuerten Evolution unterwirft.

Siebentens. Es trifft zu, dass dem klassischen Utopiediskurs der Gedanke der Menschenzüchtung nicht fremd ist. Er spielt sowohl in Platons *Politeia* als auch in Campanellas *Sonnenstaat* (1602)[31] ein beträchtliche Rolle. Könnte es nicht sein, dass die Idee der Menschenzüchtung eine Brücke zwischen dem utopischen und dem tranhumanistischen Denken schlägt? Ganz abgesehen davon, dass sich alle Utopien der klassischen Tradition nach dem Zweiten Weltkrieg von diesem Ansatz eines „Human Enhancement" distanzierten, vertritt der transhumanistische Ansatz eine andere Perspektive. Sein Ziel ist, die Verbesserung des Menschen durch den Eingriff technischer Mittel in seinen Körper zu erreichen: sei es durch Technik bewirkte genetische Manipulation, sei es durch die Mensch-Maschine-Interaktion. Dagegen wird die künstliche Zuchtwahl, auf die Platon und Campanella zurückgreifen, von Menschen kontrolliert mit dem Ziel, durch die Paarung ausgesuchter Individuen bestimmte Eigenschaften genetisch zu fördern. Bei der klassischen, von Menschen manipulierten Zucht spielt also der Einsatz von Human-Enhancement-Technologie keine Rolle, weil ein Eingriff von außen in den menschlichen Körper mit technischen Mitteln nicht stattfindet. Zwar wird die Selektion gesteuert, nicht aber die innerbiologische Weitergabe der Gene.

Achtens. In neueren Publikationen ist die These vertreten worden, einer der Hauptvertreter der klassischen politischen Utopien, nämlich Francis Bacon, sei als Vordenker des modernen Transhumanismus einzustufen. So beschreibe er in seiner *Neu-Atlantis* (1626) „nicht nur eine von weisen Männern und Wissenschaftlern regierte und von überaus friedlichen, sittlichen und würdevollen Bürgern getragene politische und soziale Ordnung, sondern auch Praktiken der Neugestaltung des Menschen".[32] Doch bei genauer Lektüre des Textes ist evident, dass Bacon von Tierversuchen spricht.[33] Die Anwendung der Resultate dienen der Prävention von Krankheiten, nicht der technischen Verbesserung des Menschen jenseits der Therapie. Ausdrücklich weist Bacon darauf hin, dass diese Experimente dem Ziel dienen, den menschlichen Körper zu schützen (we may take light what may be wrought upon the body of men)".[34] Auch sehen die Erfolgsmeldungen der wissenschaftlich-technischen Entwicklungen des „Hauses Salomon" keinen „künstlichen Menschen" vor. Vielmehr ist von bionischen Imitationen lebender Kreaturen die Rede „by images of men, beasts, birds, fishes, and serpents", wel-

---

[31] Campanella 1993, S. 111-169.
[32] Özmen 2011, S. 115.
[33] Bacon 1825, S. 368
[34] Ebd.

che die Entwicklung von Automaten[35] vorantreiben. Durch Gleichheit und Feinheit charakterisiert, werden sie in den Dienst der Naturbeherrschung[36] gestellt. Im Übrigen darf Bacon zufolge die Veröffentlichung naturwissenschaftlicher Innovationen nur dann erfolgen, wenn deren verwortungsbewußte Anwendung gesichert ist[37]: eine ethische Bedingung, die man im transhumanistischen Diskurs vergebens sucht.

V. Ein Ausblick in die Zukunft der klassischen politischen Utopie

Wenn die klassische politische Utopie eine Zukunft haben will, muss sie Mittel und Wege finden, sich erfolgreich den Übernahmeversuchen der transhumanistischen Verbesserung des Menschen zu widersetzen. Die Chancen, dieses Ziel zu erreichen, stehen nicht schlecht. Ich möchte zwei Gründe nennen. Rechnen wir die genannten phänomenologischen und anthropologischen Differenzen gegenüber den Übereinstimmungen beider Ansätze in der Akzeptanz naturwissenschaftlicher Gesetze, des wissenschaftlich-technischen Avantgarde-Anspruchs und des Willens zur Naturbeherrschung[38] auf, so spricht alles für eine paradigmatische Trennung zwischen dem utopischen und dem transhumanistischen Denkansatz. Sie wird auch dadurch gestützt, dass das utopische Denken eine *Optimierung* des Menschen will, während der Transhumanismus unter dieser Kategorie dessen *Überwindung* versteht. Wer sich dennoch dazu entschließt, beide Ansätze unter den Begriff „Utopie" zu subsumieren, entgrenzt ihn und gibt ihn in der Anwendung auf konkrete Phänomene der Beliebigkeit preis, die einer Kapitulation vor der transhumanistischen Herausforderung gleichkommt.

Der zweite Grund ist nicht weniger wichtig. Es sind nach der Jahrtausendwende eine Reihe utopischer Romane erschienen, die Aufsehen erregt haben und eine beachtliche Räsonanz in der literarischen Öffentlichkeit und in den Feuilletons der großen Zeitungen gefunden haben. Ich möchte nur einige Beispiele nennen: Bettina Obrechts *Designer-Baby* (2003)[39], Michel Houellebecqs *Die Möglichkeit einer Insel* (2005)[40], Kazuo Ishiguro *Alles, was wir geben mussten (2005)*[41], Julia Zehs *Corpus Delicti. Ein Prozess (2009)*[42] und Richard Powers *Das größere Glück* (2009).[43] Diese Romane stehen in der Tradition der klassischen Dystopien, wie sie von Samjatins *Wir*, Huxleys *Schöne Neue Welt* und Orwells *1984* geprägt

---

[35] A.a.O., S. 375
[36] A.a.O., S. 364f.
[37] A.a.O., S. 377.
[38] Saage 2006a, S. 182f.
[39] Obrecht 2003.
[40] Houellebecq 2005.
[41] Ishigruo 2006.
[42] Zeh 2009.
[43] Powers 2011.

wurden. Sie führen den Leser eine transhumanistische Welt in ähnlicher Weise und Intention vor Augen wie Samjatin, Huxley und Orwell ihr Publikum einst vor den Gefahren des Totalitarismus warnen wollten. Es handelt sich in beiden Fällen um Lehrstücke einer Welt, die wir nicht haben wollen können, wenn wir an unserer Menschlichkeit festhalten.

In diesem Sinne warnt der Utopieforscher Wilhelm Vosskamp vor der transhumanistischen Verwandlung der menschlichen Ressource in ein digitales Programm. Die Verabschiedung des überlieferten humanistischen Menschenbildes zugunsten eines wissenschaftlichen Programms hält er für einen Bruch mit den Traditionen des utopischen Denkens. Sein Plädoyer „besteht deshalb darin, angesichts solcher Entwicklungen prinzipiell zu einer Erweiterung menschlicher Kritik- und Wahrnehmungsfähigkeiten zu kommen. Wie könnte ein neues avancierteres Menschenbild aussehen, das nicht davon ausgeht, den Tod lediglich als eine unheilvolle und zu beseitigende Angelegenheit zu verstehen? Unsterblichkeit sollte kein Utopieprojekt, Geisteswissenschaften sollten nicht durch Technikwissenschaften ersetzt werden. Und hier sind wir genau auf einem Weg, der eine dringende Renaissance von Vorstellungen erforderlich macht, die sich auf das einzelne Subjekt beziehen".[44]

---

[44] Vosskamp 2011, S. 84.

Quellen und Literatur

Andreae 1996 – Johann Valentin Andreae, Christianopolis. Aus dem Lateinischen übersetzt, kommentiert und mit einem Nachwort hrsg. v. Wolfgang Biesterfeld, Stuttgart 1975, 2. Aufl. Stuttgart 1996.

Andreae 1982 – Johann Valentin Andreae, Christianopolis. Eingeleitet und hrsg. von Richard van Dülmen/Martin Brecht/Gerhard Schäfer, Stuttgart 1982.

Aristoteles 1968 – Aristoteles, Politik. Nach der Übersetzung von Franz Susemihl bearbeitet mit Numerierung Gliederungen und Anmerkungen hrsg. v. Nelly Tsoluyopoulos und Ernesto Grassi, Reinbek bei Hamburg 1968.

Atkinson 1920 – Geoffrey Atkinson, The Extraordinary Voyage in French Literature before 1700, New York 1920.

Atkinson 1922 – Geoffrey Atkinson, The Extraordinary Voyage in French Literature from 1700 to 1720, Paris 1922.

Bacon 1825 – Francis Bacon, New Atlantis, in: The Works of Francis Bacon, Lord Chancellor of England. A New Edition: By Basil Montagu, Vol.II, London 1825, S. 319-379.

Bacon 1996 – Francis Bacon, Neu-Atlantis, in: Der utopische Staat. Hrsg. u. übersetzt v. Klaus J. Heinisch, Reinbek bei Hamburg 1996, S. 171-215.

Baczko 1978 – Bronislaw Baczko, Lumiére de l'Utopie, Paris 1978.

Bartos 1986 – Frantisek Michalek Bartos, The Hussite Revolution 1424-1437. English Edition prepared by John M. Klassen, New York 1986.

Baumgart 1989 – Wolfgang Baumgart, Die Kunst der Utopie. Vom Späthumanismus zur frühen Aufklärung, Stuttgart 1989.

Becker/Gourdin-Servenière/Lavielle 1993 – Colette Becker/Gina Gourdin-Servenière/ Veronique Lavielle, Dictionnaire D'Émile Zola, Paris 1993.

Bellamy 1888 – Edward Bellamy, Looking Backward: 2000-1887, Boston 1888.

Bellamy 1983 – Edward Bellamy: Ein Rückblick aus dem Jahr 2000 auf 1883. In der Übersetzung v. Georg v. Gizycki. Hrsg. v. Wolfgang Biesterfeld, Stuttgart 1983.

Bernard 1959 – Marc Bernard, Émile Zola in Selbstzeugnissen und Bilddokumenten, Hamburg 1959.

Blickle 1998 – Peter Blickle, Der Bauernkrieg. Die Revolution des Gemeinen Mannes, München 1998.

Bloch 1923 – Ernst Bloch, Geist der Utopie. Zweite Fassung, Frankfurt am Main 1923.

Bloch 1977 – Ernst Bloch, Thomas Münzer als Theologe der Revolution, Frankfurt am Main 1977.

Bloch 1990 – Ernst Bloch, Das Prinzip Hoffnung. In fünf Teilen, 3. Auflage, Frankfurt am Main 1990.

Blumenberg 1974 – Hans Blumenberg, Säkularisierung und Selbstbehauptung. Erweiterte und überarbeitete Neuausgabe von Die Legitimität der Neuzeit. Erster und Zweiter Teil, Frankfurt am Main 1974.

Bogdanow 1989 – Alexander Bogdanow, Der rote Planet. Ingenieur Menni. Aus dem Russischen von Reinhard Fischer und Aljonna Meckel, Berlin 1989.

Bollerey 1991 – Franziska Bollerey, Architekturkonzeptionen der utopischen Sozialisten. Alternative Planung und Architektur für den gesellschaftlichen Prozeß, 2. Aufl., Berlin 1991.

Braun 1991 – Bernhard Braun, Die Utopie des Geistes. Zur Funktion der Utopie in der politischen Theorie Gustav Landauers, Idstein 1991.

Bruyn 1996 – Gerd de Bruyn, Die Diktatur der Philantropen. Entwicklung der Stadtplanung aus dem utopischen Denken, Braunschweig/Wiesbaden 1996.

Buck 2002 – Imke Buck, Der späte Zola als politischer Schriftsteller seiner Zeit, Diss. phil. Mannheim 2002.

Cabet 1979 – Étienne Cabet. Reise nach Ikarien. Aus dem Französischen übersetzt v. Dr. Wendel-Hipper (1847), Berlin 1979.

Callenbach 1978 – Ernest Callenbach, Ökotopia. Notizen und Reportagen von William Weston aus dem Jahre 1999. Deutsche Übersetzung: Ursula Clemeur, Reinhard Merker, Berlin 1978.

Campanella 1993 – Tommaso Campanella, Sonnenstaat, in: Der utopische Staat. Übersetzt und mit einem Essay hrsg. von Klaus J. Heinisch, Reinbek bei Hamburg 1993, S. 113-169.

Chan-Magomedow 1983 – Selim O. Chan-Magomedow, Pioniere der sowjetischen Architektur. Der Weg zur neuen sowjetischen Architektur in den zwanziger und zu Beginn der dreißiger Jahre, Dresden 1983.

Cohn 1961 – Norman Cohn, Das Ringen um das Tausendjährige Reich. Revolutionärer Messianismus und sein Fortleben in den modernen totalitären Bewegungen, Bern und München 1961.

Conquest 2001 – Robert Conquest, Der große Terror. Sowjetunion 1934-1938. Ins Deutsche übertragen von Andreas Model. 2. Auflage, München 2001.

Derivaux/Ruhstrat 1987 – Jean-Claude Derivaux/Ekke-Ulf Ruhstrat, Zur Geschichte der Sozialutopie oder soziale Phantasterei?, Pfaffenweiler 1987.

Diderot 1984 –Denis Diderot, Nachtrag zu *Bougainvilles Reise* oder Gespräch zwischen A. und B. über die Unsitte, moralische Ideen an gewisse physische Handlungen zu knüpfen, zu denen sie nicht passen (1796), in: Ders.: Philosophische Schriften, Bd. 2. Hg. u. übers. v. Theodor Lücke. Berlin (West) 1984, S. 195-237.

Drexler 1994 – Eric Drexler, Experiment der Zukunft. Die nanotechnologische Revolution, Bonn 1994.

Dülmen 1974 – Richard von Dülmen (Hrsg.), Das Täuferreich zu Münster 1534-1535, München 1974.

Eimer 1961 – Gerhard Eimer, Die Stadtplanung im schwedischen Ostseereich 1600-1715. Mit Beiträgen zur Geschichte der Idealstadt, Lund 1961.

Eliade 1964 – Mircea Eliade, Paradis et Utopie: Geographie Mythique et Eschatologique, in: Eranos-Jahrbuch 1963. Vom Sinn der Utopie, Zürich 1964, S. 211-234 sowie S. 352-354.

Elias 1985 – Norbert Elias, Thomas Morus' Staatskritik, in: Utopieforschung. Interdisziplinäre Studien zur neuzeitlichen Utopie. Hg. v. Wilhelm Vosskamp. Zweiter Band, Frankfurt am Main 1985, S. 101-150.

Euchner 1973 – Walter Euchner, Demokratietheoretische Aspekte der politischen Ideengeschichte, in: Ders., Egoismus und Gemeinwohl. Studien zur Geschichte der bürgerlichen Philosophie, Frankfurt am Main 1973, S. 9-46.

Euchner 1979 – Walter Euchner, Naturrecht und Politik bei John Locke, Frankfurt am Main 1979.

Euchner 2008 – Walter Euchner, Der künstlich verbesserte Mensch und die ‚künstliche Intelligenz'. Vorgeschichte und aktuelle Diskussion. In: Ders.: Die Funktion der Verbildlichung in Politik und Wissenschaft. Politik und politisches Denken in den Imaginationen von Wissenschaft und Kunst, Münster 2008, S. 173-204.

Fénelon 1984 – François Fénelon de Salignac de La Mothe, Die Abenteuer des Telemach (1700). Übers. v. F., Fr. Rückert. Hg. v. Volker Kapp, Stuttgart 1984.

Finley 1967 – Moses I. Finley, Utopianism Ancient and Modern, in: Kurt H. Wolff, Barrington Moore, jr. (Hrsg.), The Critical Spirit. Essays in Honor of Herbert Marcuse, Boston 1967, S. 3-20.

Fontenelle 1982 – Bernard Louis Bovier de Fontenelle, Histoire des Ajaoins (1768). Kritische Textedition mit einer Dokumentation zur Entstehungs-, Gattungs- und Rezeptionsgeschichte des Werkes von H.-G. Funke, Heidelberg 1982.

Foigny 1693 – Gabriel de Foigny, Noveau Voyage de la Terre Australe, contenant des coutume & les moeurs des Australiens etc. Par Jacques Sadeur (1676). Paris 1693.

Forssmann 1996 – Erik Forssman, Erdmannsdorff und die Architekturtheorie der Aufklärung, in: Frank-Andreas Bechtoldt/Thomas Weiss (Hrsg.), Weltbild Wörlitz. Entwurf einer Kulturlandschaft. Katalog der Ausstellung im Deutschen Architektur-Museum Frankfurt a. Main 1996, Ostfildern-Ruit bei Stuttgart 1996, S. 99-115.

Fourier 1966 – Charles Fourier, Oeuvres complètes, 12 Bde. Paris 1841, Reprint Paris 1966.

Funke 1986 – Hans-Günter Funke, „,La République Sauvage'. Anarchie als Utopie in der französischen Literatur des 16. bis 18. Jahrhunderts", in: Romanische Forschungen. Vierteljahresschrift für romanische Sprachen und Literaturen, 98. Bd. (1986), S. 42-47.

Funke 1999 – Hans-Günter Funke, Die literarische Utopie der französischen Aufklärung zwischen archistischem (Vairasse, Fontenelle, Morelly) und anarchistischem Ansatz (Foigny, Fénelon, Lahontan), in: Richard Saage/Eva-Maria Seng (Hg.), Von der Geometrie zur Naturalisierung. Utopisches Denken im 18. Jahrhundert zwischen literarischer Fiktion und frühneuzeitlicher Gartenkunst, Tübingen 1999, S. 8-27.

Funke 2005 – Hans-Günter Funke, Die literarischen Utopien der französischen Aufklärung zwischen archistischem (Veiras, Fontenelle, Morelly) und anarchistischem Ansatz (Foigny, Fénelon, Lahontan)", in: Ders.: Reise nach Utopia: Studien zur Gattung Utopie in der französischen Literatur, Münster 2005, S. 101-120.

Garber 1992 – Jörn, Garber, Von der urbanisierten Großutopie zur naturalen Kleinutopie. Strukturmodelle utopischen Denkens in der frühen Neuzeit, in: Hubertus Gaßner / Karlheinz Kopanski / Karin Stengel (Hrsg.), Die Konstruktion der Utopie. Ästhetische Avantgarde und politische Utopie in den 20er Jahren, Marburg 1992, S. 13-30.

Garber/Thoma 2004 – Jörn Gaber/Heinz Thoma (Hrsg.), Zwischen Empirisierung und Konstruktionsleistung: Anthropologie im 18. Jahrhundert, Tübingen 2004.

Garnier 1989 – Tony Garnier, Die ideale Industriestadt. Vorwort von Julius Posener, Tübingen 1989.

Germann 1987 – Georg Germann, Einführung in die Geschichte der Architekturtheorie. Zweite Auflage, Darmstadt 1987.

Girsberger 1973 – Hans Girsberger, Der utopische Sozialismus des 18. Jahrhunderts in Frankreich. Mit einer Einleitung von Bernd Heymann, 2. Auflage, Wiesbaden 1973.

Gradow 1971 – G. A. Gradow, Stadt und Lebensweise, Berlin 1971.

Gueudeville 1730 – Nikolas Gueudeville, Praface du Traducteur, in: L'Idée d'une République heureuse ou l'Utopie de Thomas Morus etc., Amsterdam 1730.

Hammerstein 1984 – Notker Hammerstein, Die Utopie als Stadt. Zu italienischen Architektur-Traktaten der Renaissance, in: August Buck / Bodo Gutmüller (Hrsg.),

Die italienische Stadt der Renaissance im Spannungsfeld von Utopie und Wirklichkeit, Venedig 1984, S. 37-53.

Harich 1975 – Wolfgang Harich, Kommunismus ohne Wachstum? Babeuf und der „Club of Rome". Sechs Interviews mit Freimut Duve und Briefe an ihn, Reinbek bei Hamburg 1975.

Herkenrath 1930 – Fritz Herkenrath, Die eschatologischen Religionsgemeinschaften des 19. Jahrhunderts. Eine soziologische Untersuchung, Köln-Kalk 1930.

Hertzka 1890 – Theodor Hertzka, Freiland. Ein sociales Zukunftsbild. Zweite durchgesehene Auflage, Dresden und Leipzig 1890.

Hesse 1961 – Franz Hesse, Art. Paradies. III. Paradieserzählung, in: RGG, Bd. 5 (1961), S. 98-100.

Heyer/Saage 2009 – Andreas Heyer/Richard Saage, Utopie oder Chiliasmus? Zur Idee der Radikalität bei Thomas Morus und Thomas Müntzer, in: Günter Mühlpfordt/Ulman Weiß (Hrsg.), Kryptoradikalität in der Frühneuzeit, Stuttgart 2009, S. 67-84.

Hobbes 1959 – Thomas Hobbes. Vom Bürger. Vom Menschen. Eingeleitet und hrsg. von Günter Gawlick, Hamburg 1959.

Hobbes 1984 – Thomas Hobbes, Leviathan oder Stoff, Form und Gewalt eines kirchlichen und bürgerlichen Staates. Hrsg. und eingeleitet von Iring Fetscher. Übersetzung: Walter Euchner, Frankfurt am Main 1984.

Holl 1990 – Jann Holl, Die historischen Bedingungen der philosophischen Planstadtentwürfe in der frühen Neuzeit, in: „Klar und lichtvoll wie die Regel". Planstädte der Neuzeit vom 16. bis zum 18. Jahrhundert, Karlsruhe 1990, S. 9-30.

Houellebecq 2005 – Michel Houellebecq, Die Möglichkeit einer Insel. Übersetzung: Uli Wittmann, 2. Auflage, Köln 2005.

Howard 1968 – Ebenezer Howard, Gartenstädte von morgen. Hrsg. v. Julius Posener, Frankfurt a. M. / Wien 1968.

Huxley 1985, Aldous Huxley, Schöne neue Welt. Ein Roman der Zukunft. In der Übersetzung v. H. E. Herlitschka, Frankfurt am Main 1985.

Ishiguro 2006 – Kazuo Ishiguro, Alles, was wir geben mussten, München 2006.

Jakubowski-Tiessen 1999 – Manfred Jakubowski-Tiessen, u. a. (Hrsg.), Jahrhundertwenden. Endzeit- und Zukunftsvorstellungen vom 15. bis zum 20. Jahrhundert, Göttingen 1999.

Jenkis 1992 – Helmut Jenkis, Sozialutopien – barbarische Glücksverheißungen? Zur Geistesgeschichte der Idee von der vollkommenen Gesellschaft, Berlin 1992.

Jepsen 1958 – Alfred Jepsen, Art. Eschatologie II im AT. RGG, Bd. 2 (1958), S. 655-662.

Jørgensen 1985 – Sven-Aage Jørgensen, Utopische Potentiale in der Bibel. Mythos, Eschatologie und Säkularisation, in: Utopieforschung. Hrsg. v. Wilhelm Vosskamp, Frankfurt am Main, I 1985, S. 375-401.

Joy 2001 – Bill Joy, Warum die Zukunft uns nicht braucht, in: Frank Schirrmache (Hrsg.), Die Darwin A.G. Wie Nanotechnologie, Biotechnologie und Computer den neuen Menschen träumen, Köln 2001, S. 31-71.

Kalidova/Kolesnyk 1969 – Robert Kalidova und A. Kolesnyk (Hrsg.), Das hussitische Denken im Licht seiner Quellen. Mit einer Einleitung von R. Kalidova, Berlin 1969.

Kautsky 1919 – Karl Kautsky, Terrorismus und Kommunismus. Ein Beitrag zur Naturgeschichte der Revolution, Berlin 1919.

Kautsky 1947 – Karl Kautsky, Thomas More und seine Utopie. Mit einer historischen Einleitung, Berlin 1947.

Kerényi 1964 – Karl Kerényi, Ursinn und Sinnwandel des Utopischen, in: Eranos-Jahrbuch 1963. Vom Sinn der Utopie, Zürich 1964. S. 9-29.

Kersting 1999 – Wolfgang Kersting, Platons „Staat", Darmstadt 1999.

Kohl 1986 – Karl-Heinz Kohl, Entzauberter Blick. Das Bild vom Guten Wilden und die Erfahrung der Zivilisation, Frankfurt am Main 1986.

Kohl 1996 – Karl-Heinz Kohl, Der Gute Wilde der Intellektuellen, in: Monika Neugebauer-Wölk/Richard Saage (Hrsg.), Die Politisierung des Utopischen im 18.Jahrhundert. Vom utopischen Systementwurf zum Zeitalter der Revolution, Tübingen 1996, S. 70-86.

Kollontai 1988 – Alexandra Kollontai: Die Liebe der drei Generationen (1925), in: Dies.: Wege der Liebe. Drei Erzählungen, Frankfurt am Main 1988.

Koselleck 1985 – Reinhart Koselleck, Die Verzeitlichung der Utopie, in: Utopieforschung. Hrsg. von Wilhelm Vosskamp. Dritter Band, Frankfurt am Main 1985, S. 1-14.

Krauss 1964 – Werner Krauss, Überblick über die französischen Utopien von Cyrano de Bergerac bis zu Etienne Cabet, in: Ders.: Französische Utopien aus drei Jahrhunderten, Berlin 1964, S. 5-59.

Kropotkin 1902 – A. Kropotkin, Mutual Aid: A Factor of Evolution, London 1902.

Kruft 1986 – Hanno-Walter Kruft, Geschichte der Architekturtheorie. Von der Antike bis zur Gegenwart. Zweite Auflage, München 1986.

Kruft 1989 – Hanno-Walter Kruft, Städte in Utopia. Die Idealstadt vom 15. Bis zum 18. Jahrhundert, München 1989.

Kumar 1987 – Krishan Kumar, Utopia and Anti-Utopia in Modern Times, Oxford/New York 1987.

Kuon 1985 – Peter Kuon, Utopischer Entwurf und fiktionale Vermittlung. Studien zum Gattungswandel literarischer Utopien zwischen Humanismus und Frühaufklärung, Tübingen 1985.

Kurzweil 2000 – Ray Kurzweil, Homo sapiens. Leben im 21. Jahrhundert. Was bleibt vom Menschen, Düsseldorf 2000.

Kusmin 1928 – N. Kusmin, Über den Arbeiterwohnungsbau, in: Sowremennaja architektura 1928, H. 3.

Landauer 1923 – Gustav Landauer, Die Revolution. Zweite Auflage, Frankfurt am Main 1923.

Lahontan 1704 – Louis Armand de Lahontan, Suite des voyage de l'Amerique, ou Dialogues de Monsieur le Baron de Lahontan et d'un sauvage dans l'Amerique etc., Amsterdam 1704.

Lahontan 1981 – Louis Armand de Lahontan, Gespräche mit einem Wilden. Aus dem Französischen von Barbara Kohl. Mit einem Vorwort des Autors und einer Einleitung von Karl Heinz Kohl, Frankfurt am Main 1981.

Laugier 1979 – Marc-Antoine Laugier, Essai sur l'architecture. Observation sur l'architecture. Edition intégrale des deux volumes. Nachdruck der Ausgaben Paris 1755 und 1756 mit einer Einleitung von Geert Bekaert, Brüssel 1979.

Le Corbusier 1969 – Le Corbusier, Ausblick auf eine Architektur, Gütersloh, Berlin 1969.

Le Guin 1976 – Ursula K. Le Guin, Planet der Habenichtse. Deutsche Übersetzung von Gisela Stege, München 1976.

Le Guin 1988 – Ursula K. Le Guin, The Dispossessed, London u.a. 1988.

Lesconvel 1706 – Pierre de Lesconvel, Relation du Voyage du Prince de Montberraud dans l'Ile de Naudely. Où sont rapporté toutes les Maximes qui forment l'Harmonie d'un parfait Gouvernement, Merinde 1706.

Lichtenberger 1967 – André Lichtenberger, Le Socialism au XVIIe Siécle. Etude sur les Idées socialistes dans les Ecrivains français du XVIIe Siécles avant la Révolution, New York 1967.

List 1973 – Günther List, Chiliastische Utopie und radikale Reformation. Die Erneuerung der Idee vom Tausendjährigen Reich im 16. Jahrhundert, München 1973.

Lovejoy/Boas 1965 – Arthur Oncken Lovejoy/ George Boas, Primitivism and Related Ideas in Antiquity. A Documentary History of Primitivism and Related Ideas in Antiquity, New York 1965.

Löwith 1957 – Karl Löwith, Weltgeschichte und Heilsgeschehen. Die theologischen Voraussetzungen der Geschichtsphilosophie. Dritte Auflage, Stuttgart 1957.

Lukàcs/Becher/Wolf 1991 – Georg Lukács/Johannes R. Becher/Friedrich Wolf u.a., Die Säuberung, Moskau 1936: Stenogramm einer geschlossenen Parteiversammlung. Hrsg. v. Reinhard Müller, Reinbek bei Hamburg 1991.

Machiavelli 1931 – Niccolò Machiavelli, Il Principe, Florenz 1931

Macek 1958 – Josef Macek, Die Hussitenbewegung in Böhmen, Prag 1958.

Mach 1968 – Ernst Mach, Erkenntnis und Irrtum. Skizzen zur Psychologie der Forschung (1926), Darmstadt 1968.

Macpherson 1962 – C. B. Macpherson, The Political Theory of Possessive Individualism. Hobbes to Locke, Oxford 1962.

Mannheim 1985 – Karl Mannheim, Ideologie und Utopie, 7. Auflage, Frankfurt am Main 1985.

Maresch/Rötzer 2004 – Rudolf Maresch/Florian Rötzer (Hrsg.), Renaissance der Utopie. Zukunftsfiguren des 21. Jahrhunderts, Frankfurt am Main 2004.

Meid/Springer-Strand 1979 – Volker Meid/Ingeborg Springer-Strand, „Nachwort" zu Schnabel 1979, S. 593-606.

Meißner 1997 – Joachim Meißner, Mythos „Südsee". Die Rolle des Mythos vom „Goldenen Zeitalter der Aufklärung. Phil. Dissertation HU, Berlin 1997.

Mercier 1982 – Louis-Sebastien Mercier, Das Jahr 2440. Ein Traum aller Träume (1770). Übers. u. hrgs. v. Christian Felix Weiße. Mit Erläuterungen und einem Nachwort versehen v. Herbert Jaumann, Frankfurt am Main 1982.

Meslier 1970 – Jean Meslier, Oeuvres de Jean Meslier, Tome I, Paris 1970.

Minsky 1990 – Marvin L. Minsky, Mentopolis. Übersetzung von Malte Heim, Stuttgart 1990.

Möbius 2012 – Thomas Möbius: Russische Sozialutopien von Peter I. bis Stalin. Fallstudien zu Konstellationen und Funktionen der Utopie in Russland. Phil. Dissertation HU, Berlin 2012.

Möbius 2015 – Thomas Möbius, Russische Sozialutopien von Peter I bis Stalin, Historische Konstellationen und Bezüge. Mit einem Vorwort von Richard Saage, Münster 2015.

Moravec 1990 – Hans Moravec, Mind Children. Der Wettlauf zwischen menschlicher und künstlicher Intelligenz. Aus dem Amerikanischen von Hainer Kober. Hoffmann und Campe. Hamburg 1990.

Morelly 1753 – Morelly, Naufrage des Isles flottantes, ou Basiliade deu célébre Pilpai. Poème héroique. Zwei Bände, Messina 1753.

Morelly 1964 – Morelly, Gesetzbuch der natürlichen Gesellschaft oder der wahre Geist ihrer Gesetze zu jeder Zeit übersehen oder verkannt (1754). Übers. v. Ernst Moritz Arndt (1845). Hrsg. u. mit einer Vorbemerkung und Anmerkungen versehen v. Werner Krauss, Berlin 1964.

Morris 1981 -William Morris, News from Nowhere, London 1890.

Morris 1981 – William Morris, Kunde von Nirgendwo. Neu hrsg. v. Gert Selle, Reutlingen 1981.

Morus 1965 – Thomas More, The Best State of a Commonwealth and the New Island of Utopia, in: The Complete Works of St. Thomas More. Volume 4. Edited by Edward Surtz, S.J. and J.H. Hexter, New Haven and London 1965.

Morus 1983 – Thomas Morus, Utopia. Übersetzt von Gerhard Ritter. Nachwort von Eberhard Jäckel, Stuttgart 1983.

Morus 1996 – Thomas Morus, Utopia, in: Der utopische Staat. Übersetzt und mit einem Essay „Zum Verständnis der Werke", Bibliographie und Kommentar hrsg. v. Klaus J. Heinisch, Reinbek bei Hamburg 1996, S. 7-110.

Müntzer 1968 – Thomas Müntzer, Schriften und Briefe. Kritische Gesamtausgabe. Unter Mitarbeit von Paul Kirn hg. v. Günther Franz, Gütersloh 1968.

Müntzer 1950 – Thomas Müntzer, Politische Schriften. Mit Kommentar hrsg. v. Carl Hinrichs, Halle (Saale) 1950.

Neusüss 1986 – Arnhelm Neusüss, Schwierigkeiten einer Soziologie des utopischen Denkens, in: Ders. (Hrsg.), Utopie. Begriff und Phänomen des Utopischen. Dritte, überarb, u. erw. Auflage, Frankfurt am Main/New York 1986, S. 13-112.

Nipperdey 1962 – Thomas Nipperdey, Die Funktion der Utopie im politischen Denken der Neuzeit, in: Archiv für Kulturgeschichte Bd. 44 (1962), S. 357-378.

Nipperdey 1975 – Thomas Nipperdey, Die Utopia des Thomas Morus und der Beginn der Neuzeit, in: ders., Reformation, Revolution, Utopie, Göttingen 1975. S. 119-146.

Obrecht 2003 – Bettina Obrecht, Designer-Baby, Hamburg 2003.

Oexle 1994 – Gerhard Oexle, Wunschräume und Wunschzeiten. Entstehung und Funktionen des utopischen Denkens in Mittelalter, Früher Neuzeit und Moderne, in: Jörg Calließ (Hrsg.), Die Wahrheit des Nirgendwo. Zur Geschichte und Zukunft des utopischen Denkens, Rehberg-Loccum, S. 33-84.

Orwell 1984 – George Orwell, Nineteen Eighty-Four, Harmondsworth/New York/Ringwood/Markham/Auckland 1949.

Owen 1970 – Robert Owen: The Book of the New Moral World. In seven Parts (1942-44). New York 1970 (Reprint).

Özmen 2011 – Elif Özmen, Anthropologische Utopien und das Argument von der Natur des Menschen, in: Julian Nida-Rümelin/Klaus Kufeld (Hrsg.): Die Gegenwart der Utopie. Zeitwende und Denkwende, München/Freiburg 2011, S. 101-124.

Patschovsky/Smahel 1996 – Alexander Patschovsky/Frantisek Smahel (Hrsg.), Eschatologie und Hussitismus. Internationales Kolloquium Prag 1.- 4. September 1993, Praha 1996.

Penzlin 1996 – Heinz Penzlin, Gehirn-Bewußtsein-Geist. Zur Stellung des Menschen in der Welt. In: Wege und Fortschritte der Wissenschaft: Beiträge von Mitgliedern der Sächsischen Akademie der Wissenschaften zu Leipzig zum 150. Jahrestag ihrer Gründung. Hrsg. v. G. Haase u. E. Eichler, Berlin 1996, S. 3-33.

Platon 1994 – Platon, Politeia, in: ders., Sämtliche Werke, übersetzt von Friedrich Schleiermacher, neu v. Ursula Wolf hrsg. auf der Grundlage der Bearbeitung von Walter F. Otto, Ernesto Grassi, Gert Plamböck, Bd. 2, Reinbek bei Hamburg 1994, S. 67-310.

Platon 1994a – Platon, Kritias, in: Ders., Sämtliche Werke. Übersetzt von Hieronymus Müller und Friedrich Schleiermacher, neu v. Ursula Wolf hrsg. auf der Grundlage der Bearbeitung von Walter F. Otto, Ernesto Grassi, Gert Plamböck, Bd. 4, Reinbek bei Hamburg 1994.

Platon 1994b – Platon, Nomoi, in: Ders., Sämtliche Werke. Übersetzt von Hieronymus Müller und Friedrich Schleiermacher, neu v. Ursula Wolf hrsg. auf der Grundlage der Bearbeitung von Walter F. Otto, Ernesto Grassi, Gert Plamböck, Bd. 5, Reinbek bei Hamburg 1994.

Plessner 1965 – Helmuth Plessner, Die Stufen des Organischen und der Mensch. Einleitung in die philosophische Anthropologie. Zweite, um Vorwort, Nachtrag und Register erweiterte Auflage, Berlin 1965.

Pochat 1996 – Götz Pochat, Utopien in der bildenden Kunst, in: Götz Pochat/Brigitte Wagner (Hg.), Utopie: Gesellschaftsformen, Künstlerträume, in: Kunsthistorisches Jahrbuch Graz, Bd. 26 (1996), S. 69-99.

Powers 2011 – Richard Power, Das grössere Glück. Übersetzung: Henning Ahrens. Frankfurt am Main 2011.

Quilisch 1998 – Tobias Quilisch, Das Widerstandsrecht und die Idee des religiösen Bundes bei Thomas Müntzer. Ein Beitrag zur Politischen Theologie, Berlin 1998.

Rabelais 1974 – François Rabelais, Gargantua und Pantagruel. Hrsg. v. Horst und Edith Heinze, Frankfurt am Main 1974, S. 170-184.

Reinborn 1996 – Dietmar Reinborn, Städtebau im 19. und 20. Jahrhundert, Stuttgart, Berlin, Köln 1996.

Restif 1979 – Nikolas-Edme Restif de la Bretonne, La découverte australe par un homme volant (1781). Présentation de Vernière, Paris/Genf 1979.

Ringgren 1957 – Helmer Ringgren, Art. Apokalyptik II. Jüdische Apokalyptik, in: RGG, Bd. 1 (1957), S. 464-466.

Roco/Bainbridge 2002 – Michail Roco/ William Sims Bainbridge, Converging Technologies for Improving Human Performance. Nanotechnology, Biotechnology, Information Technology and Cognitive Science, Arlington, Virginia 2002.

Rollberg 1989 – Peter Rollberg; Nachwort zu: Alexander Bogdanow, Der rote Planet. Ingenieur Menni. Utopische Romane. Aus dem Russischen von Reinhard Fischer und Aljonna Möckel, Berlin 1989, S. 293-298.

Rousseau 1971 – Jean Jaques Rousseau, Schriften zur Kulturkritik: Über Kunst und Wissenschaft (1750). Über den Ursprung der Ungleichheit unter den Menschen (1755). Französisch/Deutsch, eingel., übers. u. hrsg. v. Kurt Weigand. Zweite Auflage, Hamburg 1971.

Rousseau 1988 – Jean-Jacques Rousseau, Julie oder Die neue Héloïse. Briefe zweier Liebenden aus einer kleinen Stadt am Fuße der Alpen (1761). Übers. v. J. G. Gellius, Müchen 1988.

Rykwert 1981 – Joseph Rykwert, On Adam's House in Paradise. The Idea of the Primitive Hut in Architectural History. 2. Auflage, Cambridge, Mass. / London 1981.

Saage 1989 – Richard Saage, Utopia als Leviathan. Platons *Politeia* in ihrem Verhältnis zu den frühneuzeitlichen Utopien, in: Ders., Vertragsdenken und Utopie. Studien zur politischen Theorie und zur Sozialphilosophie der frühen Neuzeit, Frankfurt am Main 1989, S. 67-92.

Saage 1989a – Richard Saage, Vertragsdenken und Utopie. Studien zur politischen Theorie und zur Sozialphilosophie der frühen Neuzeit, Frankfurt am Main 1989.

Saage 1991 – Richard Saage, Politische Utopien der Neuzeit, Darmstadt 1991

Saage 1992 – Richard Saage, Reflexionen über die Zukunft der politischen Utopie, in: Ders. (Hrsg.), Hat die politische Utopie eine Zukunft?, Darmstadt 1992, S. 152-165.

Saage 1997 – Richard Saage, Zum Verhältnis von Individuum und Staat in Thomas Morus' „Utopia", in: Utopie kreativ, H. 85/86 (November/Dezember) 1997, S. 134-145.

Saage 1998 – Richard Saage, Utopia zwischen Theokratie und Totalitarismus?. Bemerkungen zu Campanellas „Sonnenstaat", in: Utopie kreativ, H. 89 (März) 1998, S. 15-26.

Saage 1999 – Richard Saage, Utopie und Science-fiction, in: Ders.: Innenansichten Utopias. Wirkungen, Entwürfe und Chancen des utopischen Denkens, Berlin 1999, S. 159-170.

Saage 2000 – Richard Saage, Politische Utopien der Neuzeit. Mit einem Vorwort zur zweiten Auflage: Utopisches Denken und kein Ende? Zur Rezeption eines Buches. Bochum 2000.

Saage 2001 – Richard Saage, Utopische Profile, Bd. I: Renaissance und Reformation. Münster 2001.

Saage 2002 – Richard Saage, Utopische Profile, Bd. II: Aufklärung und Absolutismus. Münster 2002.

Saage 2002a – Richard Saage, Utopische Profile, Band III: Industrielle Revolution und Technischer Staat im 19. Jahrhundert. Münster 2002.

Saage 2002b – Richard Saage, Art. Utopie II. TRE, Bd. XXXIV (2002), S. 473-479.

Saage 2003 – Richard Saage, Utopische Profile, Bd. IV: Widersprüche und Synthesen des 20. Jahrhundert. Münster 2003.

Saage 2006 – Richard Saage, Die ‚anthropologische Wende' im utopischen Diskurs der Aufklärung", in: Ders.: Utopisches Denken im historischen Prozess. Materialien zur Utopieforschung. Münster 2006, S. 127-137.

Saage 2006a – Richard Saage, Konvergenztechnologische Zukunftsvisionen und der klassische Utopiediskurs, in: Alfred Neumann/Joachim Schummer, Astrid Schwarzer (Hg.): Nanotechnologien im Kontext. Philosophische, ethische und gesellschaftliche Perspektiven, Berlin 2006a, S. 179-194.

Saage 2006b – Richard Saage, Utopische Profile, Bd. 4: Widersprüche und Synthesen des 20. Jahrhunderts. 2. Auflage, Berlin 2006.

Saage 2008 – Richard Saage, Utopieforschung. Band II: An der Schwelle des 21. Jahrhunderts, Berlin 2008.

Saage 2009 – Richard Saage, Utopische Profile, Band I: Renaissance und Reformation. 2. Auflage, Berlin 2009.

Saage 2011 – Richard Saage, Zur Rolle der Religion im utopischen Paradigma. In: O. Binder, S. Kanitschneider, A. K. Tremel (Hg.): Religion. Natürliches Phänomen oder kulturelles Relikt? Österreichische Akademie der Wissenschaften, Innsbruck 2011, 157-168.

Saage o.J. – Richard Saage, Utopie, in: Der Neue Pauly. Enzyklopädie der Antike, Bd. 15/3 Sco-Z, Nachträge, Stuttgart/Weimar o.J., S. 935-940.

Saage/Heyer 2006 – Richard Saage/Andreas Heyer, Rousseaus Stellung im utopischen Diskurs der Neuzeit, in: Saage, Utopisches Denken im historischen Prozess, a.a.O., S. 139-151.

Saage/Seng 1996 – Richard Saage, Eva-Maria Seng, Geometrische Muster zwischen frühneuzeitlicher Utopie und russischer Avantgarde, in: Zeitschrift für Geschichtswissenschaft, 44. Jg. 1996, S. 677-692.

Saage/Seng 1998 – Richard Saage/Eva-Maria Seng, Naturalisierte Utopien zwischen literarischer Fiktion und frühneuzeitlicher Gartenkunst, in: Michael Th. Greven/ Herfried Münkler/ Rainer Schmalz-Bruns (Hrsg.), Bürgersinn und Kritik. Festschrift für Udo Bermbach zum 60. Geburtstag, Baden-Baden 1998, S. 207-238.

Saint-Pierre 1981 – Jacques Henri Bernardin de Saint-Pierre, Paul et Virginie. Paris 1788. Nachdruck der deutschen Ausgabe v. 1840 übers. v. G. Fink mit einem Vorwort v. Sainte-Beuve und einem Nachwort v. Dietmar Kamper. Berlin 1981.

Saint-Simon 1977 – Claude Henri de Saint-Simon: Ausgewählte Schriften. Übersetzt und mit einer Einleitung hg. v. Lola Zahn, Berlin 1977.

Samjatin 1984 – Jewgenij Samjatin, Wir. Mit dem Essay von Jürgen Rühle „Über die Literatur und die Revolution". Aus dem Russischen von Gisela Drohla, Köln 1984.

Schmidt 1988 – Burghart Schmidt, Kritik der reinen Utopie. Eine sozialphilosophische Untersuchung, Stuttgart 1988.

Schmückle 1935 – Karl Schmückle, Geschichte vom goldenen Buch, in: Internationale Literatur, Nr. 19 (1935), S. 41-48.

Schnabel 1979 – Johann Gottfried Schnabel, Insel Felsenburg. Hrsg. von Volker Meid und Ingeborg Springer-Strand, Stuttgart 1979.

Schölderle 2014 – Thomas Schölderle, Idealstaat oder Gedanenexperiment? Zur Konzetualisierung der Begriffe im Kontext von Staatsdiskurs und Utopieforschung, in: Ders. (Hrsg.), Idealstaat oder Gedankenexperiment? Zum Staatsverständnis in den klassischen Utopien, Baden-Baden 2014, S. 9-28.

Schölderle 2014a – Thomas Schölderle, Thomas Morus' *Utopia* (1516). Das Idealstaatsmotiv und seine ironische Brechung im Gedankenexperiment, in: Ders. (Hrsg.), Idealstaat oder Gedankenexperiment? Zum Staatsverständnis in den klassischen Utopien, Baden-Baden 2014, S. 55-78.

Schummer 2009 – Joachim Schummer, Nanotechnologie. Spiele mit Grenzen, Frankfurt am Main 2009.

Schütz 1957 – Roland Schütz, Art. Apokalyptik II. Jüdische Apokalyptik, in: RGG (1957), S. 467-469.

Seebaß 2000 – Gottfried Seebaß, Apokalyptik im Zeitalter der Reformation, in: Wolfgang Vögele/Richard Schenk (Hg.), Apokalypse. Vortragsreihe zum Ende des Jahrtausend, Rehburg-Loccum 2000, S. 227-245.

Seibt 1972 – Ferdinand Seibt, Modelle totaler Sozialplanung, Düsseldorf 1972.

Seibt 1990 – Ferdinand Seibt, Hussitica. Zur Struktur einer Revolution, 2. erweiterte Auflage, Köln, Wien 1990.

Seng 1999 – Eva-Maria Seng, Die Wörlitzer Anlagen zwischen Englischem Landschaftsgarten und Bon-Sauvage-Utopie, in: Richard Seng/Eva-Maria Seng (Hrsg.), Von der Geometrie zur Naturalisierung. Utopisches Denken im 18. Jahrhundert zwischen literarischer Fiktion und frühneuzeitlicher Gartenkunst, Tübingen 1999, 117-150.

Seng 2001 – Eva-Maria Seng, Christianopolis. Der utopische Architekturentwurf des Johann Valentin Andreae, in: Rainer Lächele (Hrsg.), Das Echo Halles. Kulturelle Wirkungen des Pietismus, Tübingen 2001, S. 59-92.

Seng 2001a – Eva-Maria Seng, Architektonischer Wunschtraum, literarische Utopie, bauliche Realität. Jewgenij Samjatins Wir und die Architektur des 20. Jahrhunderts, in: Martin Kühnel / Walter Reese-Schäfer / Axel Rüdiger (Hrsg.), Modell und Wirklichkeit. Anspruch und Wirkung politischen Denkens. Festschrift für Richard Saage zum 60. Geburtstag, Halle 2001, S. 236-263.

Seng 2003 – Eva-Maria Seng, Stadt – Idee und Planung. Neue Ansätze im Städtebau des 16. und 17. Jahrhunderts, München / Berlin 2003.

Seng 2006 – Eva-Maria Seng, Der Kult der Arbeit als Ausgangspunkt für das neue menschliche Gemeinwesen der Zukunft. Èmile Zolas „Le Travail". Ein Urbild des Städtebaus des 20. Jahrhunderts, in: Axel Rüdiger/Eva-Maria Seng (Hrsg.), Dimensionen der Politik: Aufklärung, Utopie, Demokratie, FS für Richard Saage zum 65. Geburtstag, Berlin 2006, S. 273-303.

Seng/Göttmann/Gieser 2012 – Eva-Maria Seng/Frank Göttmann/Laura Gieser, Revisionen: Städtebau im 18. Jahrhundert, in: Francia No 39, 2012.

Spinoza 1994 – Baruch de Spinoza, Politischer Traktat (1677). Lateinisch-Deutsch. Neu übers., hg. mit einer Einl. u. Anm. versehen v.W. Bartuschat, Hamburg 1994.

Topfstedt 1983/84 – Thomas Topfstedt, Die „Christianopolis" des Johann Valentin Andreae, in: Blätter für württembergische Kirchengeschichte Bd. 83/84 (1983/84), S. 20-33.

Troeltsch 1925 – Ernst Troeltsch, Aufsätze zur Geistesgeschichte und Religionssoziologie. Hrsg. von Dr. Hans Baron, Tübingen 1925.

Trotzki 1968 – Leo Trotzkij, Literatur und Revolution. Nach der russischen Erstausgabe von 1924 übersetzt von Eugen Schaefer und Hans von Riesen, Berlin 1968.

Vairasse 1702 – Denis Vairasse, Histoire des Sevarambes, peubles qui habitent une partie du troisième Continent appellé La Terre Australe. Contenant une Relation du Gouvernement, des Moeurs, de la Religion, & du Langage de cette Nation, inconnue jusques à present aux Peuples l'Europe, Amsterdam 1702.

Vico 1966 – Giambattista Vico, Die neue Wissenschaft über die gemeinschaftliche Natur der Völker, Reinbek bei Hamburg 1966.

Vitruv 1995 – Marcus Vitruvius Pollio, Baukunst. Aus der römischen Urschrift übersetzt von August Rode, Leipzig 1796. Nachdruck der Ausgabe mit einer Einführung von Georg Germann. Bd. II, Basel/ Boston/ Berlin 1995.

Voigt 1906 – Andreas Voigt, Die sozialen Utopien. Fünf Vorträge, Leipzig 1906.

Voltaire 1998 – Voltaire, Candid oder Die Beste der Welten (1759). Übers. u. mit einem Nachwort V. Sander, Stuttgart 1998.

Vosskamp 2011 – Wilhelm Vosskamp, Diskussion, in: Julian Nida-Rümelin/Klaus Kufeld (Hrsg.), Die Gegenwart der Utopie. Zeitwende und Denkwende, Freiburg/München 2011, S. 80-86.

Webb/Webb 1944 – Sidney Webb/Beatrice Webb, Soviet Communism: A New Civilisation. Dritte Auflage, London u.a. 1944.

Yardeni 1980 – Myriam Yardeni, Utopie et Révolte sous Louis XIV., Paris 1980.

Zeh 2009 – Julia Zeh, Corpus Delicti. Ein Prozess, Frankfurt am Main 2009.

Zola 1916 – Émil Zola, Die Arbeit, Stuttgart 1916.

Zola 1928 – Émile Zola, Les Quatres Evangiles, Travail. Notes et Commentaires de Maurice Le Blond. Texte de l'édition Eugène Fasquelle, in : Ders., Les Oeuvres Completes. Bd. 29 u. 30, Paris 1928.

Abkürzungen

a.a.O. am angegebenen Ort
Abb. Abbildung
Anm. Anmerkung
Art. Artikel
AT Altes Testament
Bd. Band
DDR Deutsche Demokratische Republik
DNS Desoxyribonukleinsäure (Träger der genetischen Information)
d.V. die Verfasser
ebd. ebenda
franz. französisch
FS Festschrift
Hrsg. Herausgeber
HU Humboldt Universität Berlin
Jh. Jahrhundert
Kap. Kapitel
lat. lateinisch
MSB Thomas Müntzer, Schriften und Briefe
MS Thomas Müntzer, Politische Schriften
NEP Neue Ökonomische Politik
OSA Vereinigung moderner Architekten
RGG Religion in Geschichte und Gesellschaft
S.J. Societas Jesu
sog. sogenannt
Sp. Spalte
SU Sowjetunion
UdSSR Union der sozialistischen Sowjetrepubliken
USA United States of America
TRE Theologische Realenzyklopädie
U Thomas Morus, Utopia. Edition Gerhard Ritter
v.a. vor allem
Verf. Verfasser
Vgl. Vergleiche
Zit. n. Zitiert nach

Personenregister

Editorische Notiz und Danksagung

Die Textgestaltung erfolgte nach den Regeln der neuen deutschen Rechtschreibung. Jedoch hat der Verf. in den Zitaten die alte Orthographie beibehalten. Die Texte selbst wurden korrigiert, soweit stilistische Mängel und inhaltliche Unklarheiten dies erforderlich machten. Doch sind davon deren Aussagen unberührt geblieben. In den Aufsätzen, deren Abschnitte durch römische Ziffern gekennzeichnet waren, hat der Verf. im Interesse der Vereinheitlichung Zwischenüberschriften eingefügt. Auch ist das Zitationssystem homogenisiert und gleichzeitig das Literaturverzeichnis und auf seine Korrektheit überprüft worden. Bis auf die Einleitung handelt es sich bei den vorliegenden Beiträge um Zweitdrucke. Ich danke dem Nomos Verlag Baden-Baden, dem de Gruyter Verlag Berlin, dem LIT Verlag Münster, Prof. Dr. Christoph Strosetzki Universität Münster, der Metzlerschen Verlagsbuchhandlung Stuttart, dem DETAIL Verlag München in Verbindung mit Prof. Dr. Winfried Nerdinger, dem Metropol Verlag Berlin sowie dem Asinger Verlag Kröning für die Abdruckerlaubnis der hier erneut publizierten Aufsätze. Abschließend gilt aber vor allem mein Dank Prof. Dr. Eva-Maria Seng für die Mitarbeit an dem Aufsatz, der im sechsten Kapitel das Verhältnis von Utopie und Architektur aufrollt. Ohne diesen Beitrag wäre der vorliegende Sammelband nicht zustande gekommen.

Drucknachweise

Einleitung (unveröffentlichter Text).

Zum analytischen Potenzial des klassischen Utopiebegriffs, in: Thomas Schölderle (Hrsg.), Idealstaat oder Gedankenexperiment? Zum Staatsverständnis in den klassischen Utopien, Baden-Baden 2014, S. 305-315. Dem Nomos-Verlag Baden-Baden danke ich für seine Abdruckgenehmigung.

Ist der Chiliasmus eine Utopie? Das Problem der Systemüberwindung in der Frühen Neuzeit bei Thomas Morus und Thomas Müntzer, in: Das Mittelalter. Perspektiven mediävistischer Forschung, Bd. 18 (2013), Heft 2, S. 167-182. Dem Verlag DE GRUYTER Berlin danke ich für seine Abdruckgenehmigung.

„Christliche Utopie" – ein Widerspruch in sich selbst? Zum Verhältnis von Utopie und Chiliasmus, in: Hermann Fechtrup/Friedbert Schulze/Thomas Sternberg (Hrsg.), Zwischen Anfang und Ende. Nachdenken über Zeit, Hoffnung und Geschichte. Ein Symposium, Münster/Hamburg/London 2000, S. 81-113. Dem Lit Verlag Münster danke ich für seine Abdruckgenehmigung.

Aristoteles-Kritik und frühneuzeitliche Modernisierung. Von Morus' *Utopia* zu Hobbes' *Leviathan*. Dem Herausgeber der Erstdrucks Prof. Dr. Christoph Strosetzki danke ich für seine Abdruckgenehmigung.

Politische Utopien der Aufklärung, in: Heinz Thoma (Hrsg.), Handbuch der Europäischen Aufklärung. Begriffe, Konzepte, Wirkung, Stuttgart 2015, S. 527-535. Der J.B. Metzler'schen Verlagsbuchhandlung Stuttgart danke ich für ihre Abdruckgenehmigung.

Utopie und Architektur (gemeinsam mit Eva-Maria Seng), in: Winfried Nerdinger in Zusammenarbeit mit Markus Eisen und Hilde Strobl (Hrsg.), L'architecture engagée. Manifeste zur Veränderung der Gesellschaft, München 2012, S. 10-37. Dem DETAIL-Verlag München sowie Prof. Dr. Winfried Nerdinger danke ich für seine Abdruckgenehmigung.

Utopische Ökonomien als Vorläufer sozialistischer Planwirtschaften, in: Zeitschrift für Geschichtswissenschaft, 59. Jg. (2011), S. 544-556. Dem Metropol Verlag Berlin danke ich für seine Abdruckgenehmigung.

Die klassische Utopietradition und die Herausforderung des Transhumanismus, in: Dieter Korczak (Hrsg.), Visionen statt Illusionen. Wie wollen wir leben?, Kröning 2014, S. 21-36. Dem Asanger Verlag Kröning danke ich für seine Abdruckgenehmigung.

Abbildungsverzeichnis